中华人民共和国法律释义丛书

全国人民代表大会常务委员会法制工作委员会　编

中华人民共和国
证券法释义

主　编：李　飞（全国人大常委会法制工作委员会副主任）

副主编：何永坚（全国人大常委会法制工作委员会经济法室副主任）

撰稿人：何永坚　周　敏　王　清　李建国　王　柏　杨合庆　曹兵兵　王　翔　刘新林　袁　强　施春风

法律出版社

图书在版编目(CIP)数据

中华人民共和国证券法释义/人大法工委编. --北京:法律出版社,2005.11(2018.11重印)
(中华人民共和国法律释义丛书)
ISBN 978-7-5036-5967-6

Ⅰ.①中… Ⅱ.①人… Ⅲ.①证券法-法律解释-中国 Ⅳ.①D922.287.5

中国版本图书馆CIP数据核字(2005)第136737号

中华人民共和国证券法释义
ZHONGHUA RENMIN GONGHEGUO ZHENGQUANFA SHIYI

人大法工委 编

责任编辑 麦 锐
装帧设计 李 瞻

编辑统筹 法规出版分社
出版 法律出版社
开本 850毫米×1168毫米 1/32
总发行 中国法律图书有限公司
印张 14
经销 新华书店
字数 319千
印刷 北京玺诚印务有限公司
版本 2005年11月第1版
责任印制 吕亚莉
印次 2018年11月第5次印刷

法律出版社/北京市丰台区莲花池西里7号(100073)
网址/www.lawpress.com.cn
投稿邮箱/info@lawpress.com.cn
销售热线/010-83938336
举报维权邮箱/jbwq@lawpress.com.cn
咨询电话/010-63939796

中国法律图书有限公司/北京市丰台区莲花池西里7号(100073)
全国各地中法图分、子公司销售电话:
统一销售客服/400-660-6393
第一法律书店/010-83938334/8335 西安分公司/029-85330678 重庆分公司/023-67453036
上海分公司/021-62071639/1636 深圳分公司/0755-83072995

书号:ISBN 978-7-5036-5967-6 **定价**:58.00元

总　　序

人类文明的历史上，还没有哪一个时代像中国的改革开放40年一样，在历史长河中掀起如此巨大的浪花——它不仅深刻改变了一个国家的面貌与精神气质、使数亿人摆脱贫困，还极大地改变了世界格局。

1978，在那一年的年底，中共中央一次全体会议——十一届三中全会扭转了中国的前进方向，开辟了一个时代。回首过去，我们发现，一些观念从那时开始在中国出现，一些声音从那时开始逐渐响起，一些人物开始登上历史舞台。从这一年开始，随着“加强社会主义民主，健全社会主义法制”历史性任务的提出，“法制”两个字进入了人们的视野；政法机关开始恢复重建；法律院系开始蓬勃发展。一部部法律从庙堂走进了人们的生活，一次次裁决推动着国家前进的脚步。从“有法可依、有法必依、执法必严、违法必究”到“科学立法、严格执法、公正司法、全民守法”；从“法制”到“法治”；从法治观念的形成到“依法治国，建设社会主义法治国家”写进宪法，再到“法治国家、法治政府、法治社会一体建设”，人们对法治的认识步步深入，中国的改革不断向前推进，结出丰硕的果实。在中国共产党的带领下，这个励精图治的古老国度，再一次创造了改革的奇迹。

40年发生了无数故事,40年产生了许多事物。为了纪念这难忘的40年,本社组织编辑出版了一批“纪念改革开放40周年”主题图书。这些图书,将40年来颁布的重要法律及其释义甄选汇集,将法学领域有代表性的学术论文萃取精编,把有关政法机关的重建、法律院系的重生与发展进行展现,将一批被时代改变命运的人物再次唤起。我们希望从法律与法律人的视角,重新审视过去的40年,认真体会这不平凡的40年。

如江河东下,逝者如斯。岁月总会过去,人事总有代谢,但一个不平凡的时代留下的深刻痕迹,永远不会磨灭。“不忘初心,牢记使命”,习近平总书记在党的十九大报告中向全党发出的号召,使我们有理由期待,下一个40年,中国将更加惊艳!

法律出版社编辑委员会

2018年10月

出版前言

《中华人民共和国法律释义丛书》是由全国人大常委会法制工作委员会组织编辑的一套系列丛书。

该套丛书由一系列法律释义组成。邀请有关专家、学者和部分参与立法的同志编著。该丛书坚持以准确地反映立法宗旨和法律条款内容为最基本要求,在每部法律释义中努力做到观点的权威性和内容解释的准确性。

我们相信,该套丛书的陆续出版,将会给广大读者进一步学好法律提供有益的帮助。

重 印 说 明

本次重印,是为改革开放40周年制作的特别纪念版,为了保持内容原貌,未对正文和附录作实质修改。个别法条内容有修订或修正的,以脚注形式作了标注。特此说明。

2018年10月

目　录

第一部分　释　义

第二部分　附　录

第一部分　释　　义

第一章　总　　则

第一条　为了规范证券发行和交易行为，保护投资者的合法权益，维护社会经济秩序和社会公共利益，促进社会主义市场经济的发展，制定本法。

【释义】　本条是对证券法立法宗旨的规定。

证券法是规范证券发行、交易及监管过程中产生的各种法律关系的基本法，是证券市场各类行为主体必须遵守的行为规范，由国家权力机关制定，以国家强制力保障其实施。

《中华人民共和国证券法》于 1998 年 12 月 29 日由第九届全国人民代表大会常务委员会第六次会议通过，自 1999 年 7 月 1 日起施行，至今已经 6 年。在此期间，为了落实行政许可法关于行政许可制度改革的要求，2004 年 8 月 28 日，第十届全国人民代表大会常务委员会第十一次会议通过了《关于修改〈中华人民共和国证券法〉的决定》，对证券法个别条款作了修改。2005 年 10 月 27 日，第十届全国人民代表大会常务委员会第十八次会议根据新时期我国证券市场规范发展的需要，审议通过了重新修订的证券法，自 2006 年 1 月 1 日起施行。这是继 2004 年后，对证券法的一次重大修改。由于这次修改涉及的内容较多，因此没有采取修正的方式，而是采取了重新修订的方式。

证券法施行以来，对规范我国证券发行和交易行为，保护投资者的合法权益，维护社会经济秩序和社会公共利益，促进社会主义市场经济的发展，发挥了积极的作用。据统计，截至2004年底，我国境内上市公司已达1377家，内地公司境外上市已达111家，总股本约7600亿股，总市值约33,450亿元，投资者开户数达7200多万户。从1991年到2004年，我国企业通过境内外市场累积筹资11,600多亿元。与此同时，我国的基金业也得到快速发展，截至2005年3月底，我国的基金管理公司已有45家，基金规模达到4300亿份。但是随着我国经济和金融体制改革的不断深化，证券市场中潜在的问题和风险也明显地暴露出来：一是部分上市公司质量不高，信息披露制度不完善；二是部分证券公司内控机制不严，经营活动不规范；三是监管机构的监管权力和手段不到位，对违法违规行为打击不力；四是保护投资者特别是中小投资者合法权益的机制不健全，缺乏有效的制度安排；五是缺乏创新机制，在一定程度上束缚了证券市场发展的手脚。现行证券法已经不能完全适应证券市场进一步发展的需要。为此，全国人大财政经济委员会会同国务院有关部门，根据十届全国人大常委会立法计划，经过调查研究，对现行证券法作了全面修改，并于2005年4月24日提交第十届全国人民代表大会常务委员会审议。在此基础上，全国人大法律委员会、全国人大常委会法制工作委员会将修订草案印发各地方和中央有关部门，及证券业各有关机构征求意见。同时，会同全国人大财政经济委员会和国务院有关部门，根据常委会组成人员的审议意见和各方面的意见，对修订草案作了进一步研究修改，经第十届全国人民代表大会常务委员会第十八次会议审议通过。

经第十届全国人民代表大会常务委员会第十八次会议审议通过的证券法，是现阶段我国证券市场实践经验和理论研究成果的集中体现，是我国新时期证券市场规范发展的总纲，其立法宗

旨是:

1. 规范证券发行和交易行为

证券发行是指发行主体为筹集建设资金或经营资本,向投资者签发代表一定权利的有价证券,将投资者手中的闲置资金转化为建设资金或经营资本的行为。证券交易是指对已依法发行的证券的转让或买卖。证券发行主体可以是政府,也可以是企业。投资者是法律允许的具有投资能力的自然人和法人。鉴于由证券发行和交易产生的发行主体、投资者、服务机构和监管当局之间的不同法律关系,不仅涉及证券持有者权利义务的设定、转移和市场秩序,同时关系到我国投融资体制改革能否顺利进行并取得积极成果,必须予以规范。为此,本法规定,证券的发行和交易,必须实行公开、公平、公正的原则;必须遵守法律、行政法规;禁止欺诈、内幕交易和操纵证券市场的行为;国务院证券监督管理机构依法对全国证券市场实行集中统一监督管理。同时对证券发行核准制度、保荐制度、承销制度、信息预披露制度、证券上市交易制度、持续信息公开制度、禁止的交易行为及相关法律责任等作了明确规定。

2. 保护投资者的合法权益

近年来,随着我国证券市场的超常规发展,投资人队伍不断扩大,其中,中小投资者占绝大多数。他们缺少必要的资金,没有证券投资经验,出于对证券市场发展的预期,将自己多年的积蓄投资于证券市场,期望保值增值,从中获取合理的收益。他们处于弱势地位,却为我国证券市场的发展作出了巨大的贡献。他们是养育证券市场的沃土,需要细心呵护。而我国证券市场的建立起步晚,与国外成熟市场相比,结构还不完整,市场投机性强,上市公司的控股股东掏空上市公司和证券公司非法挪用客户保证金的情况很普遍。历史和实践证明,证券市场要发展,必须取信于投资者,必须切实保护投资者的合法权益。为此,本法规定,国家设立投资者保护基金，其筹集、管理和使用的具体管理办法由国务院制定；证券交易所、证券公司、证券登记结算机构必须依法为客户开立的账户保密；对客户的交易结算资金实行独立第三方存管，证券公司不得将客户的交易结算资金和证券归入其自有财产；禁止以任何形式挪用客户的交易结算资金和证券；非因客户本身的债务，不得查封、冻结、扣划或者强制执行客户的交易结算资金和证券；发行人、上市公司依法披露的信息资料有虚假记载、误导性陈述或者重大遗漏，致使投资者的证券交易遭受损失的，应当承担赔偿责任。

3. 维护社会经济秩序和社会公共利益，促进社会主义市场经济的发展

促进社会主义市场经济的发展是我国经济体制改革的目标，实现这个目标要有良好的经济秩序作保障，而良好的经济秩序的建立，一方面要靠国家立法和执法来保障，另一方面也要靠全体公民、各单位和其他组织自觉遵守法律来实现。即利用法律机制调整和规范市场经济条件下的各种社会关系，以维护社会经济秩序和社会公共利益，促进社会主义市场经济的发展。这不仅是市场经济对法律的要求，也是市场经济健康发展的保障。证券法的修订将对维护社会经济秩序和社会公共利益，促进社会主义市场经济的发展，发挥积极作用。正如江泽民同志在《证券知识读本》一书的批示中指出："实行社会主义市场经济，必然会有证券市场。建立发展健康、秩序良好、运行安全的证券市场，对我国优化资源配置，调整经济结构，筹集更多的社会资金，促进国民经济的发展具有重要作用。"

上述立法宗旨是一个有机整体，相互关联，不可分割，是统帅本法的灵魂，本法其他各项规范都是为实现这一宗旨服务的。认真领会本法立法宗旨，即可掌握解读本法各项规范的钥匙，为落实本法各项规范，实现本法立法宗旨提供有益的帮助。

第二条　在中华人民共和国境内，股票、公司债券和国务院依法认定的其他证券的发行和交易，适用本法；本法未规定的，适用《中华人民共和国公司法》和其他法律、行政法规的规定。

政府债券、证券投资基金份额的上市交易，适用本法；其他法律、行政法规另有规定的，适用其规定。

证券衍生品种发行、交易的管理办法，由国务院依照本法的原则规定。

【释义】　本条是对证券法适用范围及与其他相关法律、行政法规的关系的规定。

一、本法的适用范围

法律的适用范围即法律的效力范围，包括法律的时间效力、空间效力和对人的效力。法律的时间效力是指法律效力的时间界限；法律的空间效力是指法律效力所及的地域范围；法律对人的效力是指法律效力所及的人的范围。准确掌握法律的适用范围，对正确适用法律具有重要意义。

1. 本法的时间效力

根据本法第二百四十条的规定，本法自 2006 年 1 月 1 日起施行。（见该条释义）

2. 本法的空间效力

一般来讲，一个主权国家的法律适用于其主权管辖的全部领域。在我国，由全国人大及其常委会制定的法律，在全国范围内适用。由有立法权的各级地方人大及其常委会制定的地方性法规，在各该地方行政区域范围内适用，并不得与国家法律相抵触。根据我国立法法的规定，属于金融管理方面的法律，地方没有立法权。本法是由全国人大常委会制定的全国性法律，其效力范围及于全国。但是有一种情形例外，根据宪法、香港特别行政区基本法和澳门特别行政区基本法的规定，自中华人民共和国恢复对香港和澳门行使主权时起，两个基本法附件三中规定的特别行政区适用的全国性法律,在特别行政区实施。本法未被列入两个基本法的附件,因此,本法不适用于两个特别行政区。

3. 本法对人的效力

法律对人的效力,国际上通行三种原则:一是属地原则,即以地域为标准,不管当事人是不是本国人,只要其行为发生在本国领域内就适用;二是属人原则,即以当事人的国籍为标准,凡是本国人不论其行为发生在国内还是国外都适用;三是保护主义原则,即以国家利益为标准,不论当事人的行为发生在哪里,也不论当事人是不是本国人,只要其行为损害了本国利益就适用。本法采用的是属地原则,即在中华人民共和国境内,股票、公司债券和国务院依法认定的其他证券的发行和交易,适用本法;本法未规定的,适用《中华人民共和国公司法》和其他法律、行政法规的规定。政府债券、证券投资基金份额的上市交易,适用本法;其他法律、行政法规另有规定的,适用其规定。证券衍生品种发行、交易的管理办法,由国务院依照本法的原则规定。据此,本法对我国证券市场各类行为主体具有约束力。

二、本法与公司法及其他相关法律、行政法规的关系

本法未给"证券"下定义,因为目前条件还不成熟。但是本法作为规范证券发行、交易及监管过程中产生的各种法律关系的基本法,其调整的对象并不仅限于股票、公司债券的发行和交易,也不仅限于政府债券、证券投资基金份额的上市交易。考虑到证券市场的发展和产品创新,本法对国务院依法认定的其他证券的发行和交易同样适用。对本法未规定的,或者其他法律、行政法规另有规定的,适用其他法律、行政法规的规定,如公司法、证券投资基金法、国库券条例等。

证券衍生品种是原生证券的衍生产品,分为证券型(如认股权证等)和契约型(如股指期货、期权等)两大类,具有保值和投机双重功能。其具体品种随着证券市场的发展会不断增加,在发行、

交易和信息披露等方面有其特殊性，证券法难以适用于各种证券衍生品，为了适应产品创新的需要，并针对不同产品的不同特性加强管理，本法特别规定，证券衍生品种发行、交易的管理办法，由国务院依照本法的原则规定。这是本次修订证券法新增加的内容。一是明确证券衍生品种的法律地位，允许金融创新；二是依法加强监督管理，维护市场秩序与安全。

第三条　证券的发行、交易活动，必须实行公开、公平、公正的原则。

【释义】　本条是对证券发行、交易活动必须遵守"三公"原则的规定。

证券的发行是指发行主体为筹集建设资金或经营资本，向投资者签发代表一定权利的有价证券，将投资者手中的闲置资金转化为建设资金或经营资本的行为。证券的交易是指对已依法发行的证券的转让或买卖。鉴于证券发行、交易活动的参与者众多，为了有效保护投资者的合法权益，必须实行公开、公平、公正的原则，即"三公"原则。只有有了这样的投资环境，证券市场才可能健康发展。

公开是指有关证券发行、交易的信息要依法如实披露、充分披露、持续披露，让投资者在充分了解真实情况的基础上自行作出投资判断。贯彻公开原则的基本要求是，公开的信息必须真实、准确、完整，不得有虚假记载、误导性陈述或者重大遗漏。信息公开要及时，要有使用价值。除了信息公开外，办事程序、办事规则也要公开。

公平是指证券市场的参与者在法律上地位平等，在市场中机会平等。贯彻公平原则的基本要求是，投资者能够公平地参与竞争，公平地面对机会和风险。

公正是指证券的发行、交易活动执行统一的规则，适用统一的规范。贯彻公正原则的基本要求是,证券市场参与者的合法权益同样受法律保护,违法行为同样受法律制裁。

证券市场是一个风险集中的市场,只有实行公开、公平、公正的原则,才能依法化解风险,促进证券市场健康发展。

第四条　证券发行、交易活动的当事人具有平等的法律地位,应当遵守自愿、有偿、诚实信用的原则。

【释义】　本条是对证券发行、交易活动当事人的法律地位及其从事证券发行、交易活动应当遵守的基本原则的规定。

证券发行、交易活动是重要的民事活动,民事活动当事人的权利义务对等,任何一方不得随意扩大自己的权利,加重对方的义务,这是一项最基本的民事法律制度。本条规定证券发行、交易活动当事人的法律地位平等,有利于依法维护证券发行、交易活动当事人的合法权益。

"自愿、有偿、诚实信用"是国内外民事活动共同遵循的基本原则。我国民法通则、合同法及其他一系列民事法律对此都有明确的规定。证券发行、交易活动是重要的民事活动,应当遵循自愿、有偿、诚实信用的原则。所谓自愿原则,是指民事活动当事人的法律地位平等,他们参与民事活动完全出于意思自治,任何机构、组织或者个人都不得非法干预。所谓有偿原则,是指民事活动当事人的权利义务对等,他们从事交易活动应当支付对价。所谓诚实信用原则,是指民事活动当事人应当自觉遵守社会公德,参与民事活动要诚实守信,不违约,不弄虚作假。

证券发行、交易活动当事人违反自愿、有偿、诚实信用原则,给他人造成损失的,应当依法承担赔偿责任。

第五条　证券的发行、交易活动,必须遵守法律、行政法规;禁止欺诈、内幕交易和操纵证券市场的行为。

【释义】 本条是对证券发行、交易活动准则的规定。

一、证券的发行、交易活动，必须遵守法律、行政法规

法律是国家立法机关依照法定程序制定，以国家强制力保证其施行的人们共同遵守的行为规范，包括宪法和全国人民代表大会及其常务委员会制定的各项基本法和单项法，如刑法、刑事诉讼法、民法通则、民事诉讼法、公司法、合同法、票据法、商标法、专利法等。行政法规是国务院为实施行政管理职责，依据宪法、法律和国家立法机关的授权制定的，以国家强制力保证其施行的人们共同遵守的行为规则。包括国务院颁布或者国务院批准颁布的条例、办法等，如股票发行与交易管理暂行条例、企业债券管理条例等。法律和行政法规广义上统称为法，是全国各族人民利益的集中体现。一切国家机关、武装力量、各政党、各社会团体、各企业事业组织和全体公民都必须遵守。这是建立社会主义法治国家的必然要求。

改革开放以来，国家加快了市场经济方面的立法，将市场经济纳入法制的轨道。证券的发行、交易活动是市场经济的产物，关系到社会各方面的利益，牵动到若干经济领域，由此形成多方面的经济和法律关系，必须遵守国家法律、行政法规的规定。

二、禁止欺诈、内幕交易和操纵证券市场的行为

诚实信用原则是市场经济的基本原则，它要求参与市场经济活动的主体行使权利、履行义务应当本着真诚善意的态度，讲真话、办实事，开诚布公，信守承诺，不得以欺诈蒙骗等有悖于诚实信用原则的方法从事市场经济活动。证券的发行、交易活动是市场经济活动，应当遵守诚实信用原则，禁止欺诈、内幕交易和操纵证券市场的行为。

1. 欺诈行为，有广义与狭义之分，广义的证券欺诈包括内幕交易和操纵证券市场的行为；狭义的证券欺诈是指利用与客户进行交易的机会，或者利用其受托人、代理人或管理人的身份，使用明知是错误的、虚假的或者隐瞒了重要事实的信息诱骗他人收购

或者买卖证券的行为。

2. 内幕交易,是指内幕信息的知情人和非法获取内幕信息的人,如发行人的董事、监事、高级管理人员及其他关联人等,利用其特殊身份获取的内幕信息进行收购或者买卖证券的行为。

3. 操纵证券市场,是指单独或者与他人合谋利用资金优势、持股优势、信息优势及其他手段,人为抬高、压低或者固定证券行情,引诱他人参与收购或者买卖证券的行为。

上述行为破坏了公平竞争,扭曲了证券市场正常的供求关系,对证券市场秩序具有极大的破坏性,必须予以禁止。

第六条　证券业和银行业、信托业、保险业实行分业经营、分业管理,证券公司与银行、信托、保险业务机构分别设立。国家另有规定的除外。

【释义】　本条是对证券业与其他金融业实行分业经营、分业管理的特别规定。

回顾历史,我国的证券业、银行业、信托业、保险业在改革开放之初,实行混业经营、混业管理。证券业、银行业、信托业、保险业由中国人民银行管理。根据1986年1月7日国务院发布的《中华人民共和国银行管理暂行条例》的规定,中国人民银行是国务院管理全国金融业的国家机关。继后,上海、深圳分别颁布了两地的《证券交易管理办法》,明确规定两地证券市场的主管机关是中国人民银行在两地的分行。当时没有经验,银行资金违反国家有关金融管理的规定,通过各种方式流入股市。一是商业银行及其分支机构从事股票买卖;二是证券公司和其他企业利用银行信贷资金进行股票买卖,导致股市大起大落,投资者损失惨重。鉴于银行资金主要来自居民储蓄,如果违规流入股市,后果十分严重。一是造成股市虚假繁荣,误导投资者盲目入市;二是股市一有风吹草动,银行抽回资金,将使更多的投资者遭受损失;三是股市是一个高风险的市场，银行资金违规流入股市，将使银行承担更大的风险，不利于银行稳健运行和国家金融安全。

总结实践经验，证券业、银行业、信托业、保险业各有其特定的业务范围和经营方式。在我国现阶段，这些行业都还处于市场化改革发展过程中，分业经营、分业管理有利于提高经营水平，加强监督管理，化解金融风险。为此，国家分别制定了中国人民银行法、商业银行法、银行业监督管理法、证券法、信托法、保险法，并分别设立了证监会、银监会和保监会，依法加强对证券业、银行业、信托业、保险业的监督管理。

近年来，随着我国金融体制改革不断深化和金融市场逐步对外开放，继续对证券业、银行业、信托业、保险业实行严格的分业经营、分业管理，导致的市场管理高成本低效率十分明显。根据“十六大”以来中共中央、国务院关于推进资本市场改革开放和稳定发展的若干规定，国务院有关部门陆续出台了一系列促进我国资本市场发展的措施和办法。但是我们应当清醒地看到，我国资本市场的建立起步晚，与发达国家相比还不成熟，虽然发展很快，但是中小投资者多，市场投机性强。为了有利于金融创新，同时有效防范金融风险，这次修改证券法时在对证券业与其他金融业继续实行分业经营、分业管理的同时，增加规定，“国家另有规定的除外”，以法律的形式为我国金融体制的进一步改革和证券市场的健康发展预留了空间。

第七条　国务院证券监督管理机构依法对全国证券市场实行集中统一监督管理。

国务院证券监督管理机构根据需要可以设立派出机构，按照授权履行监督管理职责。

【释义】　本条是对我国证券市场监督管理体制的规定。

随着我国证券市场的快速发展，投资者的投资领域和投资规模不断扩大,除股票、债券外,证券投资基金已成为投资者追捧的目标。面对快速发展的证券市场、遍布全国的投资者群体以及灵活多样的交易方式,为了有效保护投资者的合法权益,促进证券市场健康发展,对全国证券市场实行统一监督管理非常必要。中国证监会是国务院证券监督管理机构,长期担负国家对证券市场实施监督管理的职责,积累了一定的经验。由国务院证券监督管理机构依法对全国证券市场实行集中统一监督管理,对维护证券市场的安全,保护投资者的合法权益具有重要作用。一是有利于国家法制统一,防止政出多门,导致出现监管“真空”;二是有利于维护法律权威,为证券市场的健康发展提供可靠保障。据此,本条规定,国务院证券监督管理机构依法对全国证券市场实行集中统一监督管理。国务院证券监督管理机构根据需要可以设立派出机构,按照授权履行监督管理职责。

国务院证券监督管理机构依法履行职责,可以进行现场调查;进入涉嫌违法行为发生场所调查取证;询问当事人和与被调查事件有关的单位和个人,要求其对与被调查事件有关的事项作出说明;可以查阅、复制与被调查事件有关的财产权登记、通讯记录等资料;查阅、复制当事人和与被调查事件有关的单位和个人的证券交易记录、登记过户记录、财务会计资料及其他相关文件和资料,对可能被转移、隐匿或者毁损的文件和资料,可以予以封存;可以查询当事人和与被调查事件有关的单位和个人的资金账户、证券账户和银行账户;对有证据证明已经或者可能转移或者隐匿违法资金、证券等涉案财产或者隐匿、伪造、毁损重要证据的,经国务院证券监督管理机构主要负责人批准,可以冻结或者查封等。

本法在赋予国务院证券监督管理机构对证券市场实行集中统一监督管理职责的同时,对其应当依法履行的义务和不履行法定义务或者不适当履行法定义务应当承担的责任也作出了规定,如:国务院证券监督管理机构工作人员依法履行职责,进行调查或者检查时,不得少于二人,并应当出示合法证件;对调查或者检查中知悉的商业秘密负有保密的义务。国务院证券监督管理机构工作人员应当忠于职守,依法办事,公正廉洁,不得利用职务便利牟取不正当利益。证券监督管理机构工作人员滥用职权、玩忽职守,利用职务上的便利牟取不正当利益,或者泄露所知悉的商业秘密的,依法追究法律责任。这些规定体现了权责统一的法律原则,体现了法律对权力的约束机制,有利于对行政管理相对人合法权益的保护。国务院监督管理机构及其派出机构一定要依法履行自己的职责。

第八条 在国家对证券发行、交易活动实行集中统一监督管理的前提下,依法设立证券业协会,实行自律性管理。

【释义】 本条是对依法设立证券业协会,实行自律性管理的规定。

目前,我国对证券业的监管分为两个层次:一是政府监管;二是行业自律。目标都是确保国家证券法律、行政法规的实施,维护市场秩序,保护投资者合法权益,促进证券市场健康发展。所不同的是:

第一,实施监管的主体不同。实施政府监管的主体是国家有关行政主管机关;实施行业自律管理的主体是行业协会。

第二,实施监管的性质不同。政府监管的性质是行政行为;行业监管的性质是自律行为。

第三,实施监管的依据不同。政府监管的依据是法律、行政法规;行业监管的依据除了法律、行政法规外,还包括自律组织的章程、业务规则、行业纪律等。

第四,实施监管的范围不同。政府监管面对全国证券市场的参与者;行业监管主要面对自律组织成员。

第五,实施监管的手段和保障措施不同。政府监管以国家强制力作保障,对违法组织或者个人尚未构成犯罪的,可以依法给予行政处罚;行业监管主要靠自律组织章程、业务规则和行业纪律来实现,对违法违规成员可以予以警告、暂停或者取消其会员资格,对情节严重的,可以提请政府有关主管机关或司法机关处理。

实践证明,加强与完善行业自律管理,对维护证券市场秩序,保护投资者合法权益,促进证券市场规范发展,具有政府监管不可替代的重要作用:一是,行业自律管理,发现问题及时,解决问题针对性强。二是,自我约束,规范到位,效果比较好。三是,作为连接政府与市场的桥梁和纽带,除了可以为会员提供相互交流与沟通的平台,还可以将会员面临的困难与问题,对市场发展的意见和建议,及时反映给政府,以维护会员的合法权益,提升行业信誉,促进行业发展。

为了充分发挥行业自律管理的作用,提高行业自律管理的能力和水平,有必要明确自律组织的法律地位,加强对自律组织的管理,促进自律组织发展,据此,本条规定,"在国家对证券发行、交易活动实行集中统一监督管理的前提下,依法设立证券业协会,实行自律性管理。"本条规定包括三层含义:

一是,明确证券业协会的法律地位。允许证券业协会合法存在,促进证券业协会规范发展。任何机构、组织或个人不得对证券业协会的设立进行刁难。

二是,明确证券业协会的自律性质。由会员组成,依据法律、行政法规和会员大会通过的章程、业务规则、行业纪律实行自律管理,任何机构、组织或者个人不得非法干预。

三是,明确证券业协会的职责。通过资格管理、法规培训、业务交流及章程规定的其他方式,加强行业自律,协调行业关系,提供行业服务,促进行业发展。

国务院证券监督管理机构要依法加强对证券业协会的指导和监督,支持证券业协会的工作,发挥证券业协会的作用。证券业协会也要依法接受国务院证券监督管理机构的指导和监管。

第九条　国家审计机关依法对证券交易所、证券公司、证券登记结算机构、证券监督管理机构进行审计监督。

【释义】　本条是对证券交易所、证券公司、证券登记结算机构、证券监督管理机构依法进行审计监督的规定。

国家审计机关（审计署）是依宪法设立的国务院职能部门，在国务院总理领导下依法对国务院各部门和地方各级政府的财政收支，对国家财政金融机构和企业事业组织的财务收支进行独立审计监督，并提出审计报告，不受其他行政机关、社会团体和个人的干涉。目的是维护国家财经纪律，保障国民经济健康发展。

审计法规定，审计机关有权对国家金融机构的资产、负债、损益，进行审计监督；对国有事业组织的财务收支，进行审计监督；对国有企业的资产、负债、损益，进行审计监督；对其他法律、行政法规规定应当由审计机关进行审计监督的事项，依照审计法和其他有关法律、行政法规的规定，进行审计监督。

证券交易所、证券公司、证券登记结算机构、证券监督管理机构在证券发行、交易及其监管活动中处于不同的地位，扮演着十分重要的角色，他们的财务收支有没有违法违规的情况，对投资者的权益保护和证券市场的安全及健康发展影响很大。为此，本条规定，证券交易所、证券公司、证券登记结算机构、证券监督管理机构为国家审计机关的审计对象，应当依法接受国家审计机关的审计监督。

第二章 证 券 发 行

第十条 公开发行证券，必须符合法律、行政法规规定的条件，并依法报经国务院证券监督管理机构或者国务院授权的部门核准；未经依法核准，任何单位和个人不得公开发行证券。

有下列情形之一的，为公开发行：

（一）向不特定对象发行证券的；

（二）向特定对象发行证券累计超过二百人的；

（三）法律、行政法规规定的其他发行行为。

非公开发行证券，不得采用广告、公开劝诱和变相公开方式。

【释义】 本条是对公开发行证券实行核准制度及对“公开发行”概念的规定。

发行证券，分为公开发行和非公开发行两种方式。公开发行主要是指向社会公众发行，由于涉及公众利益，国家对公开发行行为要进行监管。非公开发行主要是指向一定数量的特定对象发行证券，这种发行涉及人数较少，且投资者对发行人的情况比较了解，发行行为对社会影响较小，国家对这种行为一般不进行监管。本条对公开发行的界定是：（1）向不特定对象发行证券。这是指向社会公众发行证券，发行对象的不特定性，是公开发行的特征之一。无论发行对象人数多少，只要是不特定的社会公众，都属于公开发行。（2）向累计超过二百人的特定对象发行证券。“特定对象”主要包括发行人的内部人员如股东、公司员工及其亲属、朋友等，以及与发行人有联系的公司、机构和人员；另一类是机构投资者，如基金管理公司、保险公司等。向特定对象发行证券，一般涉及人数较少,发行对象与发行人有一定联系,对发行人的情况比较了解。所以向特定对象发行证券是非公开发行的特征之一。但是如果特定对象人数过多,就失去了非公开发行本身所具备的人数较少的特征,实质上属于变相的公开发行。因此,界定公开发行还应当考虑人数。为此,本条对特定对象的人数规定为累计超过二百人即属于公开发行。对人数规定为“累计”,目的是防止发行人通过多次向不超过二百人的特定对象发行证券,规避国务院证券监督管理机构或者国务院授权的部门的核准和监管。根据本条规定,如果向特定对象发行证券,无论发行多少次,累计不得超过二百人,否则,即属于公开发行,必须报经国务院证券监督管理机构或者国务院授权的部门核准。(3)法律、行政法规规定的其他发行行为。这是一种概括性规定,即除前两项关于对公开发行的界定外,其他法律、行政法规规定的属于公开发行的行为。此外,本条还对非公开发行证券作了规范,即向二百人以下的特定对象发行证券,不得采用广告、公开劝诱和变相公开方式,否则即属于公开发行,这是从发行手段上界定属于公开发行的情形。

从以上规定看,公开发行具有广泛的公众性,涉及广大投资者的利益,必须严格规范,加强监管。为此,本条对公开发行证券作了以下规范:

(1)公开发行证券,必须符合法律、行政法规规定的条件。这主要是指本法和公司法的相关规定及国务院制定的有关行政法规的规定。比如本法规定,设立股份有限公司公开发行股票,应当符合公司法规定的条件和经国务院批准的国务院证券监督管理机构规定的其他条件。公司公开发行新股,应当符合下列条件:具备健全且运行良好的组织机构;具有持续盈利能力、财务状况良好;最近三年内财务会计文件无虚假记载,无其他重大违法行为;以及国务院或者国务院证券监督管理机构规定的其他条件。公开发行公司债券,应当符合下列条件:股份有限公司的净资产不低于人民币三千万元，有限责任公司的净资产不低于人民币六千万元；累计债券余额不超过公司净资产的百分之四十；最近三年平均可分配利润足以支付公司债券一年的利息；筹集的资金投向符合国家产业政策；债券的利率不超过国务院限定的利率水平；以及国务院规定的其他条件。

（2）公开发行证券，必须报经国务院证券监督管理机构或者国务院授权的部门核准。比如，公开发行股票必须报经中国证监会核准，公开发行公司债券等其他证券，必须报经国务院授权的部门核准，即国务院授权由哪个部门核准，就由哪个部门负责。目前由国家发展改革委员会负责对公司债券的公开发行进行核准。

（3）未经核准，任何单位和个人不得公开发行证券。这是对公开发行证券实行核准制度的进一步强调。对违反者，本法规定了法律责任。

第十一条　发行人申请公开发行股票、可转换为股票的公司债券，依法采取承销方式的，或者公开发行法律、行政法规规定实行保荐制度的其他证券的，应当聘请具有保荐资格的机构担任保荐人。

保荐人应当遵守业务规则和行业规范，诚实守信，勤勉尽责，对发行人的申请文件和信息披露资料进行审慎核查，督导发行人规范运作。

保荐人的资格及其管理办法由国务院证券监督管理机构规定。

【释义】　本条是对公开发行法定证券应当聘请保荐人和保荐人的职责及资格的规定。

保荐人制度源于英国，是指证券发行人申请其证券上市交易，必须聘请依法取得保荐资格的保荐人为其出具保荐意见，确认其证券符合在交易所上市交易的条件。实行保荐人制度的目的是通过保荐人对上市公司进行质量控制，督导其规范运作。为了加强对公开发行证券及证券上市交易的监管，保证公开发行证券符合法定条件，保证上市公司的质量，保护投资者的利益，这次修改证券法，在申请公开发行证券环节和申请证券上市交易环节都规定了保荐人制度。本条是对申请公开发行证券环节实行保荐制度的规定。

1. 实行保荐制度的证券的范围。根据本条规定，公开发行下列两种证券应当实行保荐制度。(1)公开发行股票、可转换为股票的公司债券，依法采取承销方式的。这里需要说明两点：一是，根据本条规定，申请发行一般的公司债券不需要聘请保荐人。因为公司债券与股票不同，发行时一般设有担保，且发行人到期还本付息，债券持有人的利益可以得到保证，没有必要实行保荐制度。而发行可转换为股票的公司债券，其债券持有人享有在一定条件下将其债券转换为公司股份的权利，这时的公司债券就转换成了股票。所以，本条规定对公开发行股票、可转换为股票的公司债券实行保荐制度。二是，根据本条规定，公开发行股票、可转换为股票的公司债券，依法不采取承销方式的，不需要聘任保荐人。根据公司法的规定，向社会公开募集股份，应当由依法设立的证券公司承销。而结合本法对公开发行证券情形的规定，向不特定对象发行证券，属于公司法规定的“向社会公开”募集股份，因而需要采取承销方式，需要聘请保荐人。而对于向特定对象发行证券累计超过二百人的情形，虽然属于公开发行，但不属于向“社会”公开，由于其涉及的人数比较少，不涉及公众利益，因而不需要采取承销方式，也没有必要实行保荐制度。所以本条规定实施保荐制度的前提之一是“依法采取承销方式的”。(2)公开发行法律、行政法规规定实行保荐制度的其他证券。本法只对申请公开发行股票、可转换为股票的公司债券规定了保荐制度，如果其他法律、行政法规有对公开发行的证券实施保荐制度的规定，还要遵守该规定。

2. 保荐人的职责。本条规定保荐人的职责是:遵守业务规则和行业规范,诚实守信,勤勉尽责,对发行人的申请文件和信息披露资料进行审慎核查,督导发行人规范运作。

3. 保荐人资格及管理办法。即什么样的机构可以担任保荐人,以及对保荐人的具体管理办法,本条授权国务院证券监督管理机构规定。

第十二条　设立股份有限公司公开发行股票,应当符合《中华人民共和国公司法》规定的条件和经国务院批准的国务院证券监督管理机构规定的其他条件,向国务院证券监督管理机构报送募股申请和下列文件:

(一)公司章程;

(二)发起人协议;

(三)发起人姓名或者名称,发起人认购的股份数、出资种类及验资证明;

(四)招股说明书;

(五)代收股款银行的名称及地址;

(六)承销机构名称及有关的协议。

依照本法规定聘请保荐人的,还应当报送保荐人出具的发行保荐书。

法律、行政法规规定设立公司必须报经批准的,还应当提交相应的批准文件。

【释义】　本条是对设立股份有限公司公开发行股票应当具备的条件及申请发行核准应当报送的文件的规定。

设立股份有限公司公开发行股票,是指公司法规定的募集设立公司的方式,即由发起人认购公司应发行股份的一部分,其余部分向社会公开募集而设立公司。由于公开发行股票涉及公众投资者的利益,为此,本条规定设立股份有限公司公开发行股票应当具备的条件是:(1)符合公司法规定的条件。符合公司法规定的条件,主要是指发起人应当在二人以上二百人以下,其中须有半数以上的发起人在中国境内有住所;有符合法定要求的公司章程;除法律、行政法规另有规定外,发起人认购的股份数不得少于公司股份总数的百分之三十五;应当由依法设立的证券公司承销证券,签订承销协议;应当与银行签订代收股款协议等。(2)符合经国务院批准的国务院证券监督管理机构规定的其他条件。即授权国务院证券监督管理机构规定其他条件,但要经国务院批准。

设立股份有限公司公开发行股票,除符合上述条件外,还应当报经国务院证券监督管理机构核准。为此,本条规定应当向国务院证券监督管理机构报送下列文件:(1)募股申请。即设立股份有限公司公开发行股票的申请书。(2)发起人协议。即公司发起人之间签订的,明确各自在公司设立过程中权利义务的协议。签订发起人协议,是公司法规定的发起人的义务。(3)发起人姓名或者名称,发起人认购的股份数、出资种类及验资证明。发起人姓名是指发起人是自然人的情况,发起人名称是指发起人是法人的情况;除法律、行政法规另有规定外,发起人认购的股份数不得少于公司股份总数的百分之三十五;出资种类是指发起人的出资是采取货币形式,还是用实物、知识产权、土地使用权等可以用货币估价并可以依法转让的非货币财产作价出资;验资证明是指会计师事务所等机构对发起人出资进行验证后出具的证明。(4)招股说明书。主要包括每股的票面金额和发行价格、募股的起止期限、认股人的权利义务等内容。(5)代收股款银行的名称及地址。公开发行股票,募集资金比较多,为了保护投资者利益,应当由银行代收股款。因此,本项规定设立股份有限公司公开发行股票,应当报送代收股款银行的名称和地址。(6)承销机构名称及有关的协议。发行股票的承销机构是指证券公司。“有关的协议”是指发行人与承销机构签订的承销协议。(7)发行保荐书。根据本法规定，公开发行股票依法采取承销方式的，应当聘请具有保荐资格的机构担任保荐人。因此，本条规定，依照本法规定聘请保荐人的，还应当报送保荐人出具的发行保荐书。此外，本条还规定，法律、行政法规规定设立公司必须报经批准的，还应当提交相应的批准文件。即在设立股份有限公司申请公开发行股票时，还应当提交有关主管部门出具的允许该公司设立的批准文件。比如根据保险法规定，设立保险公司，必须报经国务院保险监督管理机构批准，如果设立保险公司申请公开发行股票，就应当向国务院证券监督管理机构提交国务院保险监督管理机构的批准文件。

第十三条　公司公开发行新股，应当符合下列条件：

（一）具备健全且运行良好的组织机构；

（二）具有持续盈利能力，财务状况良好；

（三）最近三年财务会计文件无虚假记载，无其他重大违法行为；

（四）经国务院批准的国务院证券监督管理机构规定的其他条件。

上市公司非公开发行新股，应当符合经国务院批准的国务院证券监督管理机构规定的条件，并报国务院证券监督管理机构核准。

【释义】　本条是对公司公开发行新股应当具备的条件和上市公司非公开发行新股的条件及核准的规定。

本法前条是对采取募集设立方式设立公司公开发行股票条件的规定，即公司设立时发行人公开发行股票条件的规定。本条是对公司成立后发行新股条件的规定。具体有以下条件：

1. 具备健全且运行良好的组织机构。是指符合公司法关于公司组织机构的规定，且各机构运行状况良好。根据公司法的规定，股份有限公司应当设立股东大会、董事会、经理、监事会；上市公司还应当设立董事会秘书,设立独立董事。所以申请发行新股的公司应当设有这些机构,且这些机构能够依照公司法及公司章程的规定行使职权。

2. 具有持续盈利能力,财务状况良好。这是对公司经营状况、财务状况的概括性规定,目的是保护公众投资者的利益。

3. 最近三年财务会计文件无虚假记载,无其他重大违法行为。这是对公司守法情况的规定。一是最近三年公司财务会计文件符合会计法的有关规定,其内容真实、准确、完整,没有虚假记载。二是在其他方面,最近三年公司无重大违法行为。

4. 经国务院批准的国务院证券监督管理机构规定的其他条件。本条只是对公开发行新股应当具备的主要条件作了规定,为了适应实践的需要,本条采取了授权条款的形式,授权国务院证券监督管理机构规定其他条件,报国务院批准。

以上是对公开发行新股条件的规定。根据本条及本法第十条的规定,如果采取非公开发行新股的方式,则不需要具备法定条件,不需要报经国务院证券监督管理机构核准。为了加强对上市公司的监管,本条第二款对上市公司非公开发行新股也作了规定,即应当符合经国务院批准的国务院证券监督管理机构规定的条件,并报国务院证券监督管理机构核准。所以,对于上市公司而言,无论是公开发行新股,还是非公开发行新股,都要符合法定条件,都要报经国务院证券监督管理机构核准。

第十四条　公司公开发行新股,应当向国务院证券监督管理机构报送募股申请和下列文件:

(一)公司营业执照;

(二)公司章程;

(三)股东大会决议;

(四)招股说明书;

（五）财务会计报告；

（六）代收股款银行的名称及地址；

（七）承销机构名称及有关的协议。

依照本法规定聘请保荐人的，还应当报送保荐人出具的发行保荐书。

【释义】 本条是对公司公开发行新股应当向主管机构报送文件的规定。

本条规定应当报送的文件包括：

1. 募股申请，即公司公开发行新股的申请书。

2. 公司营业执照。这是指公司经依法登记而领取的登记证明。提交公司营业执照的意义在于，申请公开发行新股的主体必须是依法设立的公司。

3. 公司章程。公司章程包括公司的经营范围、公司内部组织机构、公司注册资本、公司股份构成等事项，有助于主管机构全面掌握公司的情况。

4. 股东大会决议。根据公司法规定，公司增加注册资本要由股东大会作出决议。公司发行新股，就是增加公司的注册资本，所以应当报送股东大会关于公司发行新股的决议。

5. 招股说明书。主要包括每股的票面金额和发行价格、募股的起止期限、认股人的权利义务等内容。

6. 财务会计报告。财务会计报告是反映公司某一特定时期财务状况和经营成果、现金流量的文件。它包括资产负债表、利润表等会计报表和会计报表附注及财务情况说明书。

7. 代收股款银行的名称及地址。公开发行新股，募集资金比较多，涉及众多投资者利益，应当由银行代收股款，以保护公众投资者。因此，本项规定公开发行新股，应当报送代收股款银行的名称和地址。

8. 承销机构名称及有关的协议。“承销机构”是指依法设立的证券公司。“有关的协议”是指发行新股的公司与证券公司签订的承销协议。

同时,根据本法规定,公开发行股票依法采取承销方式的,应当聘请具有保荐资格的机构担任保荐人。与此相对应,本条规定,依照本法规定聘请保荐人的,还应当报送保荐人出具的发行保荐书。

第十五条 公司对公开发行股票所募集资金,必须按照招股说明书所列资金用途使用。改变招股说明书所列资金用途,必须经股东大会作出决议。擅自改变用途而未作纠正的,或者未经股东大会认可的,不得公开发行新股。

【释义】 本条是对公司公开发行股票所募资金用途的规定。

公司对发行股票所募资金的使用必须规范化。在实践中,股份有限公司改变募股资金使用用途的问题比较多,有的是因为公司自身生产经营情况或公司外部经营环境发生较大变化,资金原来的用途需要改变,以适应变化了的情况;也有的是因为招股说明书所列的投资项目是公司为取得股票发行资格而刻意安排的,并没有进行周密的可行性研究,或者并不打算真正投资于这些项目,以至于在募股资金到手以后,就改变了用途,等等。改变募股资金用途的行为,可能损害投资者利益,因此,有必要从法律上加以规范。本条对所募资金用途的规范主要有三项内容:其一,所募资金必须按招股说明书所列资金用途使用。招股说明书是经核准机构依法核准,由发行人向投资者所作的具有法律效力的承诺,对投资者来说,其投资决定是依据招股说明书的内容作出的,所以,招股说明书所列用途是募股资金使用的法定依据,发行人不得随意改变。其二,改变招股说明书所列资金用途必须经股东大会批准。这是考虑到经营情况的变化以及其他改变资金用途的正当需要而作的灵活规定。这样规定也是符合保护投资者利益的原则的。股东大会是股份有限公司的权力机构,按照公司法的规定,它有权决定公司的经营方针和投资计划,由股东大会批准的决定,是反映全体股东的意志的。其三,擅自改变用途而未作纠正的,或者未经股东大会认可的,不得公开发行新股。这是对擅自改变募股资金用途的法律后果的规定。这项内容又包含三层意思:一是擅自改变用途的应当加以纠正,所谓纠正是指按照招股说明书所列资金用途使用;二是擅自改变用途,如果不作纠正,应当报经股东大会认可,经股东大会认可后,可以将募股资金按照新的用途使用。三是,擅自改变用途而未作纠正的,又未经股东大会认可的,公司不得公开发行新股,这就剥夺了它在股票市场上募集新的资金的权利。同时,本条还规定,存在上述情形的上市公司,既不得公开发行新股,也不得非公开发行新股。这是对上市公司的一项特别规定。根据本法规定,上市公司非公开发行新股,应当符合经国务院批准的国务院证券监督管理机构规定的条件,并报国务院证券监督管理机构核准。本条的规定,实际是在对上市公司非公开发行新股条件作出授权性规定的同时,本法又规定了一个条件。

第十六条　公开发行公司债券,应当符合下列条件:

(一)股份有限公司的净资产不低于人民币三千万元,有限责任公司的净资产不低于人民币六千万元;

(二)累计债券余额不超过公司净资产的百分之四十;

(三)最近三年平均可分配利润足以支付公司债券一年的利息;

(四)筹集的资金投向符合国家产业政策;

(五)债券的利率不超过国务院限定的利率水平;

(六)国务院规定的其他条件。

公开发行公司债券筹集的资金,必须用于核准的用途,不得用于弥补亏损和非生产性支出。

上市公司发行可转换为股票的公司债券,除应当符合第一款规定的条件外,还应当符合本法关于公开发行股票的条件,并报国务院证券监督管理机构核准。

【释义】 本条是对公开发行公司债券条件的规定。

为了保护债券持有人的利益,使公司到期能够支付公司债券的本息,本条规定公开发行公司债券应当符合下列条件:

(1)股份有限公司的净资产额不低于人民币三千万元,有限责任公司的净资产额不低于人民币六千万元。公司所拥有的净资产的规模如何,是衡量公司的财产责任能力大小的标志。因此,本条要求公司债发行主体的净资产额必须达到一定的规模。

(2)累计债券余额不超过公司净资产额的百分之四十。所谓"累计债券余额"是指已发行尚未到期的债券金额。这项规定的目的是使公司发行公司债券与其净资产保持合理的比例,以保证公司有足够的偿还公司债券的能力。

(3)最近三年平均可分配利润足以支付公司债券一年的利息。公司债券发行不仅需要有一定数量的净资产作为其基础,还需要公司债券发行主体在经营上有良好的业绩,以确保有足够的偿债能力。而经营业绩的评定标准是营业利润达到一定水平。

(4)筹集的资金投向符合国家产业政策。为了使公司发行债券所筹资金发挥更大的经济效益,必须接受国家宏观产业政策的调节,这是国家加强对发行公司债券的管理,使公司债券发行服从国家总的经济宏观调控的必要措施之一。

(5)债券的利率不得超过国务院限定的利率水平。这一规定也是国家加强对发行公司债券管理的措施之一。如果公司发行债券的利率比国家所发行的债券的利率高,就会影响国家建设资金的筹措。而且公司债券利率过高,有可能导致金融秩序混乱,也有可能通过高利率吸引投资者,但难以做到如期如数偿还。所以必须加以控制。

(6)国务院规定的其他条件。这一项是概括性的规定,为国务院根据实际需要规定其他条件提供了法律依据。

此外,本条在规定了上述六项条件外,还规定发行债券所筹集的资金,必须用于核准的用途,不得用于弥补亏损和非生产性支出。

本条第三款对上市公司发行可转换为股票的公司债券作了规定。可转换为股票的公司债券,是指以债券形式依照法定程序发行的,在一定时间内依据约定的条件可以转换为公司股份的债券。它兼有股票和债券的双重属性,因此,公开发行可转换为股票的公司债券,既要符合公开发行公司债券的条件,又要符合公开发行股票的条件,并经国务院证券监督管理机构核准。因此,本条在对公开发行公司债券的条件作出规定的同时,根据可转换为股票的公司债券的上述特性,对其应当符合的条件作了规定,即除应当符合公开发行公司债券的条件外,还应当符合公开发行股票的条件,并报国务院证券监督管理机构核准。同时,根据公司法的规定,上市公司经股东大会决议可以发行可转换为股票的公司债券。即公司法只对上市公司发行可转换为股票的公司债券作了规定。所以本条对发行可转换为股票的公司债券条件的规定仅适用于上市公司。

第十七条　申请公开发行公司债券,应当向国务院授权的部门或者国务院证券监督管理机构报送下列文件:

(一)公司营业执照;

(二)公司章程;

(三)公司债券募集办法;

(四)资产评估报告和验资报告;

(五)国务院授权的部门或者国务院证券监督管理机构规定的其他文件。

依照本法规定聘请保荐人的，还应当报送保荐人出具的发行保荐书。

【释义】 本条是对申请公开发行公司债券应当向主管部门报送的文件的规定。

根据本条规定，申请公开发行公司债券，应当向国务院授权的部门或者国务院证券监督管理机构报送下列文件：

(1)公司营业执照。这是指公司经依法登记而领取的登记证明。提交公司登记证明的意义在于，公开发行公司债券的主体必须是依法设立的公司。

(2)公司章程。公司章程包括了公司的经营范围、公司内部组织机构、公司注册资本、公司股份构成、出资构成等事项，有助于核准发行的部门全面掌握公司的情况。

(3)公司债券募集办法。这是核准发行的部门对公司发行债券进行实质审查的重要依据之一。根据公司法的规定，公司债券募集办法中应当载明债券募集资金的用途；债券总额和债券的票面金额；债券利率的确定方式；还本付息的期限和方式；债券担保情况；债券发行价格、发行的起止日期；公司净资产额、已发行的尚未到期的公司债券总额等事项。

(4)资产评估报告和验资报告。这是核准发行的部门对公司发行债券进行实质审查的重要依据之一。通过审查公司资产评估报告和验资报告，可以判断公司的净资产额是否达到本法规定的发行公司债券的最低限额，公司最近三年平均可分配利润是否具有支付公司债券一年利息的能力等等。

(5)国务院授权的部门或者国务院证券监督管理机构规定的其他文件。本条对向国务院授权的部门提交的主要文件作了规定，同时，为了适应监管需要，本条授权主管部门可以规定其他需要提交的文件。

同时，根据本法规定，申请公开发行可转换为股票的公司债券的,应当聘请具有保荐资格的机构担任保荐人。与此相对应,如果是申请公开发行可转换为股票的公司债券,申请人还应当报送保荐人出具的发行保荐书。

第十八条　有下列情形之一的,不得再次公开发行公司债券:

(一)前一次公开发行的公司债券尚未募足;

(二)对已公开发行的公司债券或者其他债务有违约或者延迟支付本息的事实,仍处于继续状态;

(三)违反本法规定,改变公开发行公司债券所募资金的用途。

【释义】　本条是对公司再次公开发行公司债券的限制条件的规定。

为防止随意发行公司债券,保护公司债债权人的利益,对于公司债发行后再次公开发行公司债券,需要给予一定的限制。本条规定的限制条件是:

(1)前一次发行的公司债券尚未募足。当前一次发行的公司债券尚未被全部认购,或者虽被认购但尚未缴足认购款的情况下,公司不得开始新一次的公司债券发行。这一规定的目的在于,防止不同种类、不同单位金额、不同发行日期、不同利息率以及不同偿还办法的公司债券在同一时期内重叠发行,以至公司债券的滥发,从而维护公司债券的正常发行秩序。

(2)对已发行的公司债券或者其他债务有违约或者延迟支付本息的事实,仍处于继续状态。当公司对已发行的到期公司债券不按约定偿还本息或拖延支付本息,或者公司对外的其他债务到期仍未偿还,造成违约事实存续的情况下,公司不得发行新的公司债券。这是因为,公司债券的特征是偿债期限届满,不论公司是否盈利,都必须按期还本付息,如果公司对前次所发债券到期不能支付本息或迟延支付本息,则表明其财务状况不佳,在这种状况存续期间,限制其发行新的公司债券是保护债权人利益的有力措施之一。同时,如果公司对其他债务也存在违约情况,说明其财务和资金状况不好,有可能对其发行公司债券的偿付能力带来影响,因此,在这种情况下禁止该公司发行新的公司债券,有利于保护债权人的利益。

(3)违反本法规定,改变公开发行公司债券所募资金的用途。根据本法规定,公开发行公司债券募集的资金必须用于核准的用途,不得用于弥补亏损和非生产性支出。根据公司法的规定,公司债券募集办法中应当载明债券募集资金的用途。国务院授权的部门在核准公开发行公司债券的申请时,要考虑这项内容。改变募集资金的用途,有可能使公司的偿债能力受到影响,因此,本条规定在这种情况下不得再次公开发行公司债券。

第十九条　发行人依法申请核准发行证券所报送的申请文件的格式、报送方式,由依法负责核准的机构或者部门规定。

【释义】　本条是对申请文件的格式和报送方式的规定。

发行人申请公开发行证券所提交的申请文件的格式和报送方式,应当是规范的。文件的格式指的是文件记载事项的编排样式。发行人申请公开发行证券所应提交的申请文件的种类和基本内容,是法律规定的,而核准证券发行的标准也是统一的,如果申请文件采用规范的格式,对于申请人来说,便于制作有关文件,可以避免遗漏有关申请事项;对于核准工作来说,便于对照法定条件进行审核,有利于提高工作效率,及时作出核准决定。文件的报送方式是指报送文件所采取的具体方法和形式。规范申请文件的报送方式,便于核准机构有序地受理发行申请,及时进行审核。鉴于此,本条规定公开发行证券的申请文件的格式和报送方式,由依法负责核准的机构或者部门规定。这一规定有三层含义:一是,依法负责核准的机构或者部门有权规定发行人应提交的申请文件的格式和报送方式。发行人应提交的公开发行证券的申请文件种类很多,内容也不一样,在证券法中难以对这些申请文件规定统一的格式;申请文件的报送随着技术的进步和现代化程度的提高也将会不断改进,更便捷的方式会不断涌现。因此,在这种情况下,申请公开发行证券所应提交申请文件的格式和报送方式不宜在法律中作出具体规定,而应当由负责核准的机构或部门,即国务院证券监督管理机构或者国务院授权的部门规定。这样既有利于规范,又便于根据实际的需要和可能及时作出调整。二是,依法负责核准的机构或者部门有责任对申请公开发行证券所应提交的申请文件的格式和报送方式作出规定,以适应证券发行申请规范化的要求。三是,发行人申请公开发行证券,应当按照依法负责核准的机构或者部门规定的格式和报送方式,提交申请文件。如果报送的申请文件不符合规定的格式,或者申请文件的报送方式不符合法定的要求,负责核准的机构或者部门可以拒绝受理该发行证券的申请,并要求发行人重新报送申请文件。

第二十条　发行人向国务院证券监督管理机构或者国务院授权的部门报送的证券发行申请文件,必须真实、准确、完整。

为证券发行出具有关文件的证券服务机构和人员,必须严格履行法定职责,保证其所出具文件的真实性、准确性和完整性。

【释义】　本条是对发行人、证券服务机构和人员保证与证券发行申请有关的文件真实、准确、完整的规定。

证券发行申请文件应当真实、准确、完整。所谓真实,是指文件的内容必须反映实际情况,不得弄虚作假;所谓准确,是指文件应当按照规定的格式制作,对有关情况所作的陈述和提供的数据与实际情况应当符合,或者是合乎逻辑的推测,不得有误导性陈述;所谓完整,是指所提交的申请文件的种类应当齐全,符合法定要求,每份申请文件的内容应当完整,不得有遗漏。本条规定与证券发行有关的申请文件必须真实、准确、完整,就是要求将发行人的情况按照法律规定真实、准确、完整地提供给负责核准的机构或者部门,这是依法核准发行人资格的需要,是保证发行证券的质量,保护广大投资者利益的需要。为此,本条针对发行人和证券服务机构及其人员作了以下规定:

1. 发行人向国务院证券监督管理机构或者国务院授权的部门报送的证券发行申请文件,必须真实、准确、完整。证券发行申请文件是发行人制作并提交给有关机构或部门核准的,其内容反映的是发行人自身的情况,所以,发行人对于申请文件的真实性、准确性、完整性负有最直接、最基本的责任,也是首要的责任。明确发行人的这一责任,是保证信息来源真实、准确的基本要求,也是发行人保证其自身质量和其所发行证券的质量的基本要求。同时本法对发行人申请文件有虚假记载、误导性陈述和重大遗漏,使投资者在证券交易中遭受损失的,规定发行人应当承担赔偿责任。

2. 为证券发行出具有关文件的证券服务机构和人员,必须严格履行法定职责,保证其所出具文件的真实性、准确性和完整性。在申请证券发行的过程中,发行人需要聘请律师事务所、会计师事务所、资产评估机构等专业机构和人员协助制作有关申请文件,并出具有关报告和证明文件。证券服务机构和人员既独立于发行人,又独立于投资者,它们依法为证券发行提供客观公正的服务,也是履行一种社会公证、社会监督的职能,为证券发行活动的顺利进行起到促进和保障作用。对于这些专业机构和人员来说,恪守独立、客观和公正的原则,谨慎诚实地为客户服务,维护社会公众利益,是他们基本的执业准则,在律师法、注册会计师法等相关法律、行政法规中已经有这方面的规定。本条进一步规定为证券发行出具有关文件的证券服务机构和人员,应当保证其所出具文件的真实性、准确性和完整性,是为了明确这些专业机构在从事证券服务业务活动中的具体职责,有利于严格证券发行各个环节的责任。按照本条第二款的规定，证券服务机构和人员要严格履行法定职责。这就是说，只要他们严格按照法律规定，勤勉尽责地履行了职责，就视为尽到了义务，一些属于他们工作职责范围之内发现不了的问题，不应由他们来承担责任。为此，本法规定，证券服务机构制定、出具的文件有虚假记载、误导性陈述或者重大遗漏，给他人造成损失的，应当与发行人承担连带赔偿责任，但是能够证明自己没有过错的除外。

第二十一条　发行人申请首次公开发行股票的，在提交申请文件后，应当按照国务院证券监督管理机构的规定预先披露有关申请文件。

【释义】　本条是对发行人预先披露有关申请文件的规定。

所谓预披露，是指申请首次公开发行股票的，在按照本法规定向国务院证券监督管理机构报送有关申请文件并在其受理后，将有关申请文件向社会公众披露，而不必等到国务院证券监督管理机构对发行文件审核完毕，作出核准发行的决定后再进行披露。相对于现行制度而言，预披露提前了公开披露发行文件的时间，因而具有下列优点：(1)对于发行审核而言，在发行申请人的申请被受理以后就将有关的发行申请文件，包括公开发行募集文件公之于众，可以对发行审核工作形成监督，从而比较有效地避免发行审核中可能出现的有关问题。(2)将申请材料提前披露，社会公众可以对发行申请人文件中的问题进行举报，使核准机构能够提前了解、调查有关情况，有利于缩短审核时间，提高发行审核的效率。(3)提前披露发行文件，可以使社会公众提前了解发行文件的内容，有助于其进行投资决策。鉴于预披露制度具有上述特点，本次修改证券法，对申请首次公开发行股票规定了这一制度。同时，对预披露制度的具体规定，本条要求按照国务院证券监督管理机构的规定实行。这就要求国务院证券监督管理机构尽快制定相应规定。

第二十二条 国务院证券监督管理机构设发行审核委员会，依法审核股票发行申请。

发行审核委员会由国务院证券监督管理机构的专业人员和所聘请的该机构外的有关专家组成，以投票方式对股票发行申请进行表决，提出审核意见。

发行审核委员会的具体组成办法、组成人员任期、工作程序，由国务院证券监督管理机构规定。

【释义】 本条是对股票发行审核委员会的设立、组成以及表决方式等有关事项的规定。

1. 发行审核委员会的设立。本条规定，国务院证券监督管理机构设发行审核委员会，依法审核股票发行申请。这一规定明确了发行审核委员会的法律地位和法定职责。首先，发行审核委员会设在国务院证券监督管理机构内部，是法定必须设立的机构；其次，发行审核委员会的职责是依法审核股票发行申请，即发行审核委员会是国务院证券监督管理机构内部负责审核股票发行申请的具体职能机构，所有提交国务院证券监督管理机构的股票发行申请，都必须由发行审核委员会依法进行审核。在法律中明确规定发行审核委员会的设立和职责，有利于提高股票发行核准过程的透明度。

2. 发行审核委员会的组成。发行审核委员会的成员由两部分人员构成，一部分是国务院证券监督管理机构内部的专业人员，另一部分是国务院证券监督管理机构以外的有关专家，这些专家主要包括政府综合经济管理部门、有关行业主管部门的专业人员以及经济、法律、金融、财会等有关方面的专家、学者等。这两部分人员是发行审核委员会的基本组成人员，也是法定的组成人员。在法律中规定发行审核委员会的成员中必须有国务院证券监督管理机构以外的专家，主要是因为股票发行影响面广，涉及的问题多，需要由各有关方面的专家从不同方面进行审核，提出意见。这样有利于保证公开发行的股票的质量。

3. 发行审核委员会的审核方式。本条规定,发行审核委员会成员以投票方式对股票发行申请进行表决,提出审核意见。此处审核意见是指发行审核委员会作为一个法定机构所作出的是否同意股票发行的决议,是发行审核委员会进行审核工作的结果,也是该委员会对某支股票发行申请进行审核的最终程序,这个审核意见是通过投票表决的方式形成的,是由民主决策产生的,这一规定可以说是公平、公正原则的体现。

4. 本条在对发行审核委员会的设立、组成和表决方式作出原则规定的基础上,授权国务院证券监督管理机构规定发行审核委员会的具体组成办法、组成人员任期、工作程序。以使这个机构的设立和运行有规可循,减少工作的随意性,提高可信度。

第二十三条　国务院证券监督管理机构依照法定条件负责核准股票发行申请。核准程序应当公开,依法接受监督。

参与审核和核准股票发行申请的人员,不得与发行申请人有利害关系,不得直接或者间接接受发行申请人的馈赠,不得持有所核准的发行申请的股票,不得私下与发行申请人进行接触。

国务院授权的部门对公司债券发行申请的核准,参照前两款的规定执行。

【释义】 本条是对证券核准机构、核准部门及其工作人员核准证券发行申请时的行为规则的规定。

本条规定,国务院证券监督管理机构依照法定条件负责核准股票发行申请。这里的“股票发行申请”,包括采取募集设立方式设立公司公开发行股票,以及已设立的公司公开发行新股两种情况。根据本法规定,采取募集设立方式设立公司公开发行股票,应当符合公司法规定的条件和经国务院批准的国务院证券监督管理机构规定的其他条件;同时,本法对公司公开发行新股的条件作了规定。所以,本条规定国务院证券监督管理机构依照法定条件负责核准股票发行申请,就是指上述条件。本条还规定,核准程序应当公开,依法接受监督。这一规定，是为了保证提高核准过程的透明度，促使国务院证券监督管理机构依法公正地作出核准决定，加强责任意识，防止徇私舞弊的行为，以保护发行申请人的利益。

参与审核和核准股票发行申请的人员必须遵守以下四项行为规则:一是,不得与发行申请人有利害关系,这种利害关系包括经济上的和其他方面的利益联系。与申请发行人有利害关系的人员,不能参与审核或者核准股票发行申请。二是,不得直接或者间接接受发行申请人的馈赠,这里所谓的馈赠,实际上包括无偿获得的可以金钱来计算的各种形式的利益。三是,不得持有所核准的发行申请的股票,这也是避免审核或者核准人员与发行申请人有利益关系。四是,不得私下与发行申请人进行接触。这是防止私下拉关系、走后门,避免发生舞弊现象。本条规定这四项行为规则,主要是为了防止参与审核和核准股票发行申请的人员以权谋私,徇私舞弊,贪赃枉法,保证这些人员能够站在客观公正的立场上进行审核工作,以保护投资者的利益。需要说明的是,本条使用了“审核”人员和“核准”人员两个词语,前者是指国务院证券监督管理机构设立的发行审核委员会的工作人员,根据本法规定,发行审核委员会依法审核股票发行申请。后者是指国务院证券监督管理机构的工作人员,根据本条规定,国务院证券监督管理机构负责核准股票发行申请。

本法第十六条对公开发行公司债券的条件作了规定,国务院授权的部门应当依照这些条件核准公司债券发行申请。同时,其核准程序应当公开,依法接受监督。参与核准公司债券的有关人员,也应当遵守本条第二款规定的四项行为规则,即不得与发行申请人有利害关系,不得直接或者间接接受发行申请人的馈赠,不得持有所核准的发行申请的公司债券，不得私下与发行申请人进行接触。

第二十四条　国务院证券监督管理机构或者国务院授权的部门应当自受理证券发行申请文件之日起三个月内，依照法定条件和法定程序作出予以核准或者不予核准的决定，发行人根据要求补充、修改发行申请文件的时间不计算在内；不予核准的，应当说明理由。

【释义】　本条是对证券发行申请的核准期限的规定。

本条规定，国务院证券监督管理机构或者国务院授权的部门应当自受理证券发行申请文件之日起三个月内，依照法定条件和法定程序作出予以核准或者不予核准的决定。这一规定既保证了核准机构有必要的工作时间审查申请材料，确保工作质量，又促使其提高工作效率，防止不负责任的拖延，损害发行申请人的利益。国务院证券监督管理机构或者国务院授权的部门应当严格按照这一规定，在法定时限内依照法定条件和程序作出核准或者不予核准的决定。所谓受理申请，是指核准机构对申请文件进行形式审查后，对符合形式要件的申请文件予以接受并在日后进行实质审查的程序。比如申请文件的种类符合法律要求，格式规范，按照规定的方式报送等。如果发行申请人提交的文件不符合形式要求，核准机构就不应当受理其申请。同时，本条规定，如果核准机构或者核准部门在审查发行申请的过程中，需要让发行人补充、修改发行申请文件的，该时间不计算在三个月的时间内。为了提高核准程序的公开、透明，使发行申请人充分了解不予核准的原因，本条还规定核准机构对发行申请不予核准的，应当说明理由，将“说明理由”作为核准机构的一项义务作出规定，是为了促使核准机构严格依法办事，对申请人负责，防止工作疏漏和随意性。“说明理由”主要是不准发行证券的法律依据。

第二十五条　证券发行申请经核准，发行人应当依照法律、行政法规的规定，在证券公开发行前，公告公开发行募集文件，并将该文件置备于指定场所供公众查阅。

发行证券的信息依法公开前，任何知情人不得公开或者泄露该信息。

发行人不得在公告公开发行募集文件前发行证券。

【释义】　本条是对公开发行申请经核准后，发行人公告发行文件的规定。

在证券发行、交易活动中，实行公开、公平、公正原则的一个重要内容，就是信息公开。信息公开是证券市场的一个重要特点，甚至可以说是证券市场生命力之所在。公开发行证券，是发行人直接面向广大社会公众筹集资金的活动，这种活动本身就具有公开的性质。向社会公众公告发行文件，如招股说明书、公司债券募集办法等文件，使投资者了解筹资目的、用途、发行人自身的生产经营情况、给予投资者的回报等，是广大投资者作出决策的必要前提。因此，本条将公告发行文件作为发行人的义务加以规定，即证券发行申请经核准，发行人应当依照法律、行政法规的规定，在证券公开发行前，公告公开发行募集文件，并将该文件置备于指定场所供公众查阅。发行人不得在公告公开发行募集文件前发行证券。

本条第一款和第三款是对发行人的义务及禁止性行为的规定。本条第二款是对知情人的保密义务的规定，即发行证券的信息依法公开前，任何知情人不得公开或者泄露该信息。目的是为了保护发行人的合法权益，维持证券市场的正常秩序，防止误导投资者。在这里规定的知情人包括发行人内部的高级管理人员、核准机构的有关人员、为证券发行提供服务的证券服务机构的有关人员，以及因工作关系可以接触到发行证券信息的有关人员等。所谓依法公开前，是指发行证券的申请经核准后作出公告之前。

因为证券发行申请经核准后，才能够公开有关信息。

第二十六条　国务院证券监督管理机构或者国务院授权的部门对已作出的核准证券发行的决定，发现不符合法定条件或者法定程序，尚未发行证券的，应当予以撤销，停止发行。已经发行尚未上市的，撤销发行核准决定，发行人应当按照发行价并加算银行同期存款利息返还证券持有人；保荐人应当与发行人承担连带责任，但是能够证明自己没有过错的除外；发行人的控股股东、实际控制人有过错的，应当与发行人承担连带责任。

【释义】　本条是对发现已核准的证券发行决定不符合法定条件和程序如何处理的规定。

本法对公开发行证券应当符合的条件作了规定。有的发行申请人虽然不符合公开发行证券的条件，但是为了达到通过公开发行募集资金的目的，便使用各种手段进行虚假申报。比如有的发行申请人与有关专业机构串通起来，弄虚作假，从形式上看其申请符合公开发行的法定条件，实际上不符合法律规定，但按一般的法定程序审核却难以查出问题，致使国务院证券监督管理机构或者国务院授权的部门对其发行申请作出核准决定。为了保证公开发行证券的质量，对广大投资者负责，本条对这种情况规定了处理措施。具体来讲，国务院证券监督管理机构或者国务院授权的部门一旦发现已作出的核准决定不符合法律、行政法规的规定，如果该证券尚未发行，应当撤销发行核准决定，命令其停止发行；如果该证券已经发行但尚未上市交易，撤销发行核准决定，发行人应当按照发行价格并加算银行同期存款利息返还证券持有人。从本条规定看，应当从两个方面采取措施：一方面是对国务院证券监督管理机构或者国务院授权的部门的要求，即这两个核准部门应当撤销已经作出的核准决定，命令发行人停止发行；另一方面是对发行人的要求，这就是发行人尚未发行证券的，立即停止发行；已经发行的,应当按照发行价格并加算银行同期存款利息返还证券持有人。为了更好地保护投资者利益,本条在规定发行人承担返还相应款项义务的同时,还规定了其他机构的责任:(1)保荐人应当与发行人承担连带责任。因为本法规定保荐人具有对发行文件的真实性、准确性、完整性进行核查的义务,所以本条规定保荐人与发行人承担连带责任,但是能够证明自己没有过错的除外;(2)发行人的控股股东、实际控制人有过错的,也应当与发行人承担连带责任。实际控制人是指虽不是公司的股东,但通过投资关系、协议或者其他安排,能够实际支配公司行为的人。鉴于发行人的控股股东和实际控制人能够左右发行人,发行人的申请文件存在虚假,可能与其有直接关系。因此,本条规定他们与发行人承担连带责任。但是,如果当事人不能证明控股股东、实际控制人对此有过错,则不能要求控股股东、实际控制人承担责任。

第二十七条　股票依法发行后,发行人经营与收益的变化,由发行人自行负责;由此变化引致的投资风险,由投资者自行负责。

【释义】 本条是对发行人和投资者风险责任的规定。

任何投资都是有风险的,投资风险往往与投资收益相伴随,收益越高,风险也越大。股票投资更是如此。人们常说股票市场是高风险的市场,这主要是指股票的价格受公司自身经营情况和市场涨落的影响很大,而且这种变化随机性很大,很难把握。由于股票市场具有这一特点,股票发行人和股票的投资者必然要承担相应的投资风险。在法律中明确规定发行人、投资者的风险责任,有利于促使发行人、投资者增强风险意识,减少投资的随意性,也可以防止有的股民存有赚了钱归自己,赔了钱找政府的错误认识,有利于维护社会稳定。本条规定的风险责任分为两种:一种是发行人的责任,这就是股票依法发行后,发行人经营与收益发生变化,比如出现亏损,无法支付红利等致使股价下跌,由发行人自行承担责任。另一种是投资者的责任，这是指股票依法发行后，由于发行人经营与收益情况变化导致股票的收益减少的，由投资者自行承担这种损失。

第二十八条　发行人向不特定对象发行的证券，法律、行政法规规定应当由证券公司承销的，发行人应当同证券公司签订承销协议。证券承销业务采取代销或者包销方式。

证券代销是指证券公司代发行人发售证券，在承销期结束时，将未售出的证券全部退还给发行人的承销方式。

证券包销是指证券公司将发行人的证券按照协议全部购入或者在承销期结束时将售后剩余证券全部自行购入的承销方式。

【释义】　本条是对由证券公司承销证券的情形及其承销方式的规定。

证券发行方式按照有无发行中介，可分为直接发行和间接发行两大类。发行人直接向投资者推销出售证券的为直接发行。这种方式可以节省发行手续费，降低发行成本，但发行人可能会由于缺乏有关证券销售专门知识和广泛的销售网络，自身要承担较大的发行风险，容易导致发行失败。发行人将证券委托给专门从事证券承销业务的机构代理销售的，就是间接发行。采用间接发行方式，对发行人来说，虽需支付一定的手续费，但比较简便，发行风险较小，可以凭借承销机构的销售网络，在短时间内筹集到资金。所以，公开发行证券一般都是采取间接发行的方式。以上是从学理角度对证券发行方式所作的区分。本条是从监管证券发行的角度对发行方式作的规定。即向不特定对象发行证券，法律、行政法规规定应当由证券公司承销的，发行人应当同证券公司签订承销协议，不允许发行人直接发行。这一规定意味着向累计超过二百人的特定对象发行证券，虽然属于公开发行，但不需要同证券公司签订承销协议，发行人可以直接发行。本条规定向不特定对象发行证券应当依法同证券公司签订承销协议，目的是保护社会公众利益。因为根据本法规定，证券公司承销证券，应当对公开发行文件的真实性、准确性、完整性进行核查；如果发现有虚假记载、误导性陈述或者重大遗漏的，不得进行销售行动，已经销售的，必须立即停止，并采取纠正措施。这就是说，证券公司有义务和责任对其承销的公开发行的证券进行审查，从一个方面保证了公开发行文件的真实性，有利于保护投资者的利益。另一方面，通过证券公司发行证券，可以利用证券公司的销售网络和经验，有利于证券发行的成功，也是对投资者利益的保护。按照本条第一款的规定，发行人应当同证券公司签订承销协议，承销协议的具体内容应当符合本法第三十条的规定，即承销协议应当载明下列事项：当事人的名称、住所及法定代表人姓名；代销、包销证券的种类、数量、金额及发行价格；代销、包销的期限及起止日期；代销、包销的付款方式及日期；代销、包销的费用和结算办法；违约责任；国务院证券监督管理机构规定的其他事项。

根据本条规定，证券承销业务采取代销或者包销方式。这两种方式是证券承销业务的基本方式，也可以说是法定方式。为了有效地规范证券承销业务，明确在证券承销业务中发行人与证券公司间的权利义务关系，本条第二款、第三款分别对证券代销和证券包销法律关系的内容作了具体规定，这些规定包含以下两层意思：第一，证券代销是指证券公司代发行人发售证券，在承销期结束时，将未售出的证券全部退还给发行人的承销方式。这一规定表明，在证券代销方式中，证券公司与发行人之间是委托代理关系，证券公司的责任是在承销期内尽力销售证券，期限届满时能销出去多少算多少，尚未售出的证券全部退还发行人，基本上不承担什么风险。相应的，证券公司所收取的费用也较少。对发行人来说，自己要承担全部的发行风险，但发行成本较低。在实际中，代销证券的方式适合于一些信誉好、知名度高、比较易于被社会公众接受的大公司的证券。第二,证券包销是指证券公司将发行人的证券按照协议全部购入或者在承销期结束时将售后剩余证券全部购入的承销方式。在证券包销方式中,证券公司与发行人是买卖关系,证券公司的责任是按协议购入发行人的全部证券或者在承销期结束时购入未售出的全部证券,发行风险全部由证券公司承担。与此相对应的是证券公司包销的收益较高,其收益主要来自低价从发行人处买进又以高价向投资者售出所赚取的差额利润。对发行人来说既不必承担证券销售不出去的风险,又能迅速筹集到资金,所以,包销证券是证券市场中最常见的承销方式。

第二十九条　公开发行证券的发行人有权依法自主选择承销的证券公司。证券公司不得以不正当竞争手段招揽证券承销业务。

【释义】　本条是对发行人自主选择证券公司的规定。

根据本法规定,公开发行证券,必须符合法律、行政法规规定的条件,并依法报经国务院证券监督管理机构或者国务院授权的部门核准。根据公司法的规定,发起人向社会公开募集股份,应当由依法设立的证券公司承销,签订承销协议。因此,发行人公开发行证券,必须符合上述规定。在符合上述法律规定的前提下,发行人具体选择哪家证券公司承销证券,完全由发行人自主决定。因为发行人公开发行证券是一种商事活动,其有权自主选择承销商。发行人会从发行费用、发行风险等方面考虑。另一方面,承销证券是证券公司的一项重要业务,承销业务收入是证券公司经营收入的一项重要来源,能否取得承销业务,对证券公司的经济利益有直接影响。对发行人和证券公司来说,应当有一种公平的市场机制,使发行人能够自主选择承销的证券公司,使证券公司能够在公平竞争中从事证券承销业务。为此,本条从两个方面作了规范:第一,发行人有权依法自主选择承销的证券公司。目的是防止有些政府部门和证券监督管理机构的工作人员利用职务随意干预发行人的证券发行活动，为发行人指定承销的证券公司。第二，证券公司不得以不正当竞争手段招揽证券承销业务。有的证券公司为了取得证券承销业务，采取各种不正当的手段恶性竞争，比如，采取诋毁等方式贬损其他证券公司，给有关当事人回扣或者违反规定降低承销费用等。这些问题都违反了证券市场的公平原则，影响了正常的证券发行秩序，损害了有关当事人的合法权益，应当加以规范。因此，本条有针对性地从两个方面作出规定：一方面是明确发行人有权依法自主选择承销的证券公司；另一方面强调证券公司不得以不正当竞争手段招揽承销业务。

第三十条　证券公司承销证券，应当同发行人签订代销或者包销协议，载明下列事项：

（一）当事人的名称、住所及法定代表人姓名；

（二）代销、包销证券的种类、数量、金额及发行价格；

（三）代销、包销的期限及起止日期；

（四）代销、包销的付款方式及日期；

（五）代销、包销的费用和结算办法；

（六）违约责任；

（七）国务院证券监督管理机构规定的其他事项。

【释义】　本条是对证券公司与发行人签订承销协议及承销协议应当载明的事项的规定。

本条规定，证券公司承销证券，应当同发行人签订承销协议。这一规定明确了签订证券承销协议，是证券公司承销证券所必须履行的法定程序。承销协议，又称为承销合同，是确立证券公司与发行人在承销过程中的权利义务关系的文件。以协议的方式确定证券公司与发行人的承销法律关系，双方的权利义务比较明确，有利于各方行使权利、履行义务，有利于证券的发行。

承销协议是要式文件,也可以说是要式合同。本条对它的基本条款作出了规定。在法律中规定承销协议为要式合同,主要是为了规范证券承销业务活动,使双方当事人建立一种规范的权利义务关系,从而保障证券顺利发行。按本条规定,承销协议分为两种,一种是代销协议,另一种是包销协议,这两种协议应当载明的基本事项是共同的,主要包括以下内容:

(1)当事人的名称、住所及法定代表人姓名。这里规定的当事人的名称,应当是双方当事人在公司登记机关登记的正式名称;当事人住所应当是其在登记机关登记的法定住所。法定代表人是指公司的董事长或者经理,具体由公司章程规定。

(2)代销、包销证券的种类、数量、金额及发行价格,这些事项是双方当事人权利义务的基本内容,因此必须载明。

(3)代销、包销的期限及起止日期。这实际上是要明确双方当事人之间代销、包销法律关系的存续期间。

(4)代销、包销的付款方式及日期。这里规定的付款方式及日期是对双方当事人而言的,如果是代销,就应载明发行人向证券公司支付手续费或者佣金的方式和日期;如果是包销,就应载明证券公司向发行人支付所购入的证券的价款的方式和日期。

(5)代销、包销的费用和结算办法。

(6)违约责任。这是指双方违反协议时各自应承担的经济责任。

(7) 国务院证券监督管理机构规定的其他事项。这是授权国务院证券监督管理机构可以根据监督管理的需要和承销活动中一些情况的变化, 对承销协议中必须载明的事项补充规定新的内容。

承销协议中应当载明上述事项,除此之外,双方当事人约定的其他事项也可以在承销协议中载明。

第三十一条　证券公司承销证券，应当对公开发行募集文件的真实性、准确性、完整性进行核查；发现有虚假记载、误导性陈述或者重大遗漏的，不得进行销售活动；已经销售的，必须立即停止销售活动，并采取纠正措施。

【释义】 本条是对承销证券的证券公司就发行文件进行核查的义务的规定。

为了保证发行文件的真实性，本法规定发行人应当依法聘请保荐人，由保荐人对发行人的申请文件进行审慎核查。本条规定证券公司承销证券，对公开发行募集文件的真实性、准确性、完整性也负有核查义务。规定承销的证券公司有对发行文件进行审查的义务，目的是为了层层把关，充分保证证券发行文件的真实、准确、完整，保护广大投资者的利益。按照本条规定，证券公司应当首先对所承销的证券的公开发行文件进行核查，如果没有发现有虚假记载、误导性陈述或者重大遗漏的，方可进行销售活动。反之，则不得进行销售活动；如果在销售中发现发行文件有虚假记载、误导性陈述或者重大遗漏的，必须立即停止销售活动，并采取纠正措施。

本条是从证券公司应当承担义务的角度作的规定，目的是为了保护投资者利益。对违反该项义务的，本法规定了民事赔偿责任，即发行文件有虚假记载、误导性陈述或者重大遗漏，致使投资者在证券交易中遭受损失的，承销的证券公司与发行人承担连带赔偿责任，但是能够证明自己没有过错的除外。

第三十二条　向不特定对象发行的证券票面总值超过人民币五千万元的，应当由承销团承销。承销团应当由主承销和参与承销的证券公司组成。

【释义】 本条是对向不特定对象发行的证券票面总值超过一定数量由承销团承销的规定。

承销团是多家证券公司组成的承销证券的集团。承销团承销是证券发行中一种常见的方式。对于一次发行量特别大的证券，由承销团承销，可以分散发行风险，同时也可以集合各个证券公司的销售网点共同向市场推销，有利于保证迅速地完成证券发行。因此，本条规定向不特定对象公开发行的证券票面总值超过五千万元的，应当由承销团承销。按照这一规定，并不排除发行证券票面总值在五千万元以下的，也可以由承销团承销。

承销团应当由主承销和参与承销的证券公司组成。这一规定明确了承销团的组成结构，也明确了承销团内部成员之间的基本法律关系。证券公司组织承销团承销证券发行业务，必须按照这一规定，确定主承销的证券公司和参与承销的证券公司。

第三十三条　证券的代销、包销期限最长不得超过九十日。

证券公司在代销、包销期内，对所代销、包销的证券应当保证先行出售给认购人，证券公司不得为本公司预留所代销的证券和预先购入并留存所包销的证券。

【释义】 本条是对承销期限和不得预留承销证券所作的规定。

本法第三十条规定，证券公司承销证券，应当同发行人签订代销或者包销协议，该协议中应当载明代销、包销的期限及起止日期，这是指证券公司与发行人签订承销协议时应当约定承销期限。本条第一款是对承销期限所作的限制性规定，这就是证券公司与发行人约定的承销期限最长不得超过九十日。作出这一限制，既给了证券公司充足的时间做销售准备，也有利于防止有些证券公司把证券总是放在自己手里，不推向市场，而待证券市场价格上涨时再售给投资者，影响投资者的利益。

证券公司作为证券发行的一种中介组织，其职责是为发行人和投资者服务，在销售证券时，应首先维护投资者的利益，不得利用承销证券的便利或优势，牟取不正当利益，损害投资者利益。预留证券是指证券公司将从发行人那里取得的证券先留存在自己手里,不向投资者出售。一般情况下,证券公司总是会将市场看好的证券留存下来,然后再在适当的时候将所预留的这些证券卖出,牟取巨大的利益。这种作法严重违背了市场公平原则,将会影响投资者的信心,不利于证券市场健康发展。因此,本条第二款明确规定,证券公司在代销、包销期内,应当保证将所代销或包销的证券先行出售给认购人,证券公司不得为本公司预留所代销的证券和预先购入并留存所包销的证券。这一规定有以下两层含义:其一,在证券承销期内,有投资者认购证券公司所承销的证券的,证券公司应当将证券销售给认购人,优先满足他们的购买需要,当有人认购证券时,证券公司不得将证券留给自己而不销售给认购人。其二,承销期满后,证券公司对自己所购入的证券是留存还是售出,则由其自行决定。

第三十四条　股票发行采取溢价发行的,其发行价格由发行人与承销的证券公司协商确定。

【释义】 本条是对确定股票发行价格的规定。

股票发行价格是股票发行中最基本和最重要的内容,发行价格的确定关系到发行人、证券公司与投资者三方面的根本利益,也关系到股票发行后在市场上的表现。发行价格定得过低,难以最大限度地满足发行人筹集资金的需要,不仅增大发行成本,甚至损害原有股东的利益;发行价格定得过高,又将增大承销的证券公司的发行责任和风险,抑制投资者的认购需求。因此,合理确定股票发行价格,对于股票顺利发行,以及股票未来在市场上的表现,都具有重要意义。

按照公司法的规定,我国股票发行价格可以按票面金额,也可以高于票面金额,但不得低于票面金额。一般情况下,我国股票都是采取溢价发行的,这就是说股票的发行价格高于票面金额。溢价发行股票的，在确定发行价格的过程中，发行人与承销的证券公司的利益往往是相互冲突对立的，发行人都想价格定高一些，承销的证券公司总想把价格压低一些，结果往往要由双方根据发行公司的自身素质（包括行业前景、盈利水平、市场竞争地位等）、同类公司市盈率水平、主承销证券公司的信誉和经验以及二级市场的股价水平等条件经过讨价还价形成发行价。这样的价格机制是通过市场竞争形成的，对双方当事人来说形成的价格比较公平，既会满足发行人的需要，也会符合承销的证券公司的利益。因此，本条明确规定，股票发行采取溢价发行的，其发行价格由发行人与承销的证券公司协商确定。为了防止定价不适当，影响投资者利益，证券监督管理机构特别是证券交易所对股票发行价格的确定还要进行适当的监管约束，但也不需要审批或者核准。

第三十五条　股票发行采用代销方式，代销期限届满，向投资者出售的股票数量未达到拟公开发行股票数量百分之七十的，为发行失败。发行人应当按照发行价并加算银行同期存款利息返还股票认购人。

【释义】 本条是对代销方式发行股票失败应如何处理的规定。

股票发行采用代销方式，是指证券公司代发行人发行股票，在代销期限届满时，将未售出的股票全部退还给发行人的承销方式。这一规定表明，在股票代销方式中，证券公司与股票发行人之间是委托代理关系，证券公司的责任是在承销期内尽力销售股票，期限届满时能销出去多少算多少，尚未售出的股票全部退还发行人，基本上不承担什么风险。相应的，证券公司所收取的费用也较少。对发行人来说，自己要承担全部的发行风险，但发行成本较低。在实际中，代销股票的方式适合于一些信誉好、知名度高、比较易于被社会公众接受的大公司的股票。

随之而来的问题是，当证券公司以代销方式替股份公司发行股票，发行期限届满，有可能由于种种原因并未发行完全部或大部分的该公司股票，投资者并不看好该种股票。本条规定，股票发行采用代销方式，发行期限届满，向投资者出售的股票数量未达到拟公开发行股票数量百分之七十的，为发行失败。股票发行失败对发行股票的股份公司而言，是筹措资金计划的落空，对实际代销发行的证券公司而言，是业已履行完毕自己的义务，对投资者而言，则是既未实现预期的营利计划，也使自己的资金失去利息或者其他方面可能的营业收入，所以，本条规定，发行人应当按照发行价并加算银行同期存款利息返还股票认购人。

第三十六条　公开发行股票，代销、包销期限届满，发行人应当在规定的期限内将股票发行情况报国务院证券监督管理机构备案。

【释义】　本条是对股票发行期满后的备案管理的规定。

公开发行股票的期限及起止日期，是在股票发行人与证券公司签订的承销协议中载明的，股票发行是否成功，影响到各方面的利益，本条要求，公开发行股票，代销、包销期限届满，发行人应当在规定的期限内将股票发行情况报国务院证券监督管理机构备案。这是对股票承销活动，也是对股票发行活动进行监督管理的一项措施。备案的内容是股票发行情况，也就是股票承销协议的履行情况。证券公司代销证券的，股票发行人应将代销情况报国务院证券监督管理机构备案；证券公司包销证券的，股票发行人也应将包销情况报送国务院证券监督管理机构。

第三章 证 券 交 易

第一节 一 般 规 定

第三十七条 证券交易当事人依法买卖的证券，必须是依法发行并交付的证券。

非依法发行的证券，不得买卖。

【释义】 本条是对证券交易的标的物必须合法的规定。

证券交易是指证券所有人转移证券的所有权于买受人，买受人支付价款的法律行为。证券交易当事人买卖证券，必须依法进行。证券交易依法进行包括：首先，交易当事人应当具有合法的资格，不具有民事行为能力的人，以及依法不得持有、买卖证券的人，不得进行证券交易。其次，交易场所和交易行为必须合法。依法公开发行的股票、公司债券及其他证券的交易场所应当是依法设立的证券交易所或者国务院批准的其他证券交易场所，而且交易活动必须符合本法以及其他法律、行政法规的规定。再次，交易的标的物必须合法。本条即是对交易的标的物即证券的要求。

一、证券交易的标的物必须是依法发行的证券

依法发行的证券是指依照本法及其他有关法律、行政法规和规范性文件，公开发行或者非公开发行的证券。证券交易的前提条件是该证券已经发行，而只有依法发行的证券，才能作为证券交易的标的物。

依照本法第十条的规定，公开发行证券，必须符合法律、行政

法规规定的条件，并依法报经国务院证券监督管理机构或者国务院授权的部门核准；未经依法核准，任何单位和个人不得公开发行证券。本法第二章还对证券发行作了专门的规定。因此，公开发行证券，必须依法经核准，并按照法定的程序发行。非公开发行证券，国家有规定的，也必须遵守国家的有关规定，如不得采用广告、公开劝诱和变相公开方式等。证券交易当事人依法买卖的证券，必须是依法发行的证券。凡未依法经过核准，未按照法定程序，擅自公开发行的证券，以及未按照国家规定向特定对象非公开发行的证券，不得进行买卖。

二、证券交易的标的物必须是已交付的证券

已交付的证券是指已经实际由发行人转移至购买人的证券。如果是纸面形式的证券，已交付的证券是指已由发行人交给购买人实际持有的证券；如果是电子形式的无纸化的证券，已交付的证券是指有关电脑系统已记录为购买人所有的证券。证券发行以后，并不一定立即交付给购买证券的人。例如，公司法规定，公司登记成立前不得向股东交付股票。即使是依法发行的证券，也必须在交付后才能转让。未交付的证券，不得进行买卖。

第三十八条　依法发行的股票、公司债券及其他证券，法律对其转让期限有限制性规定的，在限定的期限内不得买卖。

【释义】　本条是对禁止证券在限制转让的期限内进行买卖的规定。

证券的一个基本特征是具有自由流通性，即证券依法发行并交付后，就可以依法进行交易，证券持有人可以依法将其证券自由转让给他人以获得价款，他人则取得证券。但证券的交易必须依法进行。如果出于某种法律上或者政策上的考虑，法律禁止某些股票、公司债券或者其他证券在一定期限内转让，那么，在法律禁止转让的期限内，就不得对这些股票、公司债券及其他证券进行交易。

从我国法律目前的规定来看，对股票、公司债券及其他证券的转让期限有限制性规定的情形主要有：

（1）对股份有限公司发起人所持本公司股份转让的限制

公司法规定，发起人持有的本公司股份，自公司成立之日起一年内不得转让。因为发起人是公司的创办者，与公司有着特殊的利害关系，规定发起人不得在公司设立登记后的一段时间内转让自己持有的本公司股份，有助于增强发起人在公司创办阶段的责任感和防止某些人利用创办公司的名义进行投机活动。

（2）对股份有限公司股东所持股份转让的限制

公司法规定，公司公开发行股份前已发行的股份自公司股票在证券交易所上市交易之日起一年内不得转让。因为公司公开发行股份前的股东，其地位类似于公司的发起人，规定其持有的股份自上市交易之日起一年内不得转让，有利于保护广大公众的利益，

（3）对公司董事、监事、高级管理人员所持本公司股份转让的限制

公司法规定，公司董事、监事、高级管理人员应当向公司申报所持有的本公司的股份及其变动情况，在任职期间每年转让的股份不得超过其所持有本公司股份总数的百分之二十五，所持本公司股份自公司股票上市交易之日起一年内不得转让。上述人员离职后半年内，不得转让其所持有的本公司股份。公司章程可以对公司董事、监事、高级管理人员转让其所持有的本公司股份作出其他限制性规定。因为公司的董事、监事、高级管理人员分别负责公司的经营决策、内部监督和日常生产经营管理，对公司的内幕信息十分了解，限制其转让所持的本公司股票，既可以防止内幕交易，又可以将他们的股权收益与公司的经济效益紧密联系起来，有助于督促他们尽职尽责地履行公司职务。

（4）对上市公司董事、监事、高级管理人员和大股东买卖所持

本公司股份的限制

本法第四十七条规定，上市公司董事、监事、高级管理人员、持有上市公司股份百分之五以上的股东，将其持有的该公司的股票在买入后六个月内卖出，或者在卖出后六个月内又买入，由此所得收益归该公司所有，公司应当收回其所得收益。也就是说，上市公司董事、监事、高级管理人员、持有上市公司股份百分之五以上的股东，其所持有的该公司的股票在买入后六个月内不得转让。这一规定的目的是为了防止内幕交易，保护中小股东的利益。

（5）对收购公司的投资者所持股票转让的限制

本法第八十六条规定，通过证券交易所的证券交易，投资者持有或者通过协议、其他安排与他人共同持有一个上市公司已发行的股份达到百分之五时，应当在该事实发生之日起三日内，向国务院证券监督管理机构、证券交易所作出书面报告，通知该上市公司，并予公告；在上述规定的期限内，不得再行买卖该上市公司的股票。投资者持有或者通过协议、其他安排与他人共同持有一个上市公司已发行的股份达到百分之五后，其所持该上市公司已发行的股份比例每增加或者减少百分之五，应当依法报告和公告。在报告期限内和作出报告、公告后二日内，不得再行买卖该上市公司的股票。

法律规定在上述规定的期限内不得再行转让该上市公司的股票，目的为了防止假借收购以操纵证券交易市场的行为，保护中小投资者的利益。

（6）对证券服务机构和有关人员所持股票转让的限制

本法第四十五条规定，为股票发行出具审计报告、资产评估报告或者法律意见书等文件的证券服务机构和人员，在该股票承销期内和期满后六个月内，不得买卖该种股票。为上市公司出具审计报告、资产评估报告或者法律意见书等文件的证券服务机构和人员，自接受上市公司委托之日起至上述文件公开后五日内，不得买卖该种股票。这一规定的目的是为了防止证券服务机构及有关人员利用其业务和信息优势参与股票交易而损害其他投资者。

(7)对证券内幕信息的知情人和非法获取内幕信息的人所持证券转让的限制

本法第七十六条规定,证券内幕信息的知情人和非法获取内幕信息的人,在内幕信息公开前,不得买卖该公司的证券。这一规定的目的是防止证券内幕信息的知情人和非法获取内幕信息的人,利用内幕信息牟取暴利或者避免损失,破坏证券交易的公平原则。

(8)对达到一定比例的投资者所持可转换公司债券、股票转让的限制

中国证券监督管理委员会颁布的《上市公司发行可转换公司债券实施办法》规定,通过证券交易所的证券交易,投资者持有发行人已发行的可转换公司债券达到百分之二十日时,应在该事实发生之日起三日内,向中国证监会、证券交易所书面报告,通知发行人并予以公告;在上述规定的期限内,不得再行买卖该发行人的可转换公司债券,也不得买卖该发行人的股票。投资者持有发行人已发行可转换公司债券达到百分之二十后,其所持该发行人已发行的可转换公司债券比例每增加或者减少百分之十时,应按上述规定进行书面报告和公告。在报告期限内和作出报告、公告后二日内,不得再行买卖该发行人的可转换公司债券,也不得买卖该发行人的股票。

这一规定的目的,是为了防止持有较大比例可转换公司债券、可能成为公司大股东的投资者,操纵证券交易市场,以保护中小投资者的利益。

第三十九条　依法公开发行的股票、公司债券及其他证券,应当在依法设立的证券交易所上市交易或者在国务院批准的其他证

券交易场所转让。

【释义】 本条是对证券交易活动的场所应当合法的规定。

公开发行证券，是指向不特定的对象发行证券，或者向特定对象发行证券累计超过二百人，或者以法律、行政法规规定的其他发行行为发行证券。因此，公开发行证券涉及的人数较多，影响的范围较广。为了保护投资者的合法权益，维护社会经济秩序和社会公共利益，本条要求依法公开发行的证券应当在合法的证券交易场所，即证券交易所或者国务院批准的其他证券交易场所转让。

一、在证券交易所上市交易

证券交易所是为证券集中交易提供场所和设施，组织和监督证券交易，实行自律管理的法人。上市交易又称挂牌交易，是指已经依法公开发行的证券经证券交易所审核同意在证券交易所公开挂牌交易的行为。在我国，证券交易所具有完备的交易系统，并有健全的信息披露制度和监管措施，能够使证券得到高效流通，并能较好地保护投资者的利益，所以，证券交易所是依法公开发行的股票、公司债券及其他证券的主要交易场所。

目前我国大陆依法设立的证券交易所只有两个，即深圳证券交易所和上海证券交易所。依法公开发行的股票、公司债券及其他证券上市交易的场所，就应当是深圳证券交易所和上海证券交易所。

二、在国务院批准的其他证券交易场所转让

在国外，成熟的证券市场除证券交易所以外，还有其他的证券交易场所，它们共同构成一个多层次的证券市场体系。例如，美国的证券市场有纽约证券交易所、纳斯达克市场、区域性交易所和电子交易市场、信息公告交易所市场和粉单市场、地方性柜台交易市场等。日本有东京、大阪、JASDAQ、名古屋、福冈和札幌六家证券交易所。除此之外，还存在店头交易市场，证券可以在证券公司的柜台进行买卖。

我国于 1998 年制定证券法时，为了防范金融风险，在总结当时证券交易实践经验的基础上，规定经依法核准的上市交易的股票、公司债券及其他证券，应当在证券交易所挂牌交易，而不允许进行场外交易。此后证券市场经过改革和发展，到现在，我国场外交易的条件已经基本具备，需要对证券法的这一规定进行修改，以排除设立其他证券交易场所的法律障碍。为此，本法经修改后，允许依法公开发行的股票、公司债券及其他证券在依法设立的证券交易所上市交易或者在国务院批准的其他证券交易场所转让。

依法公开发行的股票、公司债券及其他证券，除在依法设立的证券交易所上市交易或者在国务院批准的其他证券交易场所转让以外，不得在其他场所进行交易和转让。

第四十条　证券在证券交易所上市交易，应当采用公开的集中交易方式或者国务院证券监督管理机构批准的其他方式。

【释义】 本条是对在证券交易所进行证券交易的方式的规定。

修改前的证券法规定，证券在证券交易所挂牌交易，应当采用公开的集中竞价交易方式。证券交易的集中竞价应当实行价格优先、时间优先的原则。因为 1998 年制定证券法时，投资者主要是个人投资者，这些投资者的每笔交易额小，交易频繁，而集中竞价这种高度集中统一的交易模式，具有高效灵活、操作简便的优势，不仅能够得到最大的成交量，并且交易活动公开、公平、公正，适应了当时投资者的需要。但随着市场的不断发展，越来越多的机构投资者进入证券市场。为适应投资者结构变化和多样化交易的需求，本条增加了在证券交易所进行交易的方式的规定。

一、公开的集中交易方式

集中交易方式是指在集中交易市场以竞价交易的方式进行交易。集中交易方式分为集中竞价交易和大宗交易。

1. 集中竞价

集中竞价又称集合竞价，是指在证券交易所市场内，所有参与证券买卖的各方当事人公开报价，按照价格优先、时间优先的原则撮合成交的证券交易方式。即所有买入的有效委托按照报价由高到低顺序排列，报价相同的，按照委托的先后时间顺序排列；所有卖出的有效委托，其报价按照由低到高的顺序排列，报价相同的，按照委托的先后时间顺序排列。按照各自的排列顺序，将排在前面的买入委托与卖出委托配对成交。在报价不同时，由排在前面的买方最高报价与卖方最低报价优先配对，即为价格优先的原则；在同等出价条件下，由排在前面的较早的委托优先配对，即为时间优先的原则。如果所有买入委托的报价均低于卖出委托的报价，则上述委托继续排队，等待新的委托报价，以此形成连续性的竞价撮合成交的交易活动。

2. 大宗交易

大宗交易是指单笔交易规模远大于市场平均单笔交易规模的交易。经中国证券监督管理委员会批准的上海、深圳证券交易所交易规则规定，经批准证券单笔买卖申报达到一定数额的，交易所可以采用大宗交易方式进行交易。大宗交易的成交价格，由买卖双方在当日已成交的最高和最低成交价格之间确定。该证券当日无成交的，以前收盘价为成交价。大宗交易由买卖双方达成一致，并由交易所确认后方可成交。

二、国务院证券监督管理机构批准的其他方式

国外成熟证券市场上证券交易所的交易方式，除了集中交易方式以外，还有其他一些交易方式。例如，日本的 JASDAQ 证券交易所采用了非竞价的做市商方式，即在证券市场上，作为做市商的证券公司，在开市期间，就其负责做市的证券一直保持双向买卖报价，向投资者报告其愿意买进和卖出的证券数量和买卖价位，并且证券市场的电子报价系统随时将每只证券的最优买卖报价通过其

显示系统报告给投资者。如果投资者愿意以做市商报出的价格买卖证券,做市商必须按其报价以自有资金和证券与投资者进行交易。同时,在投资者买入证券时,如果做市商报出的价格低于投资者委托买入的价格,双方即以做市商报出的价格成交;在投资者卖出证券时,如果做市商报出的价格高于投资者委托卖出的价格,双方即以做市商报出的价格成交。

为适应社会经济的不断发展,需要逐步丰富交易方式。但为了防止金融风险,保护投资者的合法权益,维护社会经济秩序和社会公共利益,证券交易所采取公开的集中交易方式以外的其他方式进行证券交易,必须经国务院证券监督管理机构批准。

第四十一条　证券交易当事人买卖的证券可以采用纸面形式或者国务院证券监督管理机构规定的其他形式。

【释义】 本条是对证券的凭证形式的规定。

本法所调整的证券属于资本证券,其基本形式为股权凭证和债权凭证,具体包括股票、公司债券、证券投资基金份额、政府债券以及可转换债券等。在电脑技术出现以前,传统的资本证券都是采用纸面形式,即在纸制品上载明应当记载的事项,并以此纸制品作为证明或者设定权利的凭证。人们通常将纸面形式的证券称为实物券。随着电脑技术在证券业的应用,20 世纪 80 年代以后,证券的无纸化逐渐发展起来。无纸化后的股票、公司债券等证券,不再采用纸面形式,而是将有关事项输入电脑,以电脑所贮存的有关信息作为股权或债权的法律凭证。由于这种通过现代信息技术手段建立起来的证券的存管、登记以及交易清算系统,具有高效、保密、费用低等特点,所以,各国的证券都在朝着无纸化方向发展。

根据证券既有纸面形式,又有电脑记载等其他形式的实际情况,本条规定证券交易当事人买卖的证券可以采用纸面形式,也可以不采用纸面形式,而采用其他形式。但采用其他形式的,该形式必须是国务院证券监督管理机构规定的形式，以防止欺诈行为的发生，保护投资者的合法权益。

第四十二条　证券交易以现货和国务院规定的其他方式进行交易。

【释义】　本条是对证券交易种类的规定。

对证券交易进行分类，按照不同的标准有不同的分类方法，其中按照订约和清算期限的关系划分，可以将证券交易分为现货交易、期货交易、期权交易等。

现货交易，又称“现款交易”、“现期交易”、“即期交易”，是指证券交易的双方当事人根据商定的付款方式，立即或在较短时间内进行交割，从而实现股票等证券所有权的转让。

期货是与现货相对应的一个概念，是指在交易所内交易的远期合同。期货交易是一种集中交易标准化远期合约的交易形式，即交易双方在交易所通过买卖期货合约并根据期货合约规定的条款约定在未来某一特定时间和地点，以某一特定价格买卖某一特定数量和质量商品的交易行为。根据期货合约标的物性质的不同，期货可以分为商品期货和金融期货两种。金融期货的品种很多，目前已经开发并得到广泛应用的品种主要有三大类：外汇期货、利率期货和股票指数（股指）期货。

期权是指买卖双方签有合约，使期权持有者有权按一定价格在到期前任何时日（美式）或到期日（欧式）买卖某种证券。买入叫买权，卖出叫卖权。买卖者在付出一定的保证金买入或卖出期权后，既可以执行买卖，也可以不执行买卖。金融期权的种类主要有外汇期权、股票期权和股票指数期权等。

1998 年制定证券法时，在综合考虑各方面的意见后，规定证券交易以现货进行交易。证券法实施后，经过这些年的实践，证券市场已得到了很大的发展，现实中开发新的证券交易品种已经成为我国资本市场稳定发展的必要条件。为了适应市场发展的需要,本次修改不再将证券交易仅限于现货交易,也允许证券交易以其他方式进行交易。同时,为了防范金融风险,保护投资者利益,本条要求证券交易以其他方式进行交易的,必须是国务院规定的方式,任何人不得擅自以国务院没有规定的方式进行证券的交易。

第四十三条　证券交易所、证券公司和证券登记结算机构的从业人员、证券监督管理机构的工作人员以及法律、行政法规禁止参与股票交易的其他人员,在任期或者法定限期内,不得直接或者以化名、借他人名义持有、买卖股票,也不得收受他人赠送的股票。

任何人在成为前款所列人员时,其原已持有的股票,必须依法转让。

【释义】　本条是对有关人员以任何形式持有、买卖或者获得股票的禁止性规定。

证券交易活动必须实行公开、公平、公正的原则,而公平的证券市场应当具备两个因素:一是使所有的投资者能够最大限度地获得市场信息;二是所有投资者获得信息的机会应当是平等的。但有些人员由于其地位、职务等便利条件,有先于其他投资者获得相关信息的机会。为了保证证券交易的公开、公平、公正,本条禁止有关人员持有、买卖或者获得股票。

一、禁止持有、买卖股票或者获得股票的主体

本条规定的禁止持有、买卖股票或者获得股票的主体有以下几种:

(1)证券交易所、证券公司和证券登记结算机构的从业人员

证券交易所、证券公司、证券登记结算机构的从业人员因其所属机构或组织是专业从事证券交易和证券经营业务的单位,他们不仅有获得信息的便利条件,而且有业务上的优势。为防止他们利用其业务和信息优势参与股票交易而不利于其他投资者,保证

证券交易活动的公开、公正，本条将他们列入禁止持有、买卖股票或者获得股票的主体范围。

（2）证券监督管理机构的工作人员

证券监督管理机构工作人员因其参与对证券活动的监督管理，其中包括拟定和制定有关证券市场监督管理的规章、规则，参与对股票公开发行的审核，以及对证券活动实施调查和检查等，如果允许其参与证券交易活动，将与其所担负的职责发生利益冲突，有失公正。因此，本条将证券监督管理机构工作人员列入禁止持有、买卖股票或者获得股票的主体范围。

（3）法律、行政法规禁止参与股票交易的其他人员

除上述两类人员以还，还有其他一些人员，因其地位、职务和与有关人员的关系，而被法律、行政法规禁止参与股票交易，他们也属于禁止持有、买卖股票或者获得股票的主体范围。

二、禁止上述人员在任期或者法定期限内以任何形式持有、买卖或者获得股票

禁止持有、买卖股票或者获得股票的人员，在任期或者法定的期限内，不得以自己的名义持有股票或者买卖股票；不得以虚假的名字持有股票或者买卖股票；不得实际是自己但却以家庭成员或者其他人员的名义持有股票或者买卖股票；不得接受他人无偿赠送的股票。在这里，股票是指所有的股票，而不是特指某一种股票。

三、上述人员原已持有的股票必须依法转让

上述人员的身份，并不是与生俱来的，他们在到证券交易所、证券公司、证券登记结算机构、证券监督管理机构任职前，或者在成为法律、行政法规禁止参与股票交易的人员之前，可能已经依法认购和收受了股票。这些股票在他们成为禁止范围的人员时，应当依法转让。

第四十四条　证券交易所、证券公司、证券登记结算机构必须依法为客户开立的账户保密。

【释义】 本条是对证券交易所、证券公司、证券登记结算机构负有保密义务的规定。

依照本法的规定，投资者进行证券交易，应当依法开立账户，证券公司和证券登记结算机构应当依法为投资者开立账户。投资者开立的账户包括证券账户、资金账户等。投资者申请开立账户，除国家另有规定的以外，必须持有证明中国公民身份或者中国法人资格的合法证件。证券交易所为证券集中交易提供场所和设施，并组织和监督证券交易，对证券交易实行实时监控。因此，客户账户上资金和证券的情况，证券公司、证券登记结算机构都了解和掌握，客户认购和参与证券交易的信息数据，证券交易所、证券公司以及证券登记结算机构都清楚。为了保护投资者的合法权益，防止这些知悉客户交易信息的机构泄露客户的秘密而造成不法分子挪用、盗卖客户的资金和证券，本条特别规定证券交易所、证券公司、证券登记结算机构都负有依法为客户开立的账户保密的义务。即除法律规定应当提供的情形以外，例如在公安机关、检察机关、国务院证券监督管理机构为调查涉嫌违法行为而需要了解有关客户的账户信息时，应当依法予以提供等情形以外，证券交易所、证券公司、证券登记结算机构不得向任何个人或者机构泄露哪些投资者开立了账户以及所开立账户的号码、账户上的资金状况、账户上的证券状况等账户信息。

第四十五条　为股票发行出具审计报告、资产评估报告或者法律意见书等文件的证券服务机构和人员，在该股票承销期内和期满后六个月内，不得买卖该种股票。

除前款规定外，为上市公司出具审计报告、资产评估报告或者法律意见书等文件的证券服务机构和人员，自接受上市公司委托

之日起至上述文件公开后五日内，不得买卖该种股票。

【释义】 本条是对禁止有关的证券服务机构及人员在法定期限内买卖相关股票的规定。

一、为股票发行提供有关服务的机构及人员在法定期限内不得买卖相关股票

为股票发行提供有关服务的机构及人员，是指为股票发行出具审计报告、资产评估报告或者法律意见书等文件的会计师事务所、资产评估事务所、律师事务所等证券服务机构，以及为准备、出具这些文件而进行各项活动的人员。这些机构和人员履行职责的过程就是知悉公司的财务状况，了解公司的资产负债比例、资产经营状况和经营前景的过程，但这些信息在其出具审计报告、资产评估报告或者法律意见书等文件时，并未被其他投资者所知悉，因此，需要禁止他们买卖其因业务活动而享有信息优势的股票，即不得买卖其出具了审计报告、资产评估报告或者法律意见书等文件的股票。

为股票发行提供有关服务的机构和人员所享有的信息优势，在股票发行以后，随着公司信息的不断披露，将不再存在。而且随着公司经营活动的进行，经过一定时间以后，原有的信息就不一定再准确。因此，本条将这些机构和人员不得买卖相关股票的期限规定为该股票承销期内和期满后六个月内。

二、为上市公司提供有关服务的机构及人员在法定期限内不得买卖相关股票

与为股票发行出具审计报告、资产评估报告或者法律意见书等文件的证券服务机构及人员相同，为上市公司出具审计报告、资产评估报告或者法律意见书等文件的证券服务机构和人员，包括会计师事务所、资产评估事务所、律师事务所等证券服务机构及其人员，履行职责的过程就是知悉公司的财务状况，了解公司的资产负债比例、资产经营状况和经营前景的过程，但这些信息在其出具

审计报告、资产评估报告或者法律意见书等文件时，并未被其他投资者所知悉，因此，需要禁止他们买卖的股票，是他们为其出具了审计报告、资产评估报告或者法律意见书等文件的上市公司的股票。

为上市公司出具审计报告、资产评估报告或者法律意见书等文件的证券服务机构和人员所掌握的有关信息，在这些文件公开以后，就为社会公众所了解，他们也就不再具有信息优势。为此，本条将为上市公司提供有关服务的机构及人员不得买卖相关股票的期限规定为自接受上市公司委托之日起至上述文件公开后五日内。

应当注意的是，有关证券服务机构和人员在为股票发行出具有关文件时，适用本条第一款的规定；在为上市公司出具有关文件时，适用本条第二款的规定。

第四十六条　证券交易的收费必须合理，并公开收费项目、收费标准和收费办法。

证券交易的收费项目、收费标准和管理办法由国务院有关主管部门统一规定。

【释义】　本条是对证券交易收费的原则和管理的规定。

证券交易活动涉及证券交易所、证券公司、投资者、证券服务机构、证券登记结算机构等多方面的当事人，在证券的发行、交易、清算以及出具相关专业报告、提供投资顾问和咨询的各个环节，都会发生有偿服务的收费问题。这些收费项目的设置、收费标准的确定直接关系到证券投资的成本，对建立低廉费用、高效服务的证券市场有重要影响，同时也关系到我国证券市场的秩序。为此，本条对收费专门作出了原则性的规定。

一、证券交易收费必须符合合理原则

证券交易收费的合理原则是指证券交易的收费必须合理，即在证券交易的各个环节中,所收取的费用必须依据有关证券和所提供服务的社会平均成本、市场供求状况、国民经济与社会发展要求以及社会承受能力等因素来合理确定,不得过高或者过低。因为证券交易收费的过高会使证券投资的成本过大,就会在一定程度上影响投资者参与证券市场的积极性,从而妨碍社会资源的有效配置。同时,一些证券公司为争夺客户,可能采取各种形式进行佣金的价格战,这就会在一定程度上影响公平竞争的市场秩序。而证券收费过低,会使有关机构难以得到合理的收益,从而影响其提供服务的质量,也不利于证券市场的发展。只有合理的证券收费,才能照顾到证券交易活动各个方面当事人的利益,才能有利于证券市场的发展。

二、证券交易收费必须符合公开原则

证券交易收费的公开原则是指证券交易的收费项目、收费标准和收费办法必须向社会公开。证券交易收费只有公开,对所有当事人公平一致,才能使证券交易各个环节的当事人对自己行为的成本作出比较准确的判断,对自己的行为作出合理的预期。同时,证券交易收费的公开,也有利于对收费进行监督管理。

三、证券交易的收费项目、收费标准和管理办法由国务院有关主管部门统一规定

证券交易的收费项目是指证券交易活动中需要收取费用的事项。证券交易的收费标准是指对证券交易活动收取费用的计算方法。无论是证券交易的收费项目、收费标准,还是证券交易收费的管理办法,都必须由国务院有关主管部门统一制定,任何人都不得在规定的收费项目以外擅自另行收费,也不得不依照规定的收费标准收费。

第四十七条　上市公司董事、监事、高级管理人员、持有上市公司股份百分之五以上的股东,将其持有的该公司的股票在买入

后六个月内卖出，或者在卖出后六个月内又买入，由此所得收益归该公司所有，公司董事会应当收回其所得收益。但是，证券公司因包销购入售后剩余股票而持有百分之五以上股份的，卖出该股票不受六个月时间限制。

公司董事会不按照前款规定执行的，股东有权要求董事会在三十日内执行。公司董事会未在上述期限内执行的，股东有权为了公司的利益以自己的名义直接向人民法院提起诉讼。

公司董事会不按照第一款的规定执行的，负有责任的董事依法承担连带责任。

【释义】 本条是对公司有关人员进行短线交易的禁止性规定。

高级管理人员是指公司的经理、副经理、财务负责人，上市公司董事会秘书和公司章程规定的其他人员。公司的董事、监事、高级管理人员，由其地位和职务所决定，不仅了解公司的各种信息，而且直接掌握公司的营运。上市公司的股权较为分散，持有上市公司股份百分之五以上的股东，就会成为上市公司的大股东，并由于其持股数量较大而控制公司。这时，他们在公司中处于特殊的地位，有时能直接掌握公司营运，易于接触公司的重要信息，拥有一般投资者无法比拟的信息优势。因此，本法将持有公司百分之五以上股份的股东，规定为证券交易内幕信息的知情人。为了保护公司和中小股东的利益，本条禁止上市公司的董事、监事、高级管理人员和持有上市公司股份百分之五以上的股东进行短线交易。

一、公司有关人员短线交易的收益归公司所有

短线交易是指在较短的时间内，将本公司股票买入后又卖出或者卖出后又买入的行为。为了防止公司有关人员利用对公司的控制力和拥有的信息优势，通过频繁地买卖本公司的股票而影响公司的股票价格，操纵股市或者引起公司股票价格的动荡，损害其

他小股东的利益，本条要求上市公司董事、监事、高级管理人员、持有上市公司股份百分之五以上的股东，将其所持有的公司的股票在买入后又卖出，或者在卖出后又买入，其间必须间隔六个月的时间；如果未间隔六个月，在该股票买卖中获取的收益，即差额收入，归该公司所有，公司也应当收回其所得收益。

在禁止公司有关人员短线交易的同时，本条也规定了一种例外，即证券公司因包销购入售后剩余股票而持有百分之五以上股份的，卖出该股票时不受六个月时间限制。因为包销就是证券公司将公司发行的股票按照协议全部购入或者在承销期结束时将售后剩余证券全部自行购入的承销方式，而承销的目的是通过证券公司将公司发行的股票售出。为了便于证券公司尽早将其因包销而购入的售后剩余证券出售给社会公众，实现股权的分散，本条规定证券公司因包销购入售后剩余股票而成为大股东时，不受不得进行短线交易的限制。

二、股东对公司有关人员短线交易的收益有权要求董事会收回并可以依法行使请求权

对于公司有关人员短线交易所得的收益，公司应当收回，而具体实施收回行为的应当是公司的董事会。如果公司董事会不收回公司有关人员短线交易所得的收益，公司的任何一个股东，无论其持股多少，都有权要求董事会在三十日内执行，以促使董事会尽快收回应归公司所有的收益。经股东请求，公司董事会超过三十日仍未执行的，股东就有权为了公司的利益，以自己的名义直接向人民法院提起诉讼，由人民法院依法作出裁判。

三、负有责任的董事对公司董事会不作为的行为承担连带责任

对于应属于公司的收益，董事会应当及时收归公司所有，以维护公司的利益。如果公司董事会不依法将公司有关人员短线交易的收益收归公司所有，负有责任的董事就应当依法承担连带责任。

即任何一个负有责任的董事，在被要求将公司有关人员短线交易所得收益的金额交归公司时，该被要求的负有责任的董事都应当按照要求，将该金额交归公司，而不得拒绝。

第二节　证 券 上 市

第四十八条　申请证券上市交易，应当向证券交易所提出申请，由证券交易所依法审核同意，并由双方签订上市协议。

证券交易所根据国务院授权的部门的决定安排政府债券上市交易。

【释义】　本条是对申请证券上市交易的规定。

在我国，依法公开发行的股票、公司债券及其他证券，应当在依法设立的证券交易所上市交易或者在国务院批准的其他证券交易场所转让。我国的证券交易所是为证券集中交易提供场所和设施，组织和监督证券交易，实行自律管理的法人。证券交易所的设立和解散，由国务院决定。目前，我国仅有上海证券交易所和深圳证券交易所两家。在中国境内，股票、公司债券和国务院依法认定的其他证券的发行和交易，适用证券法，证券法未规定的，适用我国公司法和其他法律、行政法规的规定。政府债券、证券投资基金份额的上市交易，适用本法；其他法律、行政法规另有规定的，适用其规定。证券衍生品种的发行和交易的管理办法，由国务院依照本法的原则规定。

本条第一款规定，申请证券上市交易，应当向证券交易所提出申请，也就是向深圳或上海证券交易所提出申请，证券交易所依照法律的规定审核，并根据依照证券法律、行政法规制定并报国务院证券监督管理机构批准的上市规则、交易规则和会员管理规则决定是否同意该证券上市交易。依据上海证券交易所现行上市规则的规定，在上海证券交易所上市的公司应履行下列义务：(1)接受该所监管;(2)公司董事保证其信息披露文件按照该上市规则规定的方式在第一时间报送该所,并对其所披露信息内容的真实性、准确性、完整性负有个别及连带责任;(3)公司董事对尚未披露的信息负有保密义务;(4)上市协议规定及该所要求的其他义务;(5)法律、行政法规规定以及中国证监会要求的其他义务。当然,这只是对股份公司股票和公司债券上市交易的规定,但也可以看出申请证券上市交易应注意的一些问题。这次修改证券法将核准证券上市交易的最后决定权放到了证券交易所,主要是基于证券上市交易本来就是一个市场行为,而证券交易所又是由国务院决定设立的实行会员制管理的独立法人,由其根据各方面情况审核决定证券上市交易,更加符合市场机制,国务院证券监督管理机构依法对其实行的日常监督管理具有指导和纠偏作用。证券交易所根据此次修改后的证券法还可以制定新的上市规则,提出更新的要求。证券交易所同意申请证券上市交易的,应当由申请人和证券交易所双方签订上市协议。根据上海证券交易所现行上市规则的规定,发行人的首次上市申请获得批准时,应当与该所签署上市协议。上市协议主要包括以下内容:(1)上市费用的项目和数额;(2)双方的权利与义务;(3)公司证券事务负责人;(4)上市公司定期报告、临时报告的报告程序;(5)股票停牌事宜;(6)协议双方违反上市协议的处理;(7)仲裁条款;(8)该所认为需要在上市协议中规定的其他内容。该所与所有股票发行人所签署的上市协议的内容与格式均一致,如需签署特别条款,该所将提请中国证监会审查批准。新修改的证券法颁布之后,上海及深圳证券交易所会进一步完善其上市规则,但也必须在法律、行政法规规定的范围内调整有关内容。

本条第二款规定,证券交易所根据国务院授权的部门的决定安排政府债券上市交易。政府债又称公债、国债,在我国,只有中央政府为筹措建设资金才能发行,其信用度很高,是由中央财政来担保的,其发行方式、时间、对象和还款期限都是中央政府财政部门具体规定,所以,与申请其他证券上市交易不同,本条款规定,不由证券交易所审核同意其上市交易,而是由证券交易所根据国务院授权的部门的决定安排政府债券上市交易。

第四十九条　申请股票、可转换为股票的公司债券或者法律、行政法规规定实行保荐制度的其他证券上市交易,应当聘请具有保荐资格的机构担任保荐人。

本法第十一条第二款、第三款的规定适用于上市保荐人。

【释义】 本条是对上市保荐人的规定。

本条共两款,第一款规定了三类证券上市交易应当聘请具有保荐资格的机构担任保荐人。一是股票,是指体现股份公司股份即股东地位或股东权的有价证券。股票可以流通和转让。股票上市交易就是股份公司的股份在证券市场流通,在无纸化之后,股票可能只是证券市场上的一个代码,但仍然具有股票的特征。二是可转换为股票的公司债券。所谓公司债券,是表彰公司债权利的有价证券,又叫公司债证券,其特征是为了向社会公众筹集资金,就其所需资金总额分割为多数单位金额而发行的股份公司的债务。公司依照法定程序发行,约定在一定期限还本付息。公司债券分为记名债券与无记名债券。上市公司经股东大会决议可以发行可转换为股票的公司债券,并在公司债券中规定具体的转换办法。发行可转换为股票的公司债券,除应当具备发行公司债券的条件外,还应当符合股票发行的条件,并报国务院证券监督管理机构核准。发行可转换为股票的公司债券,应当在债券上标明可转换公司债券字样,并在公司债券存根簿上载明可转换公司债券的数额。发行可转换为股票的公司债券的,公司应当按照其转换办法向债券持有人换发股票,但债券持有人对转换股票或者不转换股票有选择权。三是法律、行政法规规定实行保荐制度的其他证券上市交易。这三种证券的上市交易应当聘请具有保荐资格的机构担任保荐人。

2003 年 12 月中国证券监督管理委员会发布第 18 号令，颁布《证券发行上市保荐制度暂行办法》，该办法规定，证券经营机构履行保荐职责，应当依照本办法的规定注册登记为保荐机构。保荐机构依法对公开发行募集文件进行核查，向中国证监会出具保荐意见。保荐机构应当保证所出具的文件真实、准确、完整。保荐机构及其保荐代表人履行保荐职责，不能减轻或者免除发行人及其高管人员、中介机构及其签名人员的责任。

证券经营机构申请注册登记为保荐机构的，应当向中国证监会提交自愿履行保荐职责的声明、承诺。证券经营机构有下列情形之一的，不得注册登记为保荐机构：保荐代表人数量少于两名；公司治理结构存在重大缺陷，风险控制制度不健全或者未有效执行；最近二十四个月因违法违规被中国证监会从名单中去除；中国证监会规定的其他情形。

证券经营机构应当保证注册登记申请文件真实、准确、完整。申请期间，文件内容发生重大变化的，应当自变化之日起五个工作日内向中国证监会提交更新资料。

保荐机构应当尽职推荐发行人证券发行上市。发行人证券上市后，保荐机构应当持续督导发行人履行规范运作、信守承诺、信息披露等义务。保荐机构推荐发行人证券发行上市，应当按照法律、行政法规和中国证监会的规定，对发行人进行尽职调查、审慎核查，根据发行人的委托，组织编制申请文件并出具推荐文件。保荐机构对发行人公开发行募集文件中无中介机构及其签名人员专业意见支持的内容，应当进行充分、广泛、合理的调查，对发行人提供的资料和披露的内容进行独立判断，并有充分理由确信所作的判断与发行人公开发行募集文件的内容不存在实质性差异。保荐机构对发行人公开发行募集文件中有中介机构及其签名人员出具专业意见的内容，应当进行审慎核查，对发行人提供的资料和披露的内容进行独立判断。保荐机构所作的判断与中介机构的专业意见存在重大差异的，应当对有关事项进行调查、复核，并可聘请其他中介机构提供专业服务。

保荐机构应当在推荐文件中就下列事项做出承诺：有充分理由确信发行人符合本办法规定的要求，且其证券适合在证券交易所上市、交易；有充分理由确信发行人申请文件和公开发行募集文件不存在虚假记载、误导性陈述或者重大遗漏；有充分理由确信发行人及其董事在公开发行募集文件中表达意见的依据充分合理；有充分理由确信与其他中介机构发表的意见不存在实质性差异；保证所指定的保荐代表人及本保荐机构的相关人员已勤勉尽责，对发行人申请文件进行了尽职调查、审慎核查；保证推荐文件、与履行保荐职责有关的其他文件不存在虚假记载、误导性陈述或者重大遗漏；保证对发行人提供的专业服务和出具的专业意见符合法律、行政法规、中国证监会的规定和行业规范；自愿接受中国证监会依照本办法采取的监管措施；中国证监会规定的其他事项。保荐机构提交推荐文件后，应当主动配合中国证监会的审核，并承担规定的工作。保荐机构推荐发行人证券上市，应当向证券交易所提交推荐书及证券交易所上市规则所要求的相关文件，并报中国证监会备案。推荐书应当载明承诺的事项、对发行人持续督导工作的安排以及证券交易所要求的其他事项。保荐机构应当针对发行人具体情况确定持续督导的内容和重点，并承担规定的工作。保荐机构应当同发行人签订保荐协议，规范双方关系。保荐机构违反法律、行政法规和有关管理规定，应当承担相应的法律责任。

本条第二款规定，上市保荐人适用本法关于发行保荐的有关规定：应当遵守业务规则和行业规范，诚实守信，勤勉尽责，对发行人的申请文件和信息披露进行审慎核查，督导发行人规范运作。其资格及管理办法由国务院证券监督管理机构规定。

第五十条　股份有限公司申请股票上市，应当符合下列条件：

（一）股票经国务院证券监督管理机构核准已公开发行；

（二）公司股本总额不少于人民币三千万元；

（三）公开发行的股份达到公司股份总数的百分之二十五以上；公司股本总额超过人民币四亿元的，公开发行股份的比例为百分之十以上；

（四）公司最近三年无重大违法行为，财务会计报告无虚假记载。

证券交易所可以规定高于前款规定的上市条件，并报国务院证券监督管理机构批准。

【释义】 本条是关于股份有限公司申请股票上市条件的规定。

按照本条规定，股份有限公司申请其股票上市必须符合下列条件：

（1）股票经国务院证券监督管理机构核准已公开发行。依照本法规定，公开发行证券，必须符合法律、行政法规规定的条件，并依法报经国务院证券监督管理机构或者国务院授权的部门核准，未经依法核准，任何单位和个人不得公开发行证券。股票也是证券的一种，有下列情形之一的，为公开发行股票：向不特定对象发行股票的；向特定对象发行股票累计超过二百人的；法律、行政法规规定的其他发行股票行为。

（2）公司股本总额不少于人民币三千万元。这是对上市公司资本数额的要求。股本总额又称资本总额，是指由公司章程所确定的由股东出资构成的财产总额。依照公司法的规定，股东可以用货币出资，也可以用可估价和可转让的非货币财产出资。股本的单位一律用货币金额表示。申请股份有限公司股票上市，公司股本总额不得少于人民币三千万元。

（3）公开发行的股份数和公司的股权分布必须符合法定的要

求,以确保其公司的公众性。

具体要求是:向社会公开发行的股份达公司股份总数的百分之二十五以上;公司股本总额超过人民币四亿元的,其向社会公开发行股份的比例为百分之十以上。达“公司股份总数的百分之二十五以上”“为百分之十以上”指法律规定的最低下限,高于这一比例是允许的。

(4)公司最近三年无重大违法行为,财务会计报告又无虚假记载。①“最近三年”是从股份有限公司申请上市之日起向前推三年。“无重大违法行为”指公司在经营管理活动中,不存在违犯法律规定的犯罪行为或者尚未构成犯罪、但严重违法的行为。其具体表现除了公司法法律责任一章中规定的行为外,还包括其他法律规定的行为,如走私、偷税、生产或者销售伪劣商品等。②公司的财务、会计制度必须健全,财务会计文件的内容必须真实、可信,不允许伪造、变造、隐匿、擅自销毁账簿、记账凭证等。

股份有限公司申请其股票上市,必须经过证券交易所审核同意,本条第一款规定是法律所要求的,证券交易所作为具体从事审核和管理股票上市的自律管理的法人,可以依照本条第二款授权,规定高于前款的上市条件,并报国务院证券监督管理机构批准。

第五十一条　国家鼓励符合产业政策并符合上市条件的公司股票上市交易。

【释义】　本条是对股票上市应体现国家产业政策的规定。

这一条是证券法为体现国家产业政策而规定的。一段时间以来,国家产业结构调整是深化改革的重要课题,我国定期公布国家产业政策,在国家经济发展计划中,都列明了鼓励发展的产业,限制和禁止发展的行业。证券市场作为资本市场,是公司的重要融资场所,也是资金密集流转的场所,为了有利于国家产业结构,优化市场资源配置,国家鼓励通过证券市场实现当前急迫的产业调整政策，无可非议，也是责无旁贷的。

考虑到我国实行股份制改造，重要的方面是促进基础产业、重要产业和高科技产业的发展，因此在审核上市公司时，应当注意体现国家的产业政策，鼓励并实行倾斜政策，扶持那些符合产业政策并符合上市条件的公司股票上市进行交易，以为这些公司的进一步发展创造条件。

第五十二条　申请股票上市交易，应当向证券交易所报送下列文件：

（一）上市报告书；

（二）申请股票上市的股东大会决议；

（三）公司章程；

（四）公司营业执照；

（五）依法经会计师事务所审计的公司最近三年的财务会计报告；

（六）法律意见书和上市保荐书；

（七）最近一次的招股说明书；

（八）证券交易所上市规则规定的其他文件。

【释义】　本条是对申请股票上市交易应向证券交易所报送法律文件的规定。

本条对于申请股票上市交易应提交文件加以列举式规定。其中，上市报告书，是指申请人提交的申请其股票上市交易的总报告文件。

股东大会的决议，是指股东们依据法定程序作出的决定，其主旨是同意本公司的股票在证券交易所挂牌交易。公司章程，是指由股东大会通过的约定公司及全体股东的重要事项的法定文件。公司营业执照，是指对符合法定条件的公司或者企业，由工商行政管理机关颁发的独立法人的资格证明。公司营业执照上载明有公司的名称、住所、注册资本、实收资本、经营范围、法定代表人等事项。会计师事务所审计的公司最近三年的财务会计报告，是指依法成立的注册会计师事务所进行审计的公司财务会计报告。法律意见书是指由律师事务所出具的证明有关法律事项的文件。保荐书，是指由有资格的保荐人（通常是证券公司）为推荐股份有限公司股票上市所制作并向证券交易所报送的保荐书。最近一次的招股说明书，是指股份有限公司为募集股份向投资者发出的招股要约。证券交易所上市规则规定的其他文件，是指证券交易所制定的上市规则中所规定的补充内容。

本条要求申请人向证券交易所报送上述文件，是为了使证券交易所更充分地了解该上市公司的情况，并根据规定进行审核，最后作出决定，是否同意该公司股票上市交易。

第五十三条　股票上市交易申请经证券交易所审核同意后，签订上市协议的公司应当在规定的期限内公告股票上市的有关文件，并将该文件置备于指定场所供公众查阅。

【释义】　本条是对公告股票上市报告等文件资料的规定。

股票上市交易申请依照前条规定向证券交易所报送文件，经审核同意后，由证券交易所安排上市交易。作为申请人并与证券交易所签订上市协议的公司在取得证券交易所的同意后，在正式挂牌上市前，应当在规定的期限内公告本公司的上市报告及有关文件，并将该文件置备于指定场所，供公众查阅。

为了规范股票上市交易的上市报告文件及其公告行为，中国证监会发布的《关于发布公开发行股票公司信息披露的内容与格式准则第七号〈上市公告书的内容与格式（试行）〉的通知》，其附件明确地规定了上市公告书的内容与格式，包括以下主要事项：（1）要览；（2）绪言；（3）发行企业的概况；（4）股票发行及承销情况；（5）董事、监事及高级管理人员持股情况；（6）公司设立登记情况;(7)关联企业及关联交易情况;(8)股本结构及大股东持股情况;(9)公司财务会计资料;(10)董事会对上市的承诺;(11)重要事项或重大事件揭示;(12)备查文件目录。此后,又陆续发布了一些有关的规定,补充规定了有关上市公告书的内容,申请股票上市交易的股份有限公司,必须按照上述要求,向社会公告其上市报告,并且应当保证其内容真实、准确和完整。

第五十四条　签订上市协议的公司除公告前条规定的文件外,还应当公告下列事项:

(一)股票获准在证券交易所交易的日期;

(二)持有公司股份最多的前十名股东的名单和持股数额;

(三)公司的实际控制人;

(四)董事、监事、高级管理人员的姓名及其持有本公司股票和债券的情况。

【释义】　本条是对股票上市公告的有关事项的规定。

为了完善和健全股票上市公告制度,保护广大投资者的合法权益,开展公平、公正的证券交易活动,对于证券交易所已确定安排上市的该上市公司的重要信息,应当无遗漏地予以披露,使广大投资者能够占据充分的材料作出合乎理性的投资决策。为此,本条规定上市公司除公告上市报告申请文件等内容外,还应当公告经证券交易所确定的股票上市的具体日期,以及本公司前十名股东的持股情况、公司的实际控制人、本公司的董事、监事、高级管理人员的持股情况等重要信息。

对于本条所规定的公告事项,中国证监会于1997年1月6日发布的《关于发布公开发行股票公司信息披露的内容与格式准则第七号〈上市公告书的内容与格式(格式)〉的通知》在其附件中,明确地规定了本条所要求公告的事项,其中上市公告书正文第一项“要览”中,要求列明:本上市公司的总股本、可流通股本、本次上市流通股本、证券编码、上市地、上市时间、登记机构、上市保荐人等。在第五项“董事、监事及高级管理人员持股情况”中，要求列明：董事、监事及高级管理人员变动情况，新增董事、监事及高级管理人员简历，董事、监事及高级管理人员持股数额和比例等。在第八项“股本结构及大股东持股情况”中，要求列明：上市前的股本结构，包括发起人股份，募集法人股、内部职工股，境内上市外资股、境外上市外资股；前十名股东所持股数及比例等。股票上市申请人应当按照中国证监会规定的上市公告书的内容及格式作出公告。此外，本次修改证券法还要求公告有关公司的实际控制人。按我国公司法的规定，公司的实际控制人，是指虽不是公司的股东，但通过投资关系、协议或者其他安排，能够实际支配公司行为的人。中国证监会已有一些相关的规定，但应以这次新修订的公司法为准来界定公司的实际控制人，并依本条规定公告。

第五十五条　上市公司有下列情形之一的，由证券交易所决定暂停其股票上市交易：

（一）公司股本总额、股权分布等发生变化不再具备上市条件；

（二）公司不按照规定公开其财务状况，或者对财务会计报告作虚假记载，可能误导投资者；

（三）公司有重大违法行为；

（四）公司最近三年连续亏损；

（五）证券交易所上市规则规定的其他情形。

【释义】　本条是关于暂停公司股票上市交易的规定。

按照本条规定，上市公司不符合法律规定的条件，证券交易所有权作出暂停其股票上市的决定。我们知道，股份有限公司的股票在证券交易所上市交易后，并不是一劳永逸的。如果它不能满足公司法、证券法等有关法律规定的条件，就会被暂停上市甚至终止其上市资格。所谓“暂停”是指暂时停止某公司的股票一段时间内的上市交易活动,具有“黄牌”警告的性质。暂停的时间有多长,由证券交易所根据具体情况和需要作出。

暂停公司股票上市的法定原因有:(1)公司股本总额、股权分布等情况发生变化不再具备上市条件,这主要是指公司已不再具备本法第五十条第(二)项、第(三)项规定的上市条件。(2)公司不按规定公开其财务状况,或者财务会计报告作虚假记载,可能误导投资者,这主要是指公司有违反本法第五十条第(四)项等规定的行为。(3)公司有重大违法行为,这主要是指公司有违反本法法律责任一章规定的行为和其他有关法律规定情节比较严重应当受到制裁的行为。(4)公司最近三年连续亏损,这主要是指从公司最近三年来的财务会计报告中反映出公司资产一直处于净损失的状态,说明公司经营成果不佳。此外,证券交易所为管理证券市场的需要,还可以在上市规则中规定其他情形作为补充,这是法律的授权。

只要公司有上述情形之一,证券交易所就可以决定暂停其股票上市交易。但暂停股票上市并不是终止股票上市交易。

第五十六条　上市公司有下列情形之一的,由证券交易所决定终止其股票上市交易:

(一)公司股本总额、股权分布等发生变化不再具备上市条件,在证券交易所规定的期限内仍不能达到上市条件;

(二)公司不按照规定公开其财务状况,或者对财务会计报告作虚假记载,且拒绝纠正;

(三)公司最近三年连续亏损,在其后一个年度内未能恢复盈利;

(四)公司解散或者被宣告破产;

(五)证券交易所上市规则规定的其他情形。

【释义】　本条是对上市公司股票终止上市的规定。

按照本条规定，上市公司出现不符合法律规定的条件，由证券交易所决定终止其股票上市资格。所谓“终止股票上市”也就是取消股份有限公司的股票在证券交易所挂牌进行公开竞价交易的资格，这是对上市公司采取的最严厉的行政措施，即出示“红牌”罚下。

终止上市公司股票上市交易资格的法定原因可以分为五种：(1)公司股本总额、股权分布等情况发生变化不再具备上市条件，在证券交易所规定的期限内仍不能达到上市条件。这主要是指公司已不再具备本法第五十条第(二)项、第(三)项规定的上市条件，已经暂停上市交易，证券交易所命令其限期整改，在限期内未能达到上市条件。(2)公司不按照规定公开其财务状况，或者财务会计报告作虚假记载，且拒绝纠正，这主要是指公司有违反本法第五十条第(四)项等规定的行为，证券交易所业已令其纠正，但其拒绝纠正。(3)公司最近三年连续亏损，这主要是指从公司最近三年来的财务会计报告中反映出公司资产一直处于净损失的状态，说明公司经营成果不佳，在其后一个年度内未能恢复盈利，仍然处于亏损状态。(4)公司解散或者被宣告破产。我国公司因下列原因解散：公司章程规定的营业期限届满或者公司章程规定的其他解散事由出现；股东会或者股东大会决议解散；因公司合并或者分立需要解散；依法被吊销营业执照、责令关闭或者被撤销；人民法院依法接受股东请求裁判解散。公司被宣告破产，是指公司经营不善，严重资不抵债，被人民法院宣告破产。上述两种情况将导致公司停止运营，必须进行清算，在这种情况下，该上市公司法人资格消灭，其股票不能再上市交易，由证券交易所作出终止其股票上市的决定。(5)证券交易所为管理证券市场的需要，还可以在上市规则中规定其他情形作为补充，这是法律的授权。

以上情形，只要有一项存在，证券交易所就有权决定终止其股票上市。

第五十七条　公司申请公司债券上市交易，应当符合下列条件：

（一）公司债券的期限为一年以上；

（二）公司债券实际发行额不少于人民币五千万元；

（三）公司申请债券上市时仍符合法定的公司债券发行条件。

【释义】　本条是对公司债券申请上市交易的条件的规定。

申请公司债券上市的条件有三项：

第（一）项所指“公司债券的期限为一年以上”，是指公司债券自发行日到还本付息日的期间不短于一年。按照公司法的规定，发行公司债券，其募集办法中应当载明“还本付息的期限和方式”，据此，可以计算和确定该公司债券的期限长短。

第（二）项所称“公司债券实际发行额不少于人民币五千万元”，是指发行人所申请上市的该种和该次发行的公司债券的发行额在五千万元以上。按照本法的规定，符合发行公司债券的公司可以多次发行公司债券，其累计发行额，即尚未到期的各次发行的各种债券的总发行额不超过公司净资产的40%。为此，具体申请哪一次发行的哪种债券在证券交易所挂牌上市，则要求该次发行的该种公司债券的实际发行额在五千万元以上。

第（三）项所称“公司申请其债券上市时仍符合法定的公司债券发行条件”，是指发行人一直处于具备公司债券发行条件的状态，也就是说发行人应当保持公司债券发行时的信誉状态，而使该公司债券持有人的利益能够得到实现，并且该公司债券的交易具有安全性。如果丧失发行公司债券具备的条件，那么该公司债券到期还本付息将发生风险。发行公司债券的条件是由本法规定的。

本条规定了三项重要条件，有利于公司债券上市后，其可交易的债券总量和交易期间能够满足交易行市的要求，同时也能够保证交易当事人在公司债券到期时获得相应的收益，使公司债券的交易处于规范的管理之下。

第五十八条　申请公司债券上市交易,应当向证券交易所报送下列文件:

(一)上市报告书;

(二)申请公司债券上市的董事会决议;

(三)公司章程;

(四)公司营业执照;

(五)公司债券募集办法;

(六)公司债券的实际发行数额;

(七)证券交易所上市规则规定的其他文件。

申请可转换为股票的公司债券上市交易,还应当报送保荐人出具的上市保荐书。

【释义】 本条是对申请公司债券上市交易应提交的法定文件的规定。

对于公司债券的上市交易申请及其审核程序,分别由上海、深圳两个证券交易所制定的规则来进行管理。本条规定,申请公司债券上市交易,应当向证券交易所报送七类必备文件:(1)上市报告书。是指申请人提交的申请其公司债券上市交易的总报告文件。(2)申请公司债券上市的董事会决议。是指公司董事会依据法定程序作出的决定,其主旨是同意申请本公司的债券在证券交易所挂牌交易。(3)公司章程。是指由股东大会通过的约定公司及全体股东的重要事项的法定文件。(4)公司营业执照。是指对符合法定条件的公司或者企业,由工商行政管理机关颁发的独立法人的资格证明。公司营业执照上载明有公司的名称、住所、注册资本、实收资本、经营范围、法定代表人等事项。(5)公司债券募集办法。是指公司发行公司债券的申请经国务院授权的部门核准后,对外公告的公司债券募集办法。其中载明如下事项:公司名称;债券募集资金的用途;债券总额和债券的票面金额;债券利率的确定方式;还本付息的期限和方式;债券担保情况;债券的发行价格、发行的起止日期;公司资产额;已发行的尚未到期的公司债券总额;公司债券的承销机构。(6)公司债券的实际发行数额。是指已经发行的公司债券总额。(7)证券交易所上市规则规定的其他文件。证券交易所为管理证券市场的需要,还可以在上市规则中规定其他文件作为补充,这是法律的授权。

本条第二款规定,申请可转换为股票的公司债券上市交易,还应当提交保荐人出具的保荐书,是指由有资格的保荐人(通常是证券公司)为推荐股份有限公司债券上市所制作并向证券交易所报送的保荐书。

本条要求申请人向证券交易所报送上述文件,是为了使证券交易所更充分了解该上市公司所发行的债券的情况,并根据规定进行审核,最后作出决定,是否同意该公司债券的上市交易。

第五十九条 公司债券上市交易申请经证券交易所审核同意后,签订上市协议的公司应当在规定的期限内公告公司债券上市文件及有关文件,并将其申请文件置备于指定场所供公众查阅。

【释义】 本条是对公告公司债券上市报告等文件资料的规定。

公司债券上市交易申请经证券交易所依法审核同意后,证券交易所应当与申请人签订上市协议,确定上市日期及有关事宜。签订上市协议的公司在取得证券交易所的同意后,在规定的期限内,向社会公告本公司的公司债券的上市文件及有关文件,并应当将该文件置备于指定的场所,供公众查阅。申请公司债券上市交易的公司,必须按照本条的规定,保证其所公告的文件内容具有真实性、准确性和完整性。

第六十条　公司债券上市交易后,公司有下列情形之一的,由证券交易所决定暂停其公司债券上市交易:

(一)公司有重大违法行为;

(二)公司情况发生重大变化不符合公司债券上市条件;

(三)发行公司债券所募集的资金不按照核准的用途使用;

(四)未按照公司债券募集办法履行义务;

(五)公司最近二年连续亏损。

【释义】　本条是对公司债券暂停上市交易的规定。

公司债券的上市交易受到该发债公司的经营状况和业绩效益的直接影响。为了维护投资者的合法权益,减少证券交易的风险,对上市交易的公司债券的发行人进行监管,是非常必要的。为此,本条对于发生法定情形的发债公司,规定可以由证券交易所决定其公司债券暂停在证券交易所的挂牌交易。

本条所规定的法定情形包括:(1)公司有重大违法行为。例如,公司发生违反公司法的法律责任规定的行为或者违反有关证券、税收、产品质量、环境保护、外汇管理和海关监管等法律规定的行为,情况比较严重,应当受到惩罚的。(2)公司情况发生重大变化不符合公司债券上市条件的。例如:公开发行的公司债券由于某种原因提前偿还一部分本息,使得公司债券的实际发行数额少于人民币五千万元等。(3)发行公司债券所募集资金不按照核准的用途使用的。例如:发行该债券所募集资金没有投向符合国家产业政策的项目上,或者违反法律规定,将所募资金用于非生产性支出或用于弥补亏损等。(4)未按照公司债券募集办法履行义务。例如:发债公司对其他到期公司债券欠付本息,或对分期还本付息的债券不按期支付等。(5)公司最近二年连续亏损。由于公司债券上市交易,其安全性受到公司经营状况和业绩效益的直接影响,如果公司不能连续盈利,势必影响还本付息的能力;并且本法还规定发行公司债券的必备条件之一是公司最近三年平均可分配利润足以支付公司债券一年的利息，如果公司连续二年亏损，其发债的实际效用即严重丧失，如果不暂停其公司债券上市交易，对交易者来讲存在较大风险。因此，需要采取暂停上市的措施。

第六十一条　公司有前条第（一）项、第（四）项所列情形之一经查实后果严重的，或者有前条第（二）项、第（三）项、第（五）项所列情形之一，在限期内未能消除的，由证券交易所决定终止其公司债券上市交易。

公司解散或者被宣告破产的，由证券交易所终止其公司债券上市交易。

【释义】　本条是对公司债券终止上市交易的规定。

本条对公司债券的终止上市作出了统一的规定，有利于对公司债券实施严格的规范和管理。本条对那些暂停上市的公司债券，当其发行人有法定的情形时，则予以终止上市。

按照本条的规定，有下列情形之一的，终止公司债券上市：(1)公司有重大违法行为造成严重后果，或者公司违背公司债券募集办法所约定的义务，给投资者造成严重损害的；(2)公司情况发生重大变化不符合公司债券上市条件，或者公司不按核准的资金用途使用发债所募资金，以及公司连续二年亏损，在限定的期限内未予改正，没有消除上述情形的；(3)发债公司被依法解散或者被人民法院宣告破产时，该公司必须进行清算，清理全部债务，其公司债券不能再上市交易。

当公司有上述法定情形时，法律规定由证券交易所根据本条规定作出终止该公司债券上市的决定。

第六十二条　对证券交易所作出的不予上市、暂停上市、终止上市决定不服的，可以向证券交易所设立的复核机构申请复核。

【释义】　本条是对证券交易所作出的决定不服的复核程序

的规定。

本法规定,证券交易所是为证券集中交易提供场所和设施,组织和监督证券交易,实行自律管理的法人。证券交易所的设立和解散,由国务院决定。证券交易所有经国务院证券监督管理机构批准的章程,有自己的费用收入,设理事会和由国务院证券监督管理机构任免的总经理,也有相应的内设机构。法律、行政法规授权其行使职权,在证券市场,其承担相当的组织和监督证券交易的职能。其可以依法审核同意或不同意证券上市,依法决定证券暂停上市或终止上市,证券交易所依法履行自律管理职能,属市场行为,不是政府行为,证券交易所也不是政府行政机构。当事人对证券交易所作出的不予上市、暂停上市、终止上市决定不服的,可以向证券交易所设立的复核机构申请复核,即再一次按法定条件和相关工作要求由不同的内设机构重新审核一次,以维护当事人的合法权益。

第三节　持续信息公开

第六十三条　发行人、上市公司依法披露的信息,必须真实、准确、完整,不得有虚假记载、误导性陈述或者重大遗漏。

【释义】 本条是对发行人、上市公司依法披露的信息的真实性、准确性和完整性的规定。

信息披露是对证券市场监管的有效手段,也是公开原则的具体体现,具体来讲有三层含义:一是证券发行要进行信息披露;二是证券上市交易要进行信息披露;三是与证券发行、上市交易有关的信息要披露。信息披露一般来说包括证券发行时初次信息披露和证券交易中的信息披露。证券发行时初次信息披露是指证券首次公开发行时对发行人、拟发行的证券以及与发行证券有关的信息进行披露;证券交易中的信息披露是指证券上市交易过程中发行人、上市公司对证券上市交易及与证券交易有关的信息要进行持续的披露。这里的“发行人、上市公司依法披露的信息”，主要是指发行人、上市公司在依法发行股票、公司债券时公告的招股说明书、公司债券募集办法、财务会计报告；在上市交易前公告的证券上市的有关文件和证券上市交易后、持续披露的年度报告、中期报告、临时报告以及其他信息披露资料等等。这里的“真实”，是指披露的信息内容必须如实反映发行人、上市公司和证券交易有关的实际情况，不得有虚假记载。这里的“准确”，是披露信息的文件应当按照规定的格式制作，对有关情况所做的陈述和提供的数据与实际情况应当符合，或者是合乎逻辑的推测，不得有误导性陈述。这里的“完整”，是指披露信息的文件应当齐全，符合法定要求，每份文件的内容应当完整，不得有重大遗漏。信息披露是发行人、上市公司与投资者和社会公众全面沟通信息的桥梁。投资者和社会公众在获取这些信息后，可以作为投资抉择的主要依据。如果披露的信息有虚假记载、误导性陈述或者重大遗漏，那么，就会使社会公众作出错误的判断，从而导致其利益受到损害，破坏正常的交易秩序，甚至会影响到社会的稳定。因此，发行人、上市公司披露的信息，必须真实、准确、完整，不得有虚假记载、误导性陈述或者重大遗漏。

第六十四条　经国务院证券监督管理机构核准依法公开发行股票，或者经国务院授权的部门核准依法公开发行公司债券，应当公告招股说明书、公司债券募集办法。依法公开发行新股或者公司债券的，还应当公告财务会计报告。

【释义】　本条是对公开发行股票、公司债券应当公告的文件的规定。

这里的“公开发行股票”既包括公司设立时的公开募集股份，也包括成立后为增加资本而发行新股。根据本条规定，公开发行股票的,需要公告招股说明书。“招股说明书”,是指发行人为发行股票而依法制作的供社会公众了解发行人的基本情况,说明股票发行有关事项,指导社会公众认购股份的规范性文件。招股说明书应当附有公司章程,并载明发起人认购的股份数、每股的票面金额和发行价格、无记名股票的发行总数、认股人的权利及义务、本次募股的起止期限及逾期未募足时认股人可撤回所认股份的说明。公告招股说明书的目的在于给发行人进行自我宣传提供机会,以便推销所发行的股票,同时使投资者了解发行人的真实情况,并据此作出投资选择。同时,为了保障广大投资者的合法权益,经核准向社会公开发行新股时,还必须公告财务会计报告。因为财务会计报告是包括资产负债表、损益表、财务状况变动表、财务情况说明书、利润分配表及财务会计明细表在内的反映公司生产经营成果和财务状况的总结性的书面文件。投资者通过了解、分析公司的财务会计报告,可以了解已成立的公司的财产状况和经营状况,从而在掌握真实情况的基础上进行判断,决定是否购买该公司发行的股票。而为设立公司向社会公众公开募集股份时,公司尚未成立,没有进行生产经营活动,也就不存在财务会计报告。

根据本条规定,公开发行公司债券需要公告公司债券募集办法和财务会计报告。公司债券募集办法是指发行人为发行公司债券而依法制作的供社会公众了解发行人的资产及负债情况,说明公司债券发行有关事项,指导社会公众认购公司债券的规范性文件。公司债券募集办法应当载明公司名称、债券总额和债券的票面金额、债券的利率、还本付息的期限和方式、债券发行的起止日期、公司净资产额、已发行的尚未到期的公司债券总额、公司债券的承销机构。发行公司债券的申请经批准后,应当公告公司债券募集办法。同时,如前所述,鉴于公司的财务会计报告的重要性,经国务院授权的部门核准依法公开发行公司债券的公司,除应当公告公司债券募集办法以外，还应当公告财务会计报告。

第六十五条 上市公司和公司债券上市交易的公司，应当在每一会计年度的上半年结束之日起二个月内，向国务院证券监督管理机构和证券交易所报送记载以下内容的中期报告，并予公告：

（一）公司财务会计报告和经营情况；

（二）涉及公司的重大诉讼事项；

（三）已发行的股票、公司债券变动情况；

（四）提交股东大会审议的重要事项；

（五）国务院证券监督管理机构规定的其他事项。

【释义】 本条是对上市公司和公司债券上市交易的公司报送并公告中期报告的规定。

本条所指的中期报告，是指关于上市公司或者公司债券上市交易的公司在上半个会计年度中有关情况的报告。中期报告应当记载公司的基本情况和可能对公司、公司证券价格、公司股东或者公司债权人有重大影响的事项，包括以下几项内容：

（1）公司财务会计报告和经营情况。公司经营情况是指公司的管理、营业情况，包括过去的业绩和未来的前景等。公司财务会计报告和经营情况是投资者了解公司现状及预期发展情况的一个重要途径，应当在中期报告载明。

（2）涉及公司的重大诉讼事项。涉及公司的重大诉讼事项是指人民法院在当事人和其他诉讼参与人参加下，依照法定程序进行的、与公司有关并将对公司造成重大影响的诉讼活动。

（3）已发行的股票、公司债券变动情况。主要是指控股股东、实际控制人情况的变化、其他人持有或者共同持有股票及债券种类的变化、数量的增减以及股份总数的增加、减少和公司债券的偿付等。在股份有限公司中，股东的组成对公司的发展有着重要的影响。尤其是持有较大比例股份的大股东，他们享有较多的表决权,对公司的重大事项有较大的决定权,甚至控制权。股东持股情况发生变化后,将对公司的生产经营活动产生重大影响。公司已发行的公司债券的变动,也直接影响债权人的权益。

(4)提交股东大会审议的重要事项。股东大会是公司的权力机构,决定公司的重大事项。因此,股东大会对重要事项的审议,如公司经营方针和投资计划、董事及监事有关事项、公司年度财务预算方案及决算方案、公司利润分配方案和弥补亏损方案、增加或者减少注册资本、发行公司债券、修改公司章程、公司合并、分立、解散和清算等事项,不仅会对公司的生产经营有着决定性的影响,而且可能会影响人们对公司前景的预期,对公司所发行的股票、公司债券的价格产生影响。

(5)国务院证券监督管理机构规定的其他事项。除上述事项以外,还可能存在其他一些影响股东、债权人利益以及影响股票、公司债券价格的事项,为了保障广大投资者的合法权益,对于国务院证券监督管理机构规定的其他一些事项,公司应当在中期报告中载明。

为了保证公司及时向国务院证券监督管理机构和证券交易所报送中期报告,本条规定上市公司和公司债券上市交易的公司依法报送和公告中期报告的法定期限为每一会计年度的上半年结束之日起二个月。

中期报告应当向国务院证券监督管理机构和证券交易所报送,并予以公告。由于中期报告所载明的内容涉及公司最基本的情况,关系到广大投资者的权益,所以,上市公司和公司债券上市交易的公司应当将中期报告报送给国务院证券监督管理机构和证券交易所,以使上述机构加强对公司的监管,保护广大投资者的合法权益;同时,予以公告,即将中期报告在国务院证券监督管理机构指定的媒体发布,同时将其置备于公司住所、证券交易所等,供社会公众查阅,以使社会公众能够了解公司的真实情况,从而在此基础上作出是否在证券交易所买入或者卖出该公司股票或者公司债券的决定。

第六十六条　上市公司和公司债券上市交易的公司，应当在每一会计年度结束之日起四个月内，向国务院证券监督管理机构和证券交易所报送记载以下内容的年度报告，并予公告：

（一）公司概况；

（二）公司财务会计报告和经营情况；

（三）董事、监事、高级管理人员简介及其持股情况；

（四）已发行的股票、公司债券情况，包括持有公司股份最多的前十名股东的名单和持股数额；

（五）公司的实际控制人；

（六）国务院证券监督管理机构规定的其他事项。

【释义】　本条是对上市公司和公司债券上市交易的公司报送并公告年度报告的规定。

本条所指年度报告是指关于上市公司和公司债券上市交易的公司在每一会计年度中有关情况的报告。年度报告应当包括以下几项内容：

（1）公司概况。公司概况是指公司的大概情况，如公司住所、各项主营业务、规模、负责人的姓名等。年度报告记载公司概况的作用是使投资者对公司有一个简明扼要的了解。

（2）公司财务会计报告和经营情况。如前条所述，公司财务会计报告和经营情况反映的是公司的财务状况和公司的发展状况，对于证券监督管理机构和证券交易所了解公司的情况，对于投资者的投资决策，有着重要的影响。

（3）董事、监事、高级管理人员简介及其持股情况。董事、监事、高级管理人员简介是指对董事、监事、高级管理人员的姓名、经历、能力等个人情况的简单介绍。董事、监事、高级管理人员的持股情况是指董事、监事、高级管理人员是否持有股票、持有何种股票及持有各种股票的数量等。这里的“高级管理人员”，是指公司的经理、副经理、财务负责人，上市公司董事会秘书和公司章程规定的其他人员。

（4）已发行的股票、公司债券情况，包括持有公司股份最多的前十名股东名单和持股数额。已发行的股票、公司债券情况，是指上市公司已经公开发行的股票总额、在该年度的增加、减少和公司债券的偿付情况。在公司中，股东的组成对公司的发展有着重要的影响，尤其是持有股份数额多的股东，因其在股东会上有着较多的表决权而对公司的重大事项有着决定性的影响，并且大股东的变化会直接影响其他股东的投资信心，所以，年度报告应当载明已经发行的股票及公司债券的情况，并应载明持有公司股份最多的前十名股东的名单和他们持有公司股份的数额。

（5）公司的实际控制人。公司的实际控制人，是指虽不是公司的股东，但通过投资关系、协议或者其他安排，能够实际支配公司行为的人。

（6）国务院证券监督管理机构规定的其他事项。除上述事项以外，还可能存在其他一些影响股东、债权人利益，影响股票、公司债券价格的事项，为了保障广大投资者的合法权益，对于国务院证券监督管理机构规定的其他一些事项，如会计师事务所的变更、选定用于信息披露的报刊的名称、选定报刊的变更等，公司应当在年度报告中载明。

由于年度报告记载的公司生产经营情况及其他一些重要信息会直接影响上市交易的股票或者公司债券的价格，为了保护广大投资者的合法权益，本条规定，上市公司和公司债券上市交易的公司，应当在每一会计年度结束之日起四个月内，向国务院证券监督管理机构和证券交易所报送年度报告，并予公告。

第六十七条　**发生可能对上市公司股票交易价格产生较大影响的重大事件，投资者尚未得知时，上市公司应当立即将有关该重大事件的情况向国务院证券监督管理机构和证券交易所报送临时报告，并予公告，说明事件的起因、目前的状态和可能产生的法律后果。**

下列情况为前款所称重大事件：

（一）公司的经营方针和经营范围的重大变化；

（二）公司的重大投资行为和重大的购置财产的决定；

（三）公司订立重要合同，可能对公司的资产、负债、权益和经营成果产生重要影响；

（四）公司发生重大债务和未能清偿到期重大债务的违约情况；

（五）公司发生重大亏损或者重大损失；

（六）公司生产经营的外部条件发生的重大变化；

（七）公司的董事、三分之一以上监事或者经理发生变动；

（八）持有公司百分之五以上股份的股东或者实际控制人，其持有股份或者控制公司的情况发生较大变化；

（九）公司减资、合并、分立、解散及申请破产的决定；

（十）涉及公司的重大诉讼，股东大会、董事会决议被依法撤销或者宣告无效；

（十一）公司涉嫌犯罪被司法机关立案调查，公司董事、监事、高级管理人员涉嫌犯罪被司法机关采取强制措施；

（十二）国务院证券监督管理机构规定的其他事项。

【释义】　本条是对上市公司应当依法报送并公告临时报告的规定。

在证券交易所的交易中，有关上市公司的信息，特别是一些重要信息，会对股票交易价格产生影响，甚至会引起股票价格的大幅度波动。为了使所有的投资者都能够及时平等地了解上市公司的有关信息，保证公平、公正、公开原则的实现，防止投资者因不能公平地获悉该重大事件，从而造成证券交易中的不公平，本条规定，当发生可能对上市公司股票交易价格产生较大影响的重大事件，并且投资者尚未得时，上市公司应当报送临时报告。也就是说，该重大事件必须同时具备可能对上市公司股票交易价格产生较大影响和投资者尚未得知两个条件时，上市公司才有义务报送临时报告，如果该重大事件不具备其中一个要件，则不需报送临时报告的义务。

根据本条第二款的规定，重大事件包括下列情况：

(1)公司的经营方针和经营范围的重大变化。经营方针是指公司进行经营活动的方向和最终要达到的目标。经营范围是指公司从事的行业、项目的种类。

(2)公司的重大投资行为和重大的购置财产的决定。重大投资行为是指公司进行数额较大的投资、对有较大影响的项目进行投资或者对公司的经营将产生重大影响的项目进行投资等行为。重大的购置财产的决定是指公司作出的、以较大数额的资金去购买、置备某一财产的决定或者购买、置备某一有较大影响的财产的决定。

(3)公司订立重要合同，可能对公司的资产、负债、权益和经营成果产生重要影响。“资产”是指公司有权使用，并能在未来给公司带来经济收益的一切资源。“负债”是指由过去或现在已发生的经济业务所引起，使公司负有在当前或未来某个具体的或可确定的时间用现金、劳务或其他资产进行偿付的经济责任。“权益”是指公司的全部资产扣除全部负债后的金额。“经营成果”是指公司在一定时期内从事生产经营活动所取得的利润或发生的亏损。

(4)公司发生重大债务和未能清偿到期重大债务的违约情况。公司发生重大债务，就意味着公司将要以较大数额的资产清偿债务，从而造成公司资产的减少，有可能影响公司的经营。公司未能清偿到期重大债务，其后果可能是被依法强制清偿甚至是被宣告破产。所以，公司发生重大债务和未能清偿到期重大债务的违约情况，属于重大事件。

(5)公司发生重大亏损或者重大损失。重大亏损是指公司发生的对公司有重大影响的净损失。公司一旦发生了重大亏损或者重大损失时，必然会影响到股东、债权人的利益，从而有可能对上市公司股票交易价格产生较大的影响。

(6)公司生产经营的外部条件发生的重大变化。公司生产经营的外部条件是指非公司本身而是在公司以外的、影响公司生产经营的各种条件。公司在进行生产经营时，其经营成果的好坏不仅要受到公司本身的决策、管理等内部因素的影响，而且要受到各种外部条件如银行利率的调整、国家产业政策的变化等的影响。公司生产经营的外部条件发生重大变化，会对公司的生产经营产生直接影响。

(7)公司的董事、三分之一以上监事或者经理发生变动。根据公司法的规定，公司董事、监事或者经理能够行使的职权对公司的运行具有重要的影响，当公司的董事、三分之一以上监事或者经理发生变动时，就可能对上市公司股票交易价格产生较大的影响。

(8)持有公司百分之五以上股份的股东或者实际控制人，其持有股份或者控制公司的情况发生较大变化。实际控制人，是指虽不是公司的股东，但通过投资关系、协议或者其他安排，能够实际支配公司行为的人。由于上市公司的股份可能较为分散，持有公司百分之五以上股份的股东，对公司的生产经营有举足轻重的影响。持有公司百分之五以上股份的股东或者实际控制人，其持有或者控制的股份情况发生较大变化，是指其持有的该公司股份有了较大幅度的增加或者减少。

(9)公司减资、合并、分立、解散及申请破产的决定。公司减资是指公司依照法定条件和程序,减少公司的资本总额。公司合并是指两个或两个以上的公司订立合并协议,依照公司法的规定,不经过清算程序,直接合并为一个公司的法律行为。公司分立是指一个公司不经过清算程序,分为两个或两个以上的公司的法律行为。公司解散是指公司因发生法律或章程规定的解散事由而停止业务活动,并进行清算,最后可能使公司终止的法律行为。破产是指公司因严重亏损,不能清偿到期债务,由法院依据公司或债权人的申请,按法定程序对公司财产进行清算的法律制度。

(10)涉及公司的重大诉讼,股东大会、董事会决议被依法撤销或者宣告无效。涉及公司的重大诉讼是指人民法院在当事人和其他诉讼参与人参加下,依照法定程序进行的、与上市公司有关、将对该上市公司造成重大影响的诉讼活动。公司法规定,公司股东大会、董事会的决议内容违反法律、行政法规的无效。股东大会、董事会的会议召集程序、表决方式违反法律、行政法规或者公司章程,或者决议内容违反公司章程的,股东可以自决议作出之日起六十日内,请求人民法院撤销。由于股东大会、董事会所决议的事项,都是公司的重要事项,在股东大会、董事会作出决议以后,法院依法撤销其决议或者宣告无效,就很可能对公司的股票价格产生较大的影响。

(11)公司涉嫌犯罪被司法机关立案调查,公司董事、监事、高级管理人员涉嫌犯罪被司法机关采取强制措施。公司涉嫌犯罪被立案调查,会影响到广大股东的利益,而且刑事侦查机构也会对公司财产采取一些有影响的强制措施,可能影响到公司经营状况。公司的经营管理活动,是要靠其董事、监事、高级管理人员来进行的,一旦这些人员由于涉嫌犯罪被司法机关拘留或逮捕,可能会使公司的经营管理活动陷入混乱的状态,影响到公司的生产经营,从而影响公众的投资信心。

(12)国务院证券监督管理机规定的其他事项。除上述事项以外，还有存在其他一些可能对上市公司股票交易价格产生较大影响的事项，本条没有列举，授权国务院证券监督管理机规定。

当发生可能对上市公司股票交易价格产生较大影响的重大事件，投资者尚未得知时，上市公司应当立即将有关该重大事件的情况向国务院证券监督管理机构和证券交易所报送临时报告，并予公告，说明事件的起因、目前的状态和可能产生的法律后果。

第六十八条　上市公司董事、高级管理人员应当对公司定期报告签署书面确认意见。

上市公司监事会应当对董事会编制的公司定期报告进行审核并提出书面审核意见。

上市公司董事、监事、高级管理人员应当保证上市公司所披露的信息真实、准确、完整。

【释义】　本条是关于上市公司董事、监事、高级管理人员对定期报告和上市公司所披露的信息的责任的规定。

上市公司董事、监事会、高级管理人员应当对定期报告签署意见或者提出审核意见。公司的定期报告主要是指公司的年度报告、中期报告和季度报告。上市公司董事、高级管理人员应当对公司定期报告签署书面确认意见，监事会应当对董事会编制的公司定期报告进行审核并提出书面审核意见。这就要求上市公司董事、监事、高级管理人员须负有诚信义务，应当忠实、勤勉履行职责，对上市公司披露信息的真实、准确、完整承担法律责任。

上市公司董事、监事、高级管理人员应当保证上市公司所披露的信息真实、准确、完整。上市公司所披露的信息主要是指上市公司以招股说明书、公司债券募集办法、财务会计报告、上市报告文件、年度报告、中期报告、临时报告以及其他信息披露资料等形式，向投资者和社会公众公开披露的信息及与公司相关的信息。只有上市公司所披露的信息真实、准确、完整，投资者才可以通过阅读上市公司的信息，对少数公司信息披露中存在的问题有所发现，避免一些投资失误。因此，上市公司的董事、监事、高级管理人员应当保证上市公司所披露的信息真实、准确、完整，否则，由证券监督管理机构责令改正，对上市公司处以三十万元以上六十万元以下的罚款，对直接负责的主管人员和其他直接责任人员给予警告，并处以三万元以上三十万元以下的罚款。

第六十九条　发行人、上市公司公告的招股说明书、公司债券募集办法、财务会计报告、上市报告文件、年度报告、中期报告、临时报告以及其他信息披露资料，有虚假记载、误导性陈述或者重大遗漏，致使投资者在证券交易中遭受损失的，发行人、上市公司应当承担赔偿责任；发行人、上市公司的董事、监事、高级管理人员和其他直接责任人员以及保荐人、承销的证券公司，应当与发行人、上市公司承担连带赔偿责任，但是能够证明自己没有过错的除外；发行人、上市公司的控股股东、实际控制人有过错的，应当与发行人、上市公司承担连带赔偿责任。

【释义】　本条是对发行人及上市公司公告的信息有虚假记载、误导性陈述或者重大遗漏时，如何承担赔偿责任的规定。

根据本法规定，发行人、上市公司公告的招股说明书、公司债券募集办法、财务会计报告、上市报告文件、年度报告、中期报告、临时报告以及其他信息披露资料必须真实、准确、完整。如果存在虚假记载、误导性陈述或者重大遗漏，社会公众得到的信息就不真实、不完整或者会被该信息误导，并在此基础上作出错误的判断。这种错误的判断就将导致投资者在不适当的时候或者以不适当的价格买进或者卖出证券，从而在证券交易中遭受损失。由于投资者的这种损失是由发行人、上市公司披露的信息资料有虚假记载、误导性陈述或者有重大遗漏造成的，不论发行人、上市公司主观上有无过错，对投资者因此遭受的损失，应当予以赔偿。

董事会是发行人、上市公司的经营决策和执行机构,高级管理人员负责公司日常经营管理,监事会负责对发行人、上市公司的经营管理进行监督。在信息披露中,董事会、高级管理人员对公司信息披露资料的起草、核查、公告等工作负责,监事会对董事、高级管理人员的上述行为进行监督。如果发行人、上市公司公告的上述文件有虚假记载、误导性陈述或者有重大遗漏的情况,那么,作为董事会成员的董事、作为监事会成员的监事以及高级管理人员和其他直接责任人员就存在过错。在发行人、上市公司对因其公告信息有虚假记载、误导性陈述或者重大遗漏而在证券交易中遭受损失的投资者承担赔偿责任的同时,发行人、上市公司的董事、监事、高级管理人员和其他直接责任人员应当承担连带赔偿责任,除非能够证明自己没有过错。这里采取的是过错推定责任,即受损失的投资者不必证明上述人员存在过错,而上述人员如果想免责,则需要提出证据证明自己没有过错。

保荐人的主要职责就是将符合条件的企业推荐发行上市,并对申请人符合上市发行条件主发行上市文件的真实、准确、完整负有保证责任。如果披露的信息有虚假记载、误导性陈述或者重大遗漏,首先推定保荐人有过错,承担连带法律责任,其唯一的免责理由是能够证明自身无过错。证券承销是指证券机构根据承销协议,协助证券发行人推销其所发行的证券的行为。承销的证券公司在协助证券发行人推销其所发行的证券时,同样应当对公开发行募集文件的真实性、准确性、完整性进行核查,发现有虚假记载、误导性或者重大遗漏的,不得进行销售活动,已经销售的,必须立即停止销售活动,并采取纠正措施。如果信息披露资料有虚假记载、误导性陈述或者有重大遗漏的,应当与发行人、上市公司承担连带赔偿责任,但是能够证明自己没有过错的除外。

控股股东,是指其持有的股份占上市公司股本总额百分之五十以上的股东;或者其持有股份的比例虽然不足百分之五十,但依其持有的股份所享有的表决权已足以对股东大会的决议产生重大影响的股东。发行人、上市公司的控股股东、实际控制人虽然不制作、公告公司的信息披露资料，但其能够支配或者控制公司的行为，包括制作和公告招股说明书、公司债券募集办法、财务会计报告、上市报告文件、年度报告、中期报告、临时报告以及其他信息披露资料。但是，发行人、上市公司与其控股股东、实际控制人毕竟是两个不同的法律人格，一般来说每个主体只对自己的行为负责，发行人、上市公司的控股股东、实际控制人没有义务对发行人、上市公司的行为承担责任。但是，如果发行人、上市公司的控股股东、实际控制人在发行人、上市公司作信息披露时具有过错，指使、授意发行人、上市公司制作、披露有虚假记载、误导性陈述或者重大遗漏的信息资料，致使投资者在证券交易中遭受损失的，则也应承担连带赔偿责任。

第七十条　依法必须披露的信息，应当在国务院证券监督管理机构指定的媒体发布，同时将其置备于公司住所、证券交易所，供社会公众查阅。

【释义】　本条是对披露的信息如何发布的规定。

信息公开制度是证券交易的一项基本制度，是公开、公正、公平原则的具体体现，而发布是信息公开的一个重要途径。所以，如何进行发布，对于信息公开的实现，具有十分重要的意义。为了使广大投资者能够充分、及时、准确地知悉所发布的信息，同时，为了降低发布的成本，本条规定依照法律规定必须披露的信息，应当在国务院证券监督管理机构指定的媒体发布。

依照规定披露的信息资料，除应当在国务院证券监督管理机构指定的媒体发布以外，还应当将其置备于公司住所，供社会公众查阅。对于其证券在证券交易所上市交易的，发布者还应当将发布的文件置备于证券交易所，供社会公众查阅，使社会公众能有更多的途径充分获知信息，从而保障投资者在证券发行、证券交易中的合法权益。

第七十一条　国务院证券监督管理机构对上市公司年度报告、中期报告、临时报告以及公告的情况进行监督，对上市公司分派或者配售新股的情况进行监督，对上市公司控股股东和信息披露义务人的行为进行监督。

证券监督管理机构、证券交易所、保荐人、承销的证券公司及有关人员，对公司依照法律、行政法规规定必须作出的公告，在公告前不得泄露其内容。

【释义】　本条是对上市公司有关情况进行监督以及信息披露保密义务的规定。

根据本法规定，上市公司应当依法向国务院证券监督管理机构提交年度报告、中期报告、临时报告，并予公告。国务院证券监督管理机构收到上述材料以后，不应当备案了之，而应当对这些报告的真实性、准确性、完整性进行监督，审查其是否存在虚假记载、误导性陈述或者重大遗漏。同时，国务院证券监督管理机构对公司是否于法定的期限内在国务院证券监督管理机构指定的媒体发布了上述文件，是否将上述文件置备于公司住所、证券交易所供社会公众查阅等进行监督，以切实保证信息公开原则的实现。

国务院证券监督管理机构除对上市公司的有关报告及公告的情况进行监督外，还对上市公司分派或者配售新股的情况进行监督。分派新股是指公司将依法应分配给股东的利润折为股份，或者将资本公积金的一部分转为股份，按照股东持有的股份比例分配给股东。配售新股是指公司向原股东按照其所持股份比例发行新股。分派新股和配售新股都属于发行新股。根据本法规定，上市公司发行新股，应当符合法定条件，并报证券监督管理机构核准。国务院证券监督管理机构对上市公司分派或者配售新股的情况如何，是否符合法律规定，负有监督的职责。

国务院证券监督管理机构还对上市公司控股股东和信息披露义务人的行为进行监督。控股股东虽然没有信息披露义务，但是其对上市公司的经营管理以及重大人事任免都有很大影响力，有可能利用其控股地位与公司进行关联交易或者其他行为损害公司或者其他股东的利益，因此，国务院证券监督管理机构有必要对其行为进行监督。而信息披露义务人发布的信息是否真实、准确、完整，披露的信息资料是否存在虚假记载、误导性陈述或者存在重大遗漏，更需要国务院证券监督管理机构进行监督管理。

本条第二款规定“公司依照法律、行政法规规定必须作出的公告”主要是指申请公开发行股票时的募股申请和发行申请文件及其他有关文件、发行证券时的招股说明书或者公司债券募集办法、申请证券上市交易时向证券交易所提交上市报告书以及发行人、上市公司的年度报告、中期报告、临时报告等信息披露资料。证券监督管理机构、证券交易所、保荐人、承销的证券公司及有关人员，在上述文件公告前知悉公告的内容，但这些信息在公告前属于内幕信息，社会公众并不知晓，如果被泄露，就可能会使获得信息的人利用这些信息进行证券交易，从中牟取不正当利益，造成对其他没有获得信息的社会公众的不公平，影响证券市场的正常秩序。因此，公告前知悉公告内容的证券监督管理机构、证券交易所、保荐人、承销的证券公司及有关人员承担着在公告前不得泄露公告内容的义务。

第七十二条　证券交易所决定暂停或者终止证券上市交易的，应当及时公告，并报国务院证券监督管理机构备案。

【释义】 本条是对证券交易所暂停或者终止证券上市交易应当公告并备案的规定。

公司申请其证券上市，必须符合法律、行政法规和证券交易所上市规则规定的上市条件，对不符合上市条件的公司，证券交易所有权决定暂停或者终止其证券上市交易。由于证券交易所作出暂停或者终止证券上市交易的决定，将对公司及其股东产生重大影响，应当将这一决定及时公告，以使社会公众能够及时知悉该证券被暂停或者终止上市交易的情况。而且，依法作出暂停或者终止证券上市交易决定的证券交易所还应当将该决定报国务院证券监督管理机构备案，以使国务院证券监督管理机构了解情况。

第四节　禁止的交易行为

第七十三条　禁止证券交易内幕信息的知情人和非法获取内幕信息的人利用内幕信息从事证券交易活动。

【释义】　本条是对禁止内幕交易的规定。

内幕交易是指证券交易内幕信息的知情人和非法获取内幕信息的人利用内幕信息进行的证券交易。在证券市场上，寻求各种投资项目和获利机会的投资者，需要通过证券市场上披露的各种信息，包括上市公司定期公布的财务会计报表、股息红利配送方案、证券交易所每天公布的上市公司证券的交易数量、价格变动情况、反映整个证券交易市场的价格指数以及证券市场上提供的其他信息数据等，进行分析预测，以发现值得投资的行业，甚至具体的企业，才能作出购买或者出售证券的决定。所以，了解可能影响证券价格的各种信息，是投资者作出正确选择的前提。进一步讲，就是在信息已经充分公开，大多数投资者都能够知悉的情况下进行证券交易，是保证证券交易公平的基本条件。如果在一个市场中，总是有一部分人可以在其他投资者还无法对市场变化作出判断时，利用所掌握的内部消息，抢先一步对市场作出反应，占据市场优势，从而占有更多的获利机会，而大多数投资者不能公平地获得证券市场信息，蒙受损失的可能性就会更大，证券市场就不是公平的市场,市场的交易量将会因此而减少,市场效率也将降低,从根本上说,将会损害广大投资者对市场的信心,阻碍市场发展。为了保障证券市场的公平性,维持投资者的信心,必须严格禁止内幕交易。

第七十四条　证券交易内幕信息的知情人包括:

(一)发行人的董事、监事、高级管理人员;

(二)持有公司百分之五以上股份的股东及其董事、监事、高级管理人员,公司的实际控制人及其董事、监事、高级管理人员;

(三)发行人控股的公司及其董事、监事、高级管理人员;

(四)由于所任公司职务可以获取公司有关内幕信息的人员;

(五)证券监督管理机构工作人员以及由于法定职责对证券的发行、交易进行管理的其他人员;

(六)保荐人、承销的证券公司、证券交易所、证券登记结算机构、证券服务机构的有关人员;

(七)国务院证券监督管理机构规定的其他人。

【释义】　本条是对内幕信息的知情人范围的规定。

本条所规定的证券交易内幕信息的知情人,通常也称为内幕人员或内幕人士。内幕人员是内幕交易行为的主体之一,在法律中明确规定哪些人员是内幕人员,可以使禁止内幕交易的具体适用对象更加明确,有助于证券监督管理机构以及司法机关等在实际执行中认定内幕人员和对内幕交易行为的查处。确定内幕人员,一般是以是否知悉证券市场上尚未公开的信息为标准,不限于公司内部人员,还包括公司外部的由于工作性质或所任职务而知悉内幕信息的人员。

根据本条规定,以下人员为内幕人员:

1. 发行人的董事、监事、高级管理人员。高级管理人员,是指公司的经理、副经理、财务负责人、上市公司的董事会秘书和公司章程规定的其他人员。

2. 持有公司百分之五以上股份的股东及其董事、监事、高级管理人员,公司的实际控制人及其董事、监事、高级管理人员。由于上市公司股权比较分散,持有公司百分之五以上股份的股东实际上已经属于公司大股东。这些人通过参加股东大会讨论决定公司的一些重大事项,能够知悉可能对公司证券交易价格产生较大影响的内幕信息;另外,作为大股东的法人、其他组织,其董事、监事、高级管理人员对于公司的一些重要信息也会比其他人先获取到。由此可见,将公司的大股东及其董事、监事、高级管理人员列为内幕人员是必要的。同样的,实际控制人及其董事、监事、高级管理人也应属于内幕信息知情人。

3. 发行人控股的公司及其董事、监事、高级管理人员。发行人控股的公司是指发行人是该公司的控股股东的公司,即发行人持有该公司百分之五十以上的股份;或者持有股份的比例虽然不足百分之五十,但依其持有的股份所享有的表决权已足以对股东大会的决议产生重大影响。

4. 由于所任公司职务可以获取公司有关内幕信息的人员。在公司中,除公司董事、监事、高级管理人员外,还有一些人员因职务或者工作关系可以接触到或者获取内幕信息,如公司打字员、有关研究人员和业务人员、办公室秘书等,这类人员也应列为内幕人员。

5. 证券监督管理机构工作人员以及由于法定职责对证券的发行、交易进行管理的人员。证券监督管理机构以及其他依法对证券的发行、交易活动具有管理职责的部门或机构的工作人员,因为工作的关系能够事先了解尚未公布的有关证券市场管理规章、规则或者一些政策措施的内容和变化情况;再有,证券监督管理机构以及有关部门和机构在对证券的发行、交易活动进行监督管理的过程中,如核准或者审批证券的发行,依法对公司的财务会计报告进行审核、检查，依法查处证券违法行为等，有关工作人员也能够了解到公司尚未公开的一些重要情况。所以，将证券监督管理机构工作人员以及由于法定职责对证券的发行、交易进行管理的其他人员也列为内幕人员。其中，证券监督管理机构的工作人员，是指国务院证券监督管理机构及其派出机构的工作人员；由于法定职责对证券的发行、交易进行管理的人员，包括负责核准公司债券上市的国务院授权的部门的有关人员、股票发行审核委员会中证券监督管理机构以外有关人员，对公司进行税务管理、审计监督的部门的有关人员以及负责查处违反证券法律、行政法规的案件的有关司法机关的工作人员等。

6. 保荐人、承销的证券公司、证券交易所、证券登记结算机构、证券服务机构的有关人员。包括能够接触到发行人、上市公司出具审计报告、资产评估报务报告和法律意见书等文件的保荐人、承销的证券公司和证券交易所的有关人员以及证券登记结算机构和证券服务机构中的有关人员。

7. 国务院证券监督管理机构规定的其他人员。证券市场的参与者比较多，情况比较复杂，本法不可能对所有的内幕人员都作出明确的列举。因此授权国务院证券监督管理机构根据证券市场的实际情况对本条规定以外的内幕人员作出规定，以避免和减少管理上的疏漏。

第七十五条　证券交易活动中，涉及公司的经营、财务或者对该公司证券的市场价格有重大影响的尚未公开的信息，为内幕信息。

下列信息皆属内幕信息：

（一）本法第六十七条第二款所列重大事件；

（二）公司分配股利或者增资的计划；

（三）公司股权结构的重大变化；

（四）公司债务担保的重大变更；

（五）公司营业用主要资产的抵押、出售或者报废一次超过该资产的百分之三十；

（六）公司的董事、监事、高级管理人员的行为可能依法承担重大损害赔偿责任；

（七）上市公司收购的有关方案；

（八）国务院证券监督管理机构认定的对证券交易价格有显著影响的其他重要信息。

【释义】 本条是对内幕信息的规定。

内幕信息，是指证券交易活动中，涉及公司的经营、财务或者对该公司证券的市场价格有重大影响的尚未公开的信息。根据本条第一款的规定，内幕信息具有两个基本条件：

1. 内幕信息是涉及公司的经营、财务或者对该公司证券的市场价格有重大影响的信息，即具有价格敏感性的信息。内幕信息可以是利好信息，也可以是利空信息，但一定是价格敏感信息，即可能会导致证券价格的波动。这类信息可以分为两大类：一类是涉及公司的经营、财务状况的信息，这类信息是投资者判断公司发展前景、确定公司所发行的证券的投资价值，从而作出投资决策的必要依据。另一类是对公司证券的市场价格有重大影响的信息，这类信息有的来源于公司内部，也有的来源于公司外部，这些信息虽然不涉及公司的经营、财务状况，但是传播开来，就会对证券的市场价格产生重大影响。

2. 内幕信息是尚未公开的信息。尚未公开信息就是未在国务院证券监督管理机构指定的媒体发布，也未将其置备于公司住所、证券交易所、供社会公众查阅的信息。

证券市场上的信息是极为丰富的，只有同时具备这两个特点的信息，才属于内幕信息，不具备这两个特点的，或者只具备其中一个特点的，都不能算作是内幕信息。

第二款规定了内幕信息的种类,包括以下几个方面:

1. 本法第六十七条第二款所列重大事件。这是指可能对上市公司股票交易价格产生较大影响的重大事件,共有十三项,包括:公司的经营方针和经营范围的重大变化;公司的重大投资行为和重大的购置财产的决定;公司订立重要合同,可能对公司的资产、负债、权益和经营成果产生重要影响;公司发生重大债务和未能清偿到期重大债务的违约情况;公司发生重大亏损或者重大损失;公司生产经营的外部条件发生的重大变化;公司的董事、三分之一以上监事或者经理发生变动;持有公司百分之五以上股份的股东或者实际控制人,其持有或者控制股份情况发生较大变化;公司减资、合并、分立、解散及申请破产的决定;涉及公司的重大诉讼,股东大会、董事会决议被依法撤销或者宣告无效;公司涉嫌犯罪被司法机关立案调查,公司董事、监事、高级管理人员涉嫌犯罪被司法机关采取强制措施;国务院证券监督管理机构规定的其他事项。

2. 公司分配股利或者增资的计划。股利是投资者购买股票的目的之一,公司决定分配股利时,股票的转让价格会包含预期的股利在内,价格会受到影响。同样,公司增加注册资本的决定会导致股票数量的增多,也会影响股票的价格。

3. 公司股权结构的重大变化。这主要是指投资者持有或者共同持有公司已发行的股份达到百分之五以上,或者是公司控股股东、实际控制人持有或者控制的股份数增加或者减少百分之五以上的情况发生。

4. 公司债务担保的重大变更。这主要是指他人为公司提供或者撤销为公司所提供的债务担保发生重大变化。公司债务担保的变更,主要取决于所担保的债务金额、担保性质和期限的变更。

5. 公司营业用主要资产的抵押、出售或者报废一次超过该资产的百分之三十。不同行业、不同类型的公司,营业用的主要资产的形态和功能不尽相同，可能是厂房、机器设备、土地使用权，也有可能是公司的专利技术等，但是对这些主要资产的重大处置将会对公司的生产经营产生较大影响。

6. 公司的董事、监事、高级管理人员的行为可能依法承担重大损害赔偿责任。公司的董事、监事、高级管理人员可能承担重大法律责任，意味着他们可能有重大违法行为，如果经依法认定事实确凿，则很可能会导致公司高级管理人员的变动，从而对公司的生产经营造成一定影响。

7. 上市公司收购的有关方案。包括收购人关于收购的决定、被收购的上市公司名称、预定收购的股份数额、收购的期限和价格等。

8. 国务院证券监督管理机构认定的对证券交易价格有显著影响的其他重要信息。这一规定的含义是本条第二款列举的七项内幕信息之外的信息，由国务院证券监督管理机构认定是否属于内幕信息。这样规定有利于适应证券市场上的信息纷繁复杂，变化多端的情况，更灵活，也更严密。

第七十六条　证券交易内幕信息的知情人和非法获取内幕信息的人，在内幕信息公开前，不得买卖该公司的证券，或者泄露该信息，或者建议他人买卖该证券。

持有或者通过协议、其他安排与他人共同持有公司百分之五以上股份的自然人、法人、其他组织收购上市公司的股份，本法另有规定的，适用其规定。

内幕交易行为给投资者造成损失的，行为人应当依法承担赔偿责任。

【释义】 本条是对内幕交易行为及其赔偿责任的规定。

根据本条第一款的规定，内幕交易，是指证券交易内幕信息的知情人和非法获取内幕信息的人，在内幕信息公开前，买卖该公司的证券,或者泄露该信息,或者建议他人买卖该证券的行为。

1. 内幕交易的行为主体,包括证券交易内幕信息的知情人和非法获取内幕信息的人。前者就是本法第七十四条所规定的人员,而后者包括的范围很广,采用各种不正当手段获取内幕信息的人员,基本上都在其中。比如,某公司董事将内幕信息泄露给他的朋友张某,那么,张某就应是非法获得内幕信息的人员。当然,采用偷盗、窃听、行贿、敲诈等手段获取内幕信息的人,毫无疑问属于这一类人员。

2. 内幕交易行为的表现方式主要有三种:一是主体知悉了有关某证券的内幕信息,并且在内幕信息公开前,从事了该证券的买卖。这是内幕交易最主要的表现形式。这里应当注意一点,在内幕交易中,行为人买卖的应当是可能受内幕信息影响的证券,假如某位会计师知悉甲公司的财务状况的有关信息,但是他在知悉内幕信息期间从事的是与甲公司毫无关系的乙公司股票的买卖,那么,尽管他属于内幕人员,他的这一买卖行为也不是内幕交易。二是主体将内幕信息泄露给他人。泄露内幕信息, 其结果也是少数人利用内幕信息进行交易, 获取不正当利益, 并且通常泄露信息的人都能直接或者间接获利。三是主体知悉某证券的内幕信息,又建议他人买卖该种证券。这是指行为人并没有自行从事证券买卖, 也没有直接向他人讲述内幕信息的内容, 而是利用自己所了解的内幕信息向他人提出买卖将受该信息影响的证券建议的行为。

对于内幕人员来说,只要有买卖该公司的证券的行为,或者泄露该内幕信息或者建议他人买卖该证券的行为,则不论他是否有获利目的和动机,是否利用了内幕信息从事证券交易,以及是否从交易中获利,都视为进行了内幕交易。

本条第二款规定,持有或者通过协议、其他安排与他人共同持有公司百分之五以上股份的自然人、法人、其他组织收购上市公司的股份，本法另有规定的，适用其规定。这里所谓的“共同持有”，既包括每个人均持有一定股票、合计持有公司百分之五以上股份的情况，也包括部分持有公司股票、部分不持有公司股票，但是通过协议、其他安排共同持有公司百分之五以上股份的情况，如A公司通过投资、协议、其他安排实际上控制B、C、D三个公司，而且B、C、D三个公司合计持有上市公司百分之五以上的股份，那么A、B、C、D四个公司就符合本条所说的“共同持有公司百分之五以上股份”的条件。上市公司收购是一种以取得对上市公司的控制权或者兼并上市公司为目的的证券交易活动，是企业资产重组的一种重要形式。对收购方来讲，收购的前期工作通常是在非常秘密的条件下进行的。特别是通过证券交易所的股票交易进行的收购，如果过早暴露收购意图，致使被收购的公司股票上涨，将大大增加收购成本，甚至造成收购无法进行。按照本法有关上市公司收购的规定，投资者通过证券交易所的证券交易而持有一个上市公司已发行的股份的百分之三十时，继续进行收购的，才应依法发出收购要约，而在持股比例达到百分之三十之前，只需要在所持股份比例每增加百分之五时依法进行一次报告和公告；以协议方式收购上市公司时，收购人在达成协议后才须公告收购事项。这表明投资者进行上市公司收购的，在符合法律规定的条件下，在有关收购方案公告前，是可以买卖目标公司的股票的。这样对于收购方是有利的，有利于促进企业资产重组。因此，上市公司收购中的这种情况是内幕交易的一个例外。

在证券市场中，如果投资者因不法行为而遭受损害，其受损失的利益不能得到充分补救，就会减少投资甚至因丧失信心而拒绝投资，这就必然会阻碍资本的流动，影响证券市场的正常发展。修订前的证券法对内幕交易行为的民事责任未作明确规定，但是不妨碍受损害的当事人根据有关民事法律的规定，追究违法行为人的民事赔偿责任。这次修订证券法，对内幕交易行为的民事责任作出了明确规定，这样更有利于当事人通过民事诉讼挽回或者减少自己的损失，加大对内幕交易行为人的制裁力度，有效打击、遏制证券市场中的内幕交易。

第七十七条　禁止任何人以下列手段操纵证券市场：

（一）单独或者通过合谋，集中资金优势、持股优势或者利用信息优势联合或者连续买卖，操纵证券交易价格或者证券交易量；

（二）与他人串通，以事先约定的时间、价格和方式相互进行证券交易，影响证券交易价格或者证券交易量；

（三）在自己实际控制的账户之间进行证券交易，影响证券交易价格或者证券交易量；

（四）以其他手段操纵证券市场。

操纵证券市场行为给投资者造成损失的，行为人应当依法承担赔偿责任。

【释义】　本条是对禁止操纵证券市场的规定。

在证券交易活动中，禁止操纵证券市场是一项重要的法律准则，也是各国证券市场通行的规则之一。操纵证券交易市场，是指以获取不正当利益或者转嫁风险为目的，利用资金、信息等优势或者滥用滥用职权，影响证券交易价格或者证券交易量，诱导或者致使投资者在不理解事实真相的情况做出错误的投资判断的行为。证券交易价格，是指证券持有者将证券让渡给购买者的货币数量。在证券市场上，证券交易价格由证券所代表的权益和证券的供求数量决定。证券交易量，是指人们买入或者卖出证券的数量。人为地操纵证券交易价格和交易量，实质上是制造虚假的证券交易量和证券交易价格，是对不特定的投资者的欺诈行为。所以，为了保护广大投资者的利益，维持证券交易公正合理地进行，必须严格禁止操纵证券交易价格的行为。

操纵证券市场的行为的具体表现形式主要有四种类型：

1. 单独或者通过合谋,集中资金优势、持股优势或者利用信息优势联合或者连续买卖,操纵证券交易价格或者证券交易量。在这类操纵行为中,操纵者具有两个客观要件,一是集中资金优势、持股优势或利用信息优势,二是联合买卖证券或者连续买卖证券,这两个要件应当同时具备。单独的操纵者通常是利用自己手中持有的大量资金或者股票或者利用所知悉的重要信息进行连续买卖,而两个以上的操纵者可以合谋集中各自的优势,联手或者连续进行证券买卖。所谓连续买卖,是指在短时间内对同一种证券反复进行买进又卖出的行为。此外,此类行为必须有操纵证券交易价格或者证券交易量的主观恶意,即此类行为在主观上是故意而非过失。

2. 与他人串通,以事先约好的时间、价格和方式相互进行证券交易,影响证券交易价格或者证券交易量。这种操纵市场的方式又称为“对倒”,是最古老的操纵证券市场的形式之一。其特点主要有二个,第一,串通好的操纵者必须是分为买方和卖方两个对应的方面,证券交易是在两方操纵者之间进行的;第二,双方事先约定好证券交易的时间、价格和方式等。这种行为的目的是抬高证券交易价格,制造市场虚假繁荣景象,诱导投资者盲目跟进。

3. 在自己实际控制的账户之间进行证券交易,影响证券交易价格或者证券交易量。这种行为是将预先配好的委托分别下达给两个证券公司,经由一个证券公司买进,另一个证券公司卖出,而实质上是自买自卖,证券所有权并不发生转移。

4. 以其他手段操纵证券市场。这是指行为人不管采用什么手段,也不问其主观动机是什么,只要客观上有操纵证券市场的行为并造成了操纵证券市场的结果,且操纵者具有操纵市场的主观恶意,就属于操纵证券市场的行为。这样规定主要是考虑在上述三种操纵证券交易市场的形式以外,操纵者还会采用许多新的手法,法律难以一一列全,作出这一概括性的规定,可以适应复杂的实际情况,有利于严厉打击操纵证券交易市场的行为。

证券市场中恶性炒作、操纵股价获取暴利的行为,不仅严重危害了证券市场的秩序,而且造成了许多中小投资者的损失。修订前的证券法对操纵证券市场行为的民事责任未作明确规定,但是不妨碍受损害的当事人根据有关民事法律的规定,追究违法行为人的民事赔偿责任。这次修订证券法,对操纵证券市场行为的民事责任作出了明确规定,这样更有利于当事人通过民事诉讼挽回或者减少自己的损失,加大对操纵证券市场行为人的制裁力度,有效打击、遏制证券市场中的操纵证券市场行为。

第七十八条　禁止国家工作人员、传播媒介从业人员和有关人员编造、传播虚假信息,扰乱证券市场。

禁止证券交易所、证券公司、证券登记结算机构、证券服务机构及其从业人员,证券业协会、证券监督管理机构及其工作人员,在证券交易活动中作出虚假陈述或者信息误导。

各种传播媒介传播证券市场信息必须真实、客观,禁止误导。

【释义】　本条是对禁止传播虚假信息的规定。

在证券市场上,各种各样信息的传播对证券交易都会造成影响,公布真实的信息,有助于投资者了解市场真实情况,作出正确选择;而散布虚假信息,进行信息误导,则会使投资者作出错误的判断,利益受到损失,禁止传播虚假信息,有利于提高证券市场信息传播的公正度和透明度,所以,对编造、传播虚假信息,恶意进行信息误导的行为,应当坚决予以禁止。

本条第一款规定"国家工作人员",是指国家机关中从事公务的人员。这里的"传播媒介从业人员",是指报纸、杂志、广播、电视、网络等媒体的从业人员。这里的"有关人员",是指以各种方式参与证券活动的人员,如在各种传播媒介上发表证券市场评论的人员、证券业务研究人员、教学人员等。由于社会公众对国家工作人员、传播媒介从业人员和有关人员比对一般人更加信任，而证券市场是个非常敏感的市场，他们传播的信息，会对证券市场产生较大的影响。因此，应当禁止国家工作人员、传播媒介从业人员和有关人员编造、传播虚假信息。

证券交易所、证券公司、证券登记结算机构、证券服务机构、证券业协会、证券监督管理机构的工作之一就是制作、评价、报告、核准、公开证券发行人、上市公司提交的招股说明书、上市公告书、公司的年度报告、中期报告、临时报告、法律意见书、财务会计报告、资产评估报告等文件和材料，如果上述机构在证券交易活动中作出虚假陈述或者信息误导，必将对证券市场产生极大的影响。而上述机构的从业人员或者工作人员，由于工作性质的需要，可能会接触到证券发行、交易的许多信息，他们发布的信息比一般人发布的信息更具影响力。因此，本法禁止此类人员在证券交易活动中作出虚假陈述或者信息误导。

各种传播媒介传播证券市场信息必须真实、客观，禁止误导。证券信息主要通过各种传播媒介进行传播，其影响范围广，传播及时，通常具有一定的权威性。如果各种传播媒介传播证券市场信息不真实、不客观，必将误导广大投资者，应当严格禁止。

第七十九条　禁止证券公司及其从业人员从事下列损害客户利益的欺诈行为：

（一）违背客户的委托为其买卖证券；

（二）不在规定时间内向客户提供交易的书面确认文件；

（三）挪用客户所委托买卖的证券或者客户账户上的资金；

（四）未经客户的委托，擅自为客户买卖证券，或者假借客户的名义买卖证券；

（五）为牟取佣金收入，诱使客户进行不必要的证券买卖；

（六）利用传播媒介或者通过其他方式提供、传播虚假或者误

导投资者的信息；

（七）其他违背客户真实意思表示，损害客户利益的行为。

欺诈客户行为给客户造成损失的，行为人应当依法承担赔偿责任。

【释义】 本条是对禁止欺诈客户的规定。

欺诈客户，是指在证券交易中，证券公司及其从业人员从事违背客户真实意愿，严重损害客户利益的违法行为。在证券交易活动中，证券公司受客户的委托，代理客户进行证券买卖，证券公司与客户之间是一种行纪法律关系，证券公司应当对客户尽信赖义务和善良管理人的责任，诚实信用地履行受托义务。证券公司的从业人员，在其履行职责时与证券公司之间是一种职务代理行为，证券公司对客户负的义务也就是其从业人员应当对客户履行的义务。证券公司及其从业人员欺诈客户的行为，理应为法律所禁止。

按照本条规定，欺诈客户的行为主要有以下具体表现：

1. 违背客户的委托为其买卖证券。这种行为的构成有三个要件：第一，客户下达了买入或卖出证券的委托；第二，证券公司为客户买入了或者卖出了证券；第三，证券交易结果不符合委托的内容。

2. 不在规定时间内向客户提供交易的书面确认文件。这主要是指买卖成交后证券公司没有在规定时间内制作买卖成交报告单并交付客户。

3. 挪用客户所委托买卖的证券或者客户账户上的资金。这主要是指证券公司或者其从业人员擅自将客户账户上的证券或资金挪作他用，如将客户账户上的证券用于质押，将客户账户上的资金用于自营或者转借给他人等。

4. 未经客户的委托，擅自为客户买卖证券，或者假借客户的名义买卖证券。擅自为客户买卖证券是指证券公司或者其从业人员未经客户委托授权，擅自为客户买入证券或者卖出客户账户上的证券。假借客户的名义买卖证券，是指不动用客户账户上的证券和资金，而是借客户的账户为自己或者他人进行证券买卖。

5. 为牟取佣金收入，诱使客户进行不必要的证券买卖。所谓不必要的交易，是指对客户的经济利益来说是没有什么必要，既不能获得多少利润，也不能减少多少损失的交易。

6. 利用传播媒介或者通过其他方式提供、传播虚假或者误导投资者的信息。

7. 其他违背客户真实意思表示，损害客户利益的行为。这是一项概括性的规定，主要是考虑实践中证券欺诈行为多样，情况复杂，本法难以一一列举，行政法规和国务院证券监督管理机构可以对此作出补充规定，以有效防止和打击各种欺诈客户的行为。

欺诈客户行为的民事责任主要是合同责任，应当由合同法调整，欺诈客户行为给客户造成损失的，应当依照合同法的规定承担赔偿责任。但是，在特定情况下，欺诈客户行为可能会涉及侵权责任。因此，对于行为人的欺诈行为，客户既可以追究行为人的合同责任，在必要时也可以追究行为人的侵权责任，从而保证使客户所受到的损失能得到全面的赔偿。

第八十条　禁止法人非法利用他人账户从事证券交易；禁止法人出借自己或者他人的证券账户。

【释义】　本条是对法人非法利用证券交易账户的禁止性规定。

账户，是会计中最基本的汇总工具，它是在一定时期内详细登记某项资产、负债或者所有者权益变化的相关科目。投资者要进行证券交易，应当在证券公司开立证券交易账户，委托证券公司代其买卖证券。投资者人事证券买卖应当开立两个账户，一个是证券账户，这个账户相当于投资者的证券存折，专门记载投资者所持有的证券种类和数量。另一个是资金账户，这个账户是用于存放投资者买入股票所需要的资金和卖出股票取得的价款等。投资者的账户是证券监督管理机构以及政府有关部门监督管理的对象，严格对其管理，有利于维护正常的证券交易秩序。目前在实际中，一些法人企业主要是国有企业和上市公司，逃避监管，非法利用他人账户炒作股票，出借自己或者他人的证券账户，扰乱了证券交易秩序，给国家和股东的利益造成损害。所以，应当坚决制止这种行为，禁止法人非法利用他人账户从事证券交易，禁止法人出借自己或者他人的证券账户。每一个法人都应当以其在法人登记机关注册登记的名称开立证券交易账户。

第八十一条　依法拓宽资金入市渠道，禁止资金违规流入股市。

【释义】　本条是对依法拓宽资金入市渠道的规定。

本条是对原证券法第一百三十三条第一款“禁止银行资金违规流入市场”的修订。考虑到银行资金入市属于银行监管范畴，受商业银行法等其他法律的调整范围，没有必要在证券法中规定，而且对于其他渠道流入的违规资金都应当限制；党的十六届三中全会《关于完善社会主义市场经济体制若干问题的决定》提出“拓宽合规资金入市渠道”、“建立健全货币市场、资本市场、保险市场有机结合、协调发展的机制”，《国务院关于推进资本市场改革开放和稳定发展的若干意见》也鼓励合规资金入市，因此，为繁荣证券市场，促进经济发展，证券法也应当鼓励依法拓宽合规资金入市渠道，同时禁止资金违规流入股市。

第八十二条　禁止任何人挪用公款买卖证券。

【释义】　本条是对禁止挪用公款买卖证券的规定。

挪用公款，是指各种公司、企业和事业单位、机关、团体中的人员，利用职务上的便利，将本单位资金挪作个人使用或者借贷给他人使用，或者违反国家规定的关于特定款物专用的财经管理制度，将用于特定目的有关款项挪作他用的行为。这种行为侵犯了公私财产的所有权，属于一种违法行为。挪用公款行为侵犯的对象是本单位的资金，既包括现金、银行存款等货币形态的资金，也包括公司债券、国库券等有价证券形态的资金。由于挪用公款的行为本身就是违法的，所以挪用公款进行证券买卖活动，当然也是违法行为，应当坚决予以禁止的。

第八十三条 国有企业和国有资产控股的企业买卖上市交易的股票，必须遵守国家有关规定。

【释义】 本条是对国有企业和国有资产控股的企业买卖上市股票的规定。

一段时间以来，在我国股票市场上，有一批国有企业和国有资产控股的企业，把本来应当用于生产经营的自有资金和从银行取得的信贷资金投入股市，炒作上市交易的股票。这种状况助长了股市的过度投机，也使国有资产处于高风险状态，严重危及国有资产的安全，同时又容易造成操纵证券交易市场，损害中小投资者的利益。为了整顿和规范证券市场秩序，防范金融风险的重大决策，1999 年的证券法严禁国有企业生产经营资金进入股市。该规定是适合我国当时实际需要的，也是切实可行的，对于保证国有资产的安全，防范和化解金融风险起到了重要作用。

目前国家对于国有企业和国有资产控股的企业买卖上市交易的股票专门作的规定主要有中国证监会 1999 年 7 月《关于进一步完善股票发行方式的通知》和 9 月《关于法人配售股票有关问题的通知》，其中规定：允许国有企业、国有资产控股企业、上市公司（简称"三类企业"）参与股票配售和二级市场上的股票交易。三类企业所开立的股票账户，可用于配售股票，也可用于投资二级市场的股票。但在二级市场买入又卖出或卖出又买入同一种股票的时间间隔不得少于六个月。参加配售的三类企业及其他法人机构,其用于申购配售股票的资金来源必须符合国家有关规定,不得使用银行信贷资金或募股资金认购配售的股票,在参加配售时必须使用以该法人名义开设的股票账户。国有企业、国有资产控股企业不得使用从银行及其他金融机构取得的各类长短期贷款、外国政府贷款、外国商业贷款和财政周转金购买配售的股票;上市公司不得使用募股资金和从银行及其他金融机构取得的各类长短期贷款、外国政府贷款、外国商业贷款购买配售的股票;不得非法利用他人账户或资金进行申购,也不得违规融资或帮助他人违规融资申购。这次修订证券法,考虑到企业作为一个独立的法律主体,拥有独立的法人财产权,尽管国有资产具有一定的特殊性,但是完全禁止国有企业和国有资产控股的企业买卖上市交易的股票,既不利于国有企业和国有资产控股的企业实现经营自主权,也不利于国有资产的流通和保值、增值。为了整顿和规范证券市场秩序,发挥股票市场为经济建设筹集资金和促进企业转换经营机制的功能,法律应当允许国有企业和国有资产控股的企业在遵守国家规定的前提下买卖上市交易的股票。

第八十四条　证券交易所、证券公司、证券登记结算机构、证券服务机构及其从业人员对证券交易中发现的禁止的交易行为,应当及时向证券监督管理机构报告。

【释义】　本条是对发现禁止的交易行为进行报告的规定。

证券交易所、证券公司、证券登记结算机构、证券服务机构及其从业人员,在证券交易中发现有禁止的交易行为时,有义务向证券监督管理机构报告。禁止的交易行为主要包括:内幕交易、操纵证券交易市场、编造、传播虚假信息、欺诈客户、法人非法利用他人账户从事证券交易及出借自己或者他人的证券账户、挪用公款买卖证券、国有企业或国有资产控股企业违反国家规定买卖上市交易的股票等。对于禁止的交易行为,任何单位和个人发现以后都有权检举揭发,向证券监督管理机构报告,这种广泛的监督模式是应当大力提倡的。但是,仅有一般的社会监督是不够的。这是因为这些禁止的交易行为都是在证券交易的各个环节发生的,一般情况下,单位或个人不从事证券交易活动的,很难发现其中发生的禁止的交易行为。而证券交易所、证券公司、证券登记结算机构、证券服务机构是联结证券交易活动各个环节的纽带,它们各自都在交易活动的不同环节上具有重要职能。当禁止的交易行为在证券交易活动的某一环节出现时,这些机构往往能够较早地发现,让这些机构及其从业人员担负起报告所发现的禁止的交易行为的责任,有利于加强对证券交易活动的监管,给予这些违法行为以有效地制裁。此外,证券交易活动日益多样化、复杂化,其中进行的违法行为的手法也层出不穷,在这种情况下,仅依靠证券监督管理机构去监督检查也是不够的,必须充分发挥有关机构和人员的自律作用。

第四章　上市公司的收购

第八十五条　投资者可以采取要约收购、协议收购及其他合法方式收购上市公司。

【释义】　本条是对上市公司的收购方式的规定。

上市公司的收购，是指投资者公开收购已经依法上市交易的股份有限公司的股份，以获得或者巩固对该股份有限公司控制权的行为。收购上市公司有下列几个特征：

(1)上市公司的收购是指对上市公司的收购，不是指对非上市公司的收购。上市公司，是指经证券交易所批准，股票在证券交易所上市交易的股份有限公司。上市公司其实就是上市股份有限公司的简称。在我国，公司分为有限责任公司和股份有限公司两种公司形式，有限责任公司又分为一人有限责任公司和非一人有限责任公司，股份有限公司又分为上市股份有限公司和非上市股份有限公司。上市公司的收购是指对上市股份有限公司的收购，而不是对非上市股份有限公司的收购，更不是对有限责任公司的收购。如果投资者收购上市公司以外形式的企业，不是上市公司的收购。

(2)上市公司的收购是指对上市公司股份的收购，不是指对上市公司资产的收购。对上市公司进行收购，目的就是为了获得或者巩固对上市公司的控制权。要想控制上市公司，必须将自己的意志上升为上市公司的意志；要想在上市公司表达自己的意志，必须在上市公司的股东大会能行使表决权；要想在上市公司的股东大会上行使自己的表决权，必须拥有上市公司的股份。因此，对上市公司的收购，其实是对上市公司股份的收购。拥有上市公司的资产，不拥有上市公司的股份，不是对上市公司的收购。

(3)上市公司收购的收购主体是投资者。上市公司的收购其实是指对上市公司的收购，不是指上市公司对其他形式企业的收购。因此，上市公司收购的对象应当特定的，即必须是上市股份有限公司。由于没有明确规定能够收购上市公司的主体范围，所以上市公司收购的收购主体应当是任何自然人、法人。我们必须注意一点，投资者通过协议、其他安排与其他人共同收购上市公司，与投资者有协议或者其他安排的其他人也应当是上市公司收购的收购主体。

(4)上市公司收购是一种投资者与投资者之间进行股份转让的行为。上市公司收购不是指投资者通过收购上市公司的资产收购上市公司，是指通过收购上市公司的股份收购上市公司，由于上市公司的股份往往由上市公司的股东所持有，上市公司收购是指上市公司的收购者与上市公司股东进行股份转让的行为。依据法律的规定，上市公司不得违法持有本公司的股票，上市公司依法持有本公司的股票应当依法注销，也就是说一般情况下上市公司不是本公司的股东。所以，上市公司收购不是投资者与上市公司进行股份转让的行为，而是投资者与投资者之间进行股份转让的行为。

(5)上市公司收购的收购目的是为了获得或者巩固对上市公司的控制权。投资者收购上市公司一般都是为了控制上市公司，也就是获得或者巩固对上市公司的支配。在上市公司的投资者没有控制上市公司时，投资者收购上市公司是为获得对上市公司的控制；在上市公司的投资者已经控制上市公司，其控制地位受到挑战时，投资者收购上市公司的目的是为了巩固其控制地位。投资者控制上市公司一般有两种方式：一是投资者单独持有上市公司的股份；二是投资者通过协议、其他安排与其他人共同持有上市公司的股份。不管投资者采用何种方式收购上市公司，只要投资者控制了上市公司，上市公司收购的收购目的就达到。

收购上市公司的方式包括以下三种：

(1)要约收购。这是指投资者向目标公司的所有股东发出要约，表明愿意以要约中的条件购买目标公司的股票，以期达到对目标公司控制权的获得和巩固。要约收购可以分为强制要约收购和自愿要约收购，本法规定的是强制要约收购，是指投资者持有一个上市公司的股份达到一定比例时，如果愿意继续购入该公司的股份，应当依法向该上市公司的所有股东发出收购要约，表示愿意以收购要约中的条件购买该上市公司的股份。

(2)协议收购。这是指投资者在证券交易所外与目标公司的股东(主要是持股比例较高的大股东)就股票的价格、数量等方面进行私下协商，购买目标公司的股票，以期达到对目标公司控制权的获得和巩固。

(3)其他合法方式。

要约收购和协议收购是上市公司收购的两种最基本方式，除了这两种上市公司收购方式外，还有其他的收购方式，如公开市场收购等。随着社会经济的不断发展，上市公司收购将不断完善，上市公司收购的方式也将不断创新。为了给上市公司收购的方式的创新留下空间，本条规定上市公司收购除了采用要约收购和协议收购外，还可以采用其他方式收购上市公司。上市公司收购的方式的创新必须合法，不符合法律、行政法规规定的上市公司收购的方式，不得采用。

第八十六条　通过证券交易所的证券交易，投资者持有或者通过协议、其他安排与他人共同持有一个上市公司已发行的股份达到百分之五时，应当在该事实发生之日起三日内，向国务院证券监督管理机构、证券交易所作出书面报告，通知该上市公司，并予

公告;在上述期限内,不得再行买卖该上市公司的股票。

投资者持有或者通过协议、其他安排与他人共同持有一个上市公司已发行的股份达到百分之五后,其所持该上市公司已发行的股份比例每增加或者减少百分之五,应当依照前款规定进行报告和公告。在报告期限内和作出报告、公告后二日内,不得再行买卖该上市公司的股票。

【释义】 本条是对投资者通过证券交易所的证券交易,控制上市公司一定比例的股份及在该比例后每增减一定比例股份的信息披露义务的规定。

一、投资者通过证券交易所的证券交易,控制上市公司一定比例的股份的信息披露义务

1. 信息披露的目的。通过证券交易所的证券交易,控制上市公司一定比例的股份必须进行信息披露:一是为了便于国务院证券监督管理机构、证券交易所和上市公司及时了解该上市公司的股权变动情况,及时发现问题,并提出对策;二是为了确保证券市场的信息公开,防止操纵证券市场,保护中小股东的利益。

2. 信息披露的条件。第一,投资者控制上市公司已经发行股份总数的百分之五。投资者控制上市公司股份的方式有两种情况:一种是投资者单独持有上市公司已经发行股份总数的百分之五;一种是投资者通过协议、其他安排与他人共同持有上市公司已经发行股份总数的百分之五。第二,投资者控制上市公司已经发行股份总数的百分之五,是通过证券交易所的证券交易产生的。如果投资者控制上市公司已经发行股份总数的百分之五,不是通过证券交易所的证券交易产生的,不属于本条规范的范围。投资者控制上市公司已经发行股份总数的百分之五中,有的可能是流通的股份,也有的可能是非流通的股份,不管投资者控制上市公司已经发行的股份是否有非上市的,只要其控制上市公司已经发行股份总数的百分之五是通过证券交易所的证券交易产生的,都应

当依据本条的规定进行信息披露。

3. 信息披露的方式。向社会公布,即公告。

4. 信息披露的期限及期限的起算点。通过证券交易所的证券交易,投资者控制上市公司已经发行股份总数的百分之五的当日起,三日内公告持股信息。

5. 信息披露的内容。包括:持股人的名称、住所;所持有的股票的名称、数量;持股达到法定比例或者持股增减变化达到法定比例的日期。

6. 信息披露的主体。通过证券交易所的证券交易,控制上市公司已经发行股份总数百分之五的投资者及其一致行为人。

7. 信息披露前和信息披露期限内投资者的义务。信息披露前应当向国务院监督管理机构和允许其股份上市的证券交易所报告,并通知上市公司。信息披露期限内,投资者不得买卖该上市公司的任何股票。之所以这样规定,是为防止信息披露时披露的内容和投资者真实的持股信息有出入,对社会公众造成错误的诱导,损害他们的利益。

二、投资者控制上市公司百分之五的股份后,通过证券交易所的证券交易增减一定比例股份的信息披露义务

1. 信息披露的目的。投资者控制上市公司百分之五的股份后,通过证券交易所的证券交易每增减百分之五股份必须进行信息披露:一是为了便于国务院证券监督管理机构、证券交易所和上市公司及时了解该上市公司的股权变动情况,及时发现问题,并提出对策;二是为了确保证券市场的信息公开,防止操纵证券市场,保护中小股东的利益。

2. 信息披露的条件。第一,投资者控制上市公司已经发行股份总数的百分之五后,每增加或减少上市公司已经发行股份总数的百分之五。投资者增减上市公司已经发行股份总数的百分之五的情况有两种:一种是投资者单独增减上市公司已经发行股份总

数的百分之五；一种是投资者通过协议、其他安排与他人共同增减上市公司已经发行股份总数的百分之五。第二，投资者增减上市公司已经发行股份总数的百分之五，是通过证券交易所的证券交易产生的。如果投资者增减上市公司已经发行股份总数的百分之五，不是通过证券交易所的证券交易产生的，不属于本条规范的范围。

3. 信息披露的方式。向社会公布，即公告。

4. 信息披露的期限及其计算起点。通过证券交易所的证券交易，投资者增减上市公司已经发行股份总数的百分之五当日起，三日内公告股份变动的情况。

5. 信息披露的内容，包括持股人的名称、住所；所持有的股票的名称、数量；持股达到法定比例或者持股增减变化达到法定比例的日期。

6. 信息披露的主体。通过证券交易所的证券交易，增减上市公司已经发行股份总数百分之五的投资者及其一致行为人。

7. 信息披露前、信息披露期限内及信息披露期限届满后投资者的义务。信息披露前应当向国务院监督管理机构和允许其股份上市的交易所报告，并通知上市公司。信息披露期限内和作出报告、公告后二日内，投资者不得买卖该上市公司的任何股票。之所以这样规定，是为了防止信息披露时的内容和投资者控制股份的变动情况有出入，对社会公众造成错误的诱导，损害他们的利益。

第八十七条　依照前条规定所作的书面报告和公告，应当包括下列内容：

（一）持股人的名称、住所；

（二）持有的股票的名称、数额；

（三）持股达到法定比例或者持股增减变化达到法定比例的日期。

【释义】 本条是对投资者控制上市公司法定比例的股份和在控制该比例后增减法定比例股份进行信息披露时应当披露的内容的规定。

一、规定书面报告和公告内容的意义

通过证券交易所的证券交易，投资者控制法定比例的股份或者所控制的股份发生法定比例变化，都必须向国务院证券监督管理机构、证券交易所提交书面报告，并向社会进行公告。为了使该报告和公告能够全面地披露该投资者的买卖股票的信息，本条专门规定了必须披露的内容。国务院证券监督管理机构、证券交易所以及社会公众，可以通过该书面报告和公告的内容，对该投资者的股票买卖行为实行监督。如果证券交易所和证券登记结算机构所记载的该投资者的持股情况的变化，与该投资者的收购情况的报告、公告的内容不一致，或者所报告、公告的日期与证券交易所和证券登记结算机构所记录的交易日期不相符合的，这说明该投资者没有按照本法的规定履行其法定的义务，存在欺骗行为，应当依照本法的规定作出相应的处理。

二、书面报告和公告必备内容

1. 收购人的名称、住所。这一项内容是使国务院证券监督管理机构和证券交易所以及社会公众能够了解该收购人的身份以及其所在地。因此，持股人的名称和住所必须真实，符合法定要求；

2. 持有的股票的名称、数额。这是表明该收购人目前所持的上市公司的哪一种股票以及所持的股份数量；

3. 持股达到法定比例或者持股增减变化达到法定比例的日期。这是表明该收购人在什么时候所持有的股份比例达到了该上市公司所发行股份的百分之五，或者表明该收购人在持有该上市公司百分之五的股份以后又在什么时候发生了百分之五的持股变化。

第八十八条　通过证券交易所的证券交易，投资者持有或者通过协议、其他安排与他人共同持有一个上市公司已发行的股份达到百分之三十时，继续进行收购的，应当依法向该上市公司所有股东发出收购上市公司全部或者部分股份的要约。

收购上市公司部分股份的收购要约应当约定，被收购公司股东承诺出售的股份数额超过预定收购的股份数额的，收购人按比例进行收购。

【释义】　本条是对通过证券交易所的证券交易，投资者控制一定比例上市公司股份，强制投资者发出收购要约的规定。

一、强制投资者发出收购要约的条件

第一，投资者控制上市公司已经发行股份总数的百分之三十。投资者控制的股份方式可以分为两类，一类是投资者单独持有上市公司已经发行股份总数的百分之三十，另一类是投资者通过协议、其他安排与他人共同持有上市公司已经发行股份总数的百分之三十。第二，投资者控制上市公司已经发行股份总数的百分之三十，是通过证券交易所的证券交易产生的。如果投资者控制上市公司已经发行股份总数的百分之三十，不是通过证券交易所的证券交易产生的，不是本条规范的范围。第三，投资者继续收购上市公司的股份。投资者控制上市公司已经发行股份总数的百分之三十，继续收购上市公司的股份，是指一种意愿，不是一种事实。也就是说，投资者控制上市公司已经发行股份总数的百分之三十后，打算继续收购上市公司的股份，应当向该上市公司的所有股东发出收购要约。

二、投资者发出收购要约的发出对象

投资者应当向被收购的上市公司的所有股东发出收购要约，不能只向被收购的上市公司的部分股东发出收购要约。本条允许投资者收购上市公司的部分股份，并不是允许投资者向被收购的上市公司的部分股东发出收购要约。投资者部分收购上市公司的股份，应当向被收购的上市公司的所有股东发出收购要约，不能只向被收购的上市公司的部分股东发出收购要约。

三、投资者发出的收购要约应当包括的内容

收购要约，是指投资者收购已经依法上市交易的股份有限公司的股份的意思表示。收购要约作为一种意思表示，应当真实、明确。因此，收购要约应当包括：收购人的名称、住所；收购人关于收购的决定；被收购的上市公司名称；收购目的；收购股份的详细名称和预定收购的股份数额；收购期限、收购价格；收购所需资金及资金保证；报送上市公司收购报告书时持有被收购公司股份数占该公司已发行的股份总数的比例；收购上市公司部分股份的，应当约定，被收购的上市公司股东承诺出售的股份数额超过预定收购的股份数额的，收购人按比例进行收购。

投资者收购上市公司，可以收购上市公司的全部股份，也可以收购上市公司的部分股份。投资者收购上市公司的全部股份，不论被收购的上市公司的股东出售的股份多少，投资者都会收购，因此，出售被收购的上市公司的股份的股东的权利不受影响。投资者收购上市公司的部分股份，被收购的上市公司的股东出售的股份数可能高于投资者打算收购的股份数，也可能低于投资者打算收购的股份数。被收购的上市公司的股东出售的股份数高于投资者打算收购的股份数时，出售被收购的上市公司的股份的股东的权利不受到影响；但是，被收购的上市公司的股东出售的股份数高于投资者打算收购的股份数时，投资者收购时可能会只收购一部分股东的股份，另外一部分股东的股份就不收购，从而剥夺了这部分股东平等出售股份的权利。为了保证上市公司收购的公平性，保护被收购的上市公司的所有股东的权利，本条特别规定以强制要约收购方式部分收购上市公司股份，应当在收购要约中约定收购人收购的股份数低于被收购的上市公司的股东出售的股份数时，收购人应当在收购要约中约定按比例收购。此处的比例就是指投资者打算收购的股份数和被收购的上市公司的股东出售的股份数的比。

四、投资者发出收购要约必须依法进行

投资者发出收购要约应当依照法律、行政法规的规定进行,不能违背法律、行政法规的规定。本法对收购要约的发出时间,收购要约撤销和变更等都作出了规定,投资者发出收购要约时应当遵守。其他法律、行政法规对投资者发出收购要约有规定的,投资者发出收购要约时也要遵守。

第八十九条[①] **依照前条规定发出收购要约,收购人必须事先向国务院证券监督管理机构报送上市公司收购报告书,并载明下列事项:**

(一)收购人的名称、住所;

(二)收购人关于收购的决定;

(三)被收购的上市公司名称;

(四)收购目的;

(五)收购股份的详细名称和预定收购的股份数额;

(六)收购期限、收购价格;

(七)收购所需资金额及资金保证;

(八)报送上市公司收购报告书时持有被收购公司股份数占该公司已发行的股份总数的比例。

收购人还应当将上市公司收购报告书同时提交证券交易所。

【释义】 本条是对采取要约收购形式收购上市公司,报告上市公司收购报告书的规定。

---

① 2014年8月31日《全国人民代表大会常务委员会关于修改〈中华人民共和国保险法〉等五部法律的决定》将本条第一款中的“事先向国务院证券监督管理机构报送”修改为“公告”,第一款第八项中的“报送”修改为“公告”。并删去第二款。

一、报告上市公司收购报告书的目的

依照本法第八十八条规定，收购人持有或者通过协议、其他安排共同持有一个上市公司已发行的股份的百分之三十时，如果继续进行收购的，应当向该上市公司所有的股东发出收购要约，为了监督以要约收购形式对上市公司的收购行为，本条专门规定了收购人报送上市公司收购报告书的义务。

二、报送上市公司收购报告书的模式

对于以要约收购方式收购上市公司的股份，有些国家规定收购人必须事先向政府的证券监督管理机构进行备案，也有的国家规定收购人在向社会公布其收购要约的同时，及时地向政府有关证券监督管理机构提交报告。无论是事先报告，还是公布要约的同时进行报告，各有其利弊。事先报告可以防患于未然，防止虚假的或者欺骗性要约发出，但是，在报告期间可能会因为信息泄露而对该上市公司收购行为产生不利的影响；在公布要约的同时进行报告，虽然可以防止因报告造成收购行为信息的泄露，但是也会发生违规要约收购的行为。经过反复研究，并从我国现实的条件出发，本条规定凡是发出收购要约的收购人，在其发出收购要约以前，都应当事先向国务院证券监督管理机构和证券交易所报告上市公司收购报告书，以接受证券监督管理机构监督和让证券交易所及时了解该上市公司股权交易和变化的情况。

三、上市公司收购报告书报告的对象

上市收购报告书应当报送证券监督管理机构监督，同时提交证券交易所。

四、报告上市公司报告书的性质

收购人将上市公司收购报告书报送证券监督管理机构和提交证券交易所的目的不是为征得证券监督管理机构的和证券交易所的批准，而是为让证券监督管理机构和证券交易所及时了解证券市场的变化，因此，收购人将上市收购报告书报送证券监督管理机构和提交证券交易所不是审核行为，是备案行为。

五、上市公司收购报告书的必备内容

收购人向国务院证券监督管理机构和证券交易所报告上市公司收购报告书，应当按照本条规定明确记载法定事项：

1. 收购人的名称、住所。国务院证券监督管理机构和证券交易所通过此项内容，可以准确地掌握收购人的身份和所在地，因此，名称和住所必须真实、合法，并且收购人的名称应和持有股份的名称一致。

2. 收购人的收购决定。这主要是指收购人属于法人的，采取收购行动需要由该法人的意思决定机关或者意思表示机关做出决定，比如收购人的董事会做出的收购决议。收购人的收购决定必须合法、有效。

3. 被收购的上市公司名称。这表明收购人要收购的目标公司是哪一个上市公司。被收购的上市公司的名称必须是上市公司的全称。

4. 收购目的。表明收购人是出于什么目的来收购上市公司的股份，以此可以了解收购人的收购行为是恶意收购，还是善意收购，是兼并，还是控股。

5. 收购股份的详细名称和预定收购的股份数额。这是为了表明收购人主要是收购该上市公司哪一类的股份和准备收购多少比例的股份。

6. 收购的期限、收购的价格。这是表明收购要约在多长时间内具有效力，同时收购人是以什么样的价格收购该上市公司的剩余股份。这两项内容是收购要约中最主要的内容，因此，在上市公司收购报告书中必须准确地加以记载。

7. 收购所需资金额及资金保证。这是为了表明收购人具有多大的收购能力。为了防止某些机构或者个人非出于真正收购目的而旨在影响该上市公司的股票交易，或者旨在影响其他收购者的收购行为而进行违规操作，有必要对该收购人的收购能力进行监督。作这样的规定，也是防止一些盲目的收购者不顾其收购能力盲目地实行收购行为，避免收购人无力支付收购价款，损害广大中小股东的利益。

8. 报送上市公司收购报告书时所持有被收购公司股份数占该公司已发行的股份总数的比例。这是表明收购人当时已经持有了被收购公司的多大比例的股份，以此来确定收购人应当按照哪些法定程序进行活动。

第九十条[①] **收购人在依照前条规定报送上市公司收购报告书之日起十五日后，公告其收购要约。在上述期限内，国务院证券监督管理机构发现上市公司收购报告书不符合法律、行政法规规定的，应当及时告知收购人，收购人不得公告其收购要约。**

收购要约约定的收购期限不得少于三十日，并不得超过六十日。

【释义】 本条是对公告收购要约和收购期限的规定。

一、收购要约的公告

1. 收购要约公告的时间。收购人在向国务院证券监督管理机构和证券交易所提交了上市公司收购报告书之后，国务院证券监督管理机构和证券交易所应当对该上市公司收购报告书进行审查。国务院证券监督管理机构和证券交易所对该上市收购报告书进行审查的工作期间，不能太短，也不能太长。审查的工作期间太短，会加大国务院证券监督管理机构和证券交易所的工作难度；审查的工作期间太长，会影响国务院证券监督管理机构和证券交易所的工作效率。综合各方面因素考虑，规定国务院证券监督管理

① 2014 年 8 月 31 日《全国人民代表大会常务委员会关于修改〈中华人民共和国保险法〉等五部法律的决定》删去本条第一款。

机构和证券交易所对上市公司收购报告书进行审查的工作期间为收购人在向国务院证券监督管理机构和证券交易所提交了上市公司收购报告书后的十五天。在上市公司收购报告书审查的工作期间届满之后,如果国务院证券监督管理机构和证券交易所没有禁止和提出异议,收购人可以选择任何一天公布该收购要约。

2. 收购要约公告的履行。因为向证券监督管理机构报送上市收购报告书和向证券交易所提交上市收购报告书属于备案,证券监督管理机构和证券交易所对上市公司收购报告书进行审查的工作期间,如果没有发现上市公司收购报告书记载的内容违反法律、行政法规和证券交易所的规定,收购人在国务院证券监督管理机构和证券交易所对上市公司收购报告书审查的工作期间届满之后,可以不必征得国务院证券监督管理机构和证券交易所的同意,自行公布该收购要约。但是,国务院证券监督管理机构发现上市报告书不符合法律、行政法规规定,应当通知收购人,收购人接到通知后不得公告其收购要约。

3. 收购要约公告的法律效力。收购要约公告后,收购要约便开始生效。关于要约何时生效,有四种理论:一是表达说,即表意人的意思决定一旦具备外在形态,要约就应当生效;二是发出说,即意思表示已经做成,并且发出,要约开始生效;三是到达说,即以要约到达相对人为意思表示生效的时间;四是了解说,即相对人必须通过感官交接意思表示,意思表示才能生效。我国合同法关于要约何时生效采到达说,但是从本条的规定看,收购要约采发出说。

二、收购期限

1. 收购的法定最短期限和法定最长期限。收购期限,是指收购要约生效之日起到要约失效之日止的一段时间。收购期限可以由法律规定,也可以由收购要约发出人规定。由法律规定的收购期限是法定收购期限,其分为法定最短期限三十天和法定最长期限六十天。法定最短收购期限是指收购要约有效期不得低于的一段时间,法定最长收购期限是指收购要约有效期的最长时间。规定法定最短收购期限是为了使被收购公司的股东有充分的时间考虑是否接受收购要约;规定法定最长收购期限是为了防止使收购人的成本过高和被收购公司的股票长期处于不稳定的状态。

2. 收购期限。收购期限不是法定的最短收购期限,也不是法定的最长收购期限,而是收购要约自己选定的期限。但是收购要约发出人选定收购期限时,只能在法定的最短收购期限和法定的最长收购期限之间选择,即收购要约发出人选定的收购期限必须高于或者等于三十天,低于或者等于六十天。

3. 收购期限的起算点。收购期限的起算点以收购要约规定时间起开始计算,没有规定起算点的,以收购要约公告之日起开始计算。

4. 收购要约承诺生效的时间。本法对收购要约的承诺生效时间没有像收购要约的生效时间一样做出特别规定,因此,收购要约的承诺何时生效依合同法的规定认定,也就是以承诺到达要约发出人为生效时间。在承诺到达要约发出人之前,承诺发出人撤回承诺的意思到达,承诺不生效。

第九十一条[①] **在收购要约确定的承诺期限内,收购人不得撤销其收购要约。收购人需要变更收购要约的,必须事先向国务院证券监督管理机构及证券交易所提出报告,经批准后,予以公告。**

【释义】 本条是对收购要约撤销和变更的规定。

---

① 2014 年 8 月 31 日《全国人民代表大会常务委员会关于修改〈中华人民共和国保险法〉等五部法律的决定》将本条修改为:“在收购要约确定的承诺期限内,收购人不得撤销其收购要约。收购人需要变更收购要约的,必须及时公告,载明具体变更事项。”

一、收购要约撤销

1. 要约撤销不同于要约撤回。要约撤回,是指在要约发生效力之前,要约发出人企图制止要约发生效力的意思表示。要约撤销,是指要约发生效力后,要约发出人取消要约的意思表示。要约撤回与要约撤销不同:第一,发出意思表示的时间不同。要约撤回的意思是在要约生效之前发出,要约撤销的意思表示是在要约生效之后发出。第二,意思表示的内容不同。要约撤回的意思表示的内容是收回未生效的要约,要约撤销的意思表示是取消已经生效的要约。第三,意思表示的自由度不同。要约撤回可以在要约生效之前自由发出,要约撤销在要约规定了承诺期限等法律限制撤销的情况下不能发出。第四,法律责任不同。要约发出人撤回要约,不承担任何法律责任,要约发出人在法律限制撤销要约情况下撤销要约,应当承担相应的法律责任。

2. 收购要约撤销的限制。收购要约撤销,是指收购人公告收购要约后,将该收购要约取消,使收购要约的法律效力归于消灭的意思表示。投资者持有或者通过协议、其他安排与他人共同持有该上市公司百分之三十以上的股份,其发出收购要约已经将收购的有关信息作了披露,该上市公司的股东将依据这些信息进行分析、判断和决策。也就是说,这些披露的信息对该上市公司股票的交易将发生重要的影响。如果收购人撤销收购要约,会对该上市公司股票的交易造成新的影响,有可能对广大中小股东造成严重损害,扰乱证券市场的正常运行。为了保护广大中小股东的利益,防止证券欺诈,维护证券市场的正常的运行,应当限制收购人自由撤销收购要约。因此,规定在收购要约确定的承诺期限内,收购人不得撤销其发出的收购要约。

二、收购要约变更

1. 收购要约变更的条件。收购要约变更,是收购要约生效后,收购要约发出人改变要约的内容的意思表示。收购要约经受要约人同意后，即受要约人做出承诺后，发生当事人的合意，合同成立。收购要约和收购要约的承诺的内容构成合同的内容，双方当事人无权单独更改。如果更改收购要约，就是对合同本本身的更改。由于收购要约的各项内容是收购人真实意思的表示，是广大股东进行分析、判断和决策的依据，收购要约内容发生变更涉及被收购公司股东的切身利益和证券市场的正常运行，对收购要约变更应当进行必要的管理。在不损害投资者利益和扰乱证券市场正常运行的情况下，国务院证券监督管理机构和证券交易所可以允许变更收购要约。没有国务院证券监督管理机构和证券交易所的批准，不得变更收购要约。

2. 收购要约变更的程序。收购要约公告后，该收购人在收购期间如果需要变更收购要约的内容，必须事先向国务院证券监督管理机构和证券交易所提出报告。国务院证券监督管理机构和证券交易所收到报告后，对报告进行审查，认为要约内容的变更有利于投资者，可以允许收购人重新发出收购要约；如果该变更使收购条件低于原收购要约中所规定的条件，就应当不允许变更收购要约。收购要约发出人在征得国务院证券监督管理机构和证券交易所对变更收购要约的批准后，将变更收购要约向广大投资者进行公告，使广大投资者及时了解收购的进程，及时根据收购要约的变更情况做出决策。

3. 收购要约变更的生效。收购要约变更自收购要约变更公告后开始生效。

第九十二条　收购要约提出的各项收购条件，适用于被收购公司的所有股东。

【释义】 本条是对在要约收购中被收购的上市公司的股东地位平等的规定。

所谓被收购的上市公司的股东地位平等，是指要约人应当对被收购的上市公司的所有股东一视同仁，不得对其实施歧视性待遇。其包括三个含义：

第一，被收购的上市公司的股东平等参与要约收购的权利，要约人应当向被收购的上市公司的所有股东发出收购要约，不能仅向特定的股东发出收购要约。这种被收购的上市公司的全体股东都享有对要约承诺与否的权利，一般称之为“全体持有人规则”。

第二，要约收购条件应当具有统一性，应当适用于被收购的上市公司的全体股东，不能出现要约方面的差别待遇。这是因为收购要约是向被收购的上市公司的全体股东发出的，不是对被收购的上市公司的部分股东发出的，其提出的条件应当对被收购的上市公司的股东都一视同仁。

第三，如果在要约有效期间内，要约人需要变更要约条件或者提高要约价格的，则要约人应当对所有出售股份的股东适用变更后的价格，而无论该股东是在变更前接受要约，还是在变更后接受要约，称为“最高价格原则”，要约人变更其他条件的，应当与此同理。

第九十三条　采取要约收购方式的，收购人在收购期限内，不得卖出被收购公司的股票，也不得采取要约规定以外的形式和超出要约的条件买入被收购公司的股票。

【释义】　本条是对要约收购期限内，收购人买卖被收购的上市公司股票的限制性规定。

收购人发出收购要约以后，该收购要约就发生法律效力。在规定的期限内，收购人只能等待被收购公司广大股东的承诺；如果变更该收购要约的内容，必须向国务院证券监督管理机构和证券交易所报告，不得擅自变更收购要约的内容，不得撤销该收购要约。同时，收购人不得卖出被收购公司的股票，也不得以收购要约规定的以外的条件或者采取其他的形式，购买该上市公司的股票，以防止收购人操纵该上市公司的股票价格，谋取非法利益。

对于收购人来说，其连续买入被收购公司的股票并且公开发出收购要约，表明了其收购该公司的目的，即为了控制该公司而进行收购。如果收购人在发出收购要约以后，又在证券交易所通过集中竞价的方式，以当时的市价进行买卖，就会给接受要约的股东或者准备接受要约的股东造成信息误导。如果通过集中竞价交易收购股票的成交价格高于已经承诺收购要约的股东所接受的条件，那么就对这些承诺收购要约的股东造成了损害。另外，对那些准备接受要约的其他股东来说，也会造成不公平的对待。如果收购人在发出收购要约以后，在广大股东尚未作出承诺判断情况下，又与少数股东采取协议方式进行股权的收购和转让，那么对于广大的中小股东来说也构成了不公平的对待。因此，为了保护被收购公司股东利益，防止操纵股票价格，本条规定收购人在收购期限内，不得卖出被收购公司的股票，也不得采取要约规定以外的形式和超出要约的条件买入被收购公司的股票。

第九十四条　采取协议收购方式的，收购人可以依照法律、行政法规的规定同被收购公司的股东以协议方式进行股份转让。

以协议方式收购上市公司时，达成协议后，收购人必须在三日内将该收购协议向国务院证券监督管理机构及证券交易所作出书面报告，并予公告。

在公告前不得履行收购协议。

【释义】　本条是对协议收购的规定。

一、协议收购的适用范围

协议收购，是指投资者在证券交易所外与目标公司的股东（主要是持股比例较高的大股东）就股票的价格、数量等方面进行私下协商，购买目标公司的股票，以期达到对目标公司控制权的获得和巩固。但是，采取协议的方式收购上市公司的收购人不能与被收购的上市公司的股东达成私下转让上市公司股份的协议，收购人与被收购的上市公司的股东达成协议收购的协议后，应当将该协议公开，在公开之后才能进行股权的转让。

采取协议收购的方式收购上市公司，必须依照法律、行政法律的规定进行，不得违背法律、行政法规的规定。公司法和本法都对公司的股份转让行为作出了一定的限制，收购人采取协议的方式收购上市公司时，应当遵守。例如，公司法规定公司的董事、监事、高级管理人员所持本公司的股份自公司股票上市交易之日起一年内不得转让，采取协议收购的方式收购上市公司的收购人不能与这些董事、监事、高级管理人员签订收购他们股份的协议。

二、协议收购的成立

收购人与被收购的上市公司的股东签订转让股份的协议，协议收购就成立。协议收购的收购协议只能采取书面形式，不能采取口头等其他形式。收购协议的内容可参照收购要约及收购报告书的内容。协议收购具有交易行为的相对不公开性和交易条件的不统一性，其具体交易条件均依照双方的协议办理。

三、收购协议的报告和公告

收购人双方达成收购协议后，协议收购成立，为了让国务院证券监督管理机构和证券交易所及时了解被收购的上市公司的股权变化，收购人应当向国务院证券监督管理机构和证券交易所报告收购协议。同时，被收购的上市公司的股权变化会对广大投资者的投资产生影响，为了保护他们的利益，应当将收购协议进行公告。

四、收购协议履行的限制

在收购协议公告之前，如果协议收购双方履行了协议，被收购的上市公司的股权会发生新的变化，在收购协议履行后公告收购协议，公告的内容和事实不相符，投资者依据公告的收购协议的信息作出投资，会损害他们的利益。为了保护广大投资者的利益，必须禁止协议收购的双方在收购协议公告前履行收购协议。

第九十五条　采取协议收购方式的，协议双方可以临时委托证券登记结算机构保管协议转让的股票，并将资金存放于指定的银行。

【释义】　本条是对收购协议履行的保全性措施的规定。

一、规定协议收购履行保全性措施的意义

一般情况下，协议收购所涉及的股份和金额规模都比较大，如果收购人在达成收购协议后没有足够的资金履行收购协议，或者被收购的上市公司的股东没有股票交付，欺骗协议的相对方，会损害相对方的合法利益，并且会对该上市公司股票的交易行市产生很大的影响，误导一些投资者。为保护协议收购双方的合法权益，维护协议收购的正常秩序，防止利用协议收购进行违法、违规操作，有必要规定协议收购的当事人双方可以采取协议收购履行的保全性措施，保证协议收购的正常履行。

二、协议收购保全性措施的执行机构

证券登记结算机构作为负责办理股票过户登记的专门机构，对各上市公司的股东及股权变动情况至为清楚，由该机构临时保管股票，有助于控制风险。银行作为经营货币业务的专门机构，有较好的信誉和财力，代为存放资金，也有利于实现交易安全。正是如此，本条规定协议收购双方可以将协议转让的股票临时委托证券登记结算机构保管，将购买股票的资金存放于指定的银行，以保证交易安全，维护协议双方的合法权益。

三、协议收购保全性措施具有选择性

虽然采取协议收购方式的，协议双方临时委托证券登记结算机构保管协议转让的股票，并将资金存放于指定的银行，可以维护协议收购的正常秩序及协议收购双方当事人的合法权益，但是本条没有把这种作法规定为收购协议双方的法定义务，是否采取这种比较安全的办法，可以由协议双方进行选择。对于证券登记结算机构和银行来说，只有协议收购双方与它们签订了合同后，他们才受合同的约束，依法履行其义务。

第九十六条　采取协议收购方式的，收购人收购或者通过协议、其他安排与他人共同收购一个上市公司已发行的股份达到百分之三十时，继续进行收购的，应当向该上市公司所有股东发出收购上市公司全部或者部分股份的要约。但是，经国务院证券监督管理机构免除发出要约的除外。

收购人依照前款规定以要约方式收购上市公司股份，应当遵守本法第八十九条至第九十三条的规定。

【释义】　本条是对通过协议收购方式，收购人控制上市公司一定比例股份，强制收购人要约收购的规定。

一、强制收购人发出收购要约的条件

第一，收购人控制上市公司已经发行股份总数的百分之三十。收购人控制的股份方式可以分为两类，一类是收购人单独持有上市公司已经发行股份总数的百分之三十，一类是收购人通过协议、其他安排与他人共同持有上市公司已经发行股份总数的百分之三十。第二，收购人控制上市公司已经发行股份总数的百分之三十，是通过协议收购的方式产生的。如果收购人控制上市公司已经发行股份总数的百分之三十，不是通过协议收购的方式产生的，不是本条规范的范围。第三，收购人继续收购上市公司的股份。收购人控制上市公司已经发行股份总数的百分之三十，继续收购上市公司的股份，是指的一种意愿，不是一种事实。也就是说，收购人控制上市公司已经发行股份总数的百分之三十后，打算继续收购上市公司的股份，应当向上市公司的所有股东发出收购要约。

二、收购人发出收购要约的发出对象

收购人应当向被收购的上市公司的所有股东发出收购要约，

不能只向被收购的上市公司的部分股东发出收购要约。

三、收购人发出的收购要约应当包括的内容

收购要约,是指收购人收购已经依法上市交易的股份有限公司的股份的意思表示。收购要约作为一种意思表示,应当真实、明确。因此,收购要约应当包括:收购人的名称、住所;收购人关于收购的决定;被收购的上市公司名称;收购目的;收购股份的详细名称和预定收购的股份数额;收购期限、收购价格;收购所需资金及资金保证;报送上市公司收购报告书时持有被收购公司股份数占该公司已发行的股份总数的比例;收购上市公司部分股份的,应当约定,被收购公司股东承诺出售的股份数额超过预定收购的股份数额的,收购人按比例进行收购。

四、收购人发出收购要约必须依法进行

收购人发出收购要约应当依照法律、行政法规的规定进行,不能违背法律、行政法规的规定。本法对收购要约的发出时间,收购要约撤销和变更等都作出了规定,收购人发出收购要约时应当遵守。其他法律、行政法规对发出收购要约有规定的,收购人发出收购要约时也要遵守。

五、收购人发出收购要约的免除

国务院证券管理机构作为对全国证券市场进行统一监管的职能机构,出于监管的需要,有可能需要在投资者通过协议的方式控制上市公司已经发行股份总数的百分之三十,继续收购该上市公司的股份时,允许其不发出收购要约。因此,本条规定如果国务院证券监督管理机构免除收购人发出收购要约,则不用发收购要约。

六、收购人采取协议收购的方式收购被收购的上市公司的股份达到一定比例后,在发出收购要约时,同时应当遵守本法第八十九条至九十三条的规定

第一,公告收购要约前向证券监督管理机构报送上市公司收购报告书,并同时向证券交易所提交上市公司收购报告书。上市

公司收购报告书应当包括：收购人的名称、住所；收购人关于收购的决定；被收购的上市公司名称；收购目的；收购股份的详细名称和预定收购的股份数额；收购期限、收购价格；收购所需资金及资金保证；报送上市公司收购报告书时持有被收购公司股份数占该公司已发行的股份总数的比例。第二，上市公司股东出售的股份超过收购人企图收购的股份的，收购人按比例进行收购。第三，依法公告收购要约。收购人在报送上市公司收购报告书之日起十五日后，公告其收购要约。在上述期限内，国务院证券监督管理机构发现上市公司收购报告书不符合法律、行政法规规定的，应当及时通知收购人，收购人不得公告其收购要约。收购要约约定的收购期限不得少于三十日，并不得超过六十日。第四，收购要约不得撤销，变更要约应当向经国务院证券监督管理机构和证券交易所报告，并经其批准。第五，收购要约适用于所有的股东。第六，不得有禁止的收购行为。收购人在收购期限内，不得卖出被收购公司的股票，也不得采取要约规定以外的形式和超出要约的条件买入被收购公司的股票。

第九十七条　收购期限届满，被收购公司股权分布不符合上市条件的，该上市公司的股票应当由证券交易所依法终止上市交易；其余仍持有被收购公司股票的股东，有权向收购人以收购要约的同等条件出售其股票，收购人应当收购。

收购行为完成后，被收购公司不再具备股份有限公司条件的，应当依法变更企业形式。

【释义】　本条是对收购期限届满后，一定条件下终止上市、强制受让股份和企业形式变更的规定。

一、终止上市

1. 终止上市的依据。证券法规定，上市公司有下列情形之一的，由证券交易所决定终止其股票上市：公司股本总额、股权分布等发生变化不再具备上市条件,在证券交易所规定的期限内未能消除的;公司不按照规定公开其财务状况或者财务会计报告作虚假记载,且拒绝纠正的;公司有重大违法行为,被有关主管部门依法责令关闭的;公司最近三年连续亏损,在其后一个年度内未能恢复盈利的;公司解散或者被宣告破产的;国务院证券监督管理机构规定的其他情形。收购期限届满,被收购的上市公司股权分布不符合上市条件,属于应当终止上市情形的,证券交易所应当依据本法规定终止被收购的上市公司的股票上市。

2. 终止上市的时间。被收购的上市公司股权分布不符合上市条件,由证券交易所决定终止其股票上市交易,是在收购期限届满时。收购期限届满是指收购期限到期,收购要约开始失效。也就是说,在收购期限到期时,不管收购完成与否,只要收购人收购上市公司的股份导致被收购公司的股权分布不符合上市条件,证券交易所都应当依法终止被收购的上市公司的股票在证券交易所交易。

3. 终止上市的目的。收购人收购被上市公司的股份导致被收购公司的股权分布不符合上市条件,使得被收购的上市公司股权过于集中,不适合继续证券交易所上市交易。

二、强制受让股份提起权

1. 规定强制受让股份提起权的必要性。强制受让股份提起权,是指收购期限届满,被收购的上市公司股权分布不符合上市条件,股票在证券交易所终止了上市交易,其余仍持有被收购的上市公司股票的股东向收购人提出以收购要约的同等条件出售其股票,收购人必须收购的权利。当收购人持有或者通过协议、其他安排与他人共同持有的被收购的上市公司的股份使该公司的股权分布不符合上市条件的时候,意味着收购人实际上已经完全控制了被收购的上市公司,其余仍持有被收购的上市公司股票的股东,已经处于明显的少数。收购人作为被收购的上市公司的控股股东或者实际控制人,有可能会利用优势地位,损害小股东的利益。本条规定收购期限届满，被收购的上市公司股权分布不符合上市条件，股票在证券交易所终止了上市交易，其余仍持有被收购的上市公司股票的股东向收购人以收购要约的同等条件出售其股票，收购人必须收购，给予了他们在该公司被终止上市以后卖出其所持有的股票的机会，有利于保护这些小股东的利益。

2. 强制受让股份提起权的行使。强制受让股份提起权行使的条件是被收购的上市公司的股票终止了上市；强制受让股份提起权行使的时间是收购期限届满后；强制受让股份提起权行使的主体是收购期限届满后仍持有被收购的上市公司的股票的股东；强制受让股份提起权行使的内容是向收购人提出以收购要约的同等条件出售其股票给收购人；强制受让股份提起权行使的法律效力是收购人必须依收购要约的同等条件收购股东的股票。

三、企业形式变更

1. 变更企业形式的原因。公司法规定了设立股份有限公司的条件，收购人收购上市公司的股份导致被收购公司不再具备股份有限公司的设立条件，被收购的上市公司应当变更为其他形式的企业。例如收购人收购了被收购的上市公司的全部股份，被收购的上市公司的股东只有收购人一人，就应当将股份有限公司的形式变更为其他形式的企业。

2. 变更企业形式的时间。变更企业形式应当在收购完成之后，即收购人与被收购的上市公司同意出售其所持有的股份的股东进行了股权转让之后。

3. 变更企业形式的范围。依现行法律的规定，股份有限公司变更成为其他企业形式时，可以变更为有限责任公司，也可以变更为法律、行政法规规定的有限责任公司形式以外的企业形式。股份有限公司变更企业形式需要办理变更登记。

4. 变更企业形式后债权债务的继承。股份有限公司变更企业形式后，股份有限公司的债权债务由新的企业继承。

第九十八条　在上市公司收购中，收购人持有的被收购的上市公司的股票，在收购行为完成后的十二个月内不得转让。

【释义】　本条是对收购人持有的被收购公司的股票在一定期限转让限制规定。

以获得或者巩固控制被收购的上市公司为目的的收购行为，其收购人收购上市公司的股票后，不会在很短的期限内立即转让，而是要在一定期间内支配被收购的上市公司。但是，有些机构、个人出于操纵该上市公司股票的市场行情，阻碍与之存在竞争关系的上市公司的正常经营等其他个人投机目的，往往在短时间内大量的买进或卖出股票。为了规避法律，逃避证券监督管理机构的监管和制裁，这些人可能假借收购形式掩盖其违法行为。广大的中小股东和其他社会公众不了解大股东的操纵动机，无法把握证券市场的动向，很容易在大股东的操纵下使自己的利益遭到损害。从保护广大中小股东和其他社会公众的合法利益出发，有必要在一定的时间内限制收购人转让其所持被收购的上市公司股票。

收购人转让其持有的被收购的上市公司股票的限制期限是十二个月，期限的起算点是收购行为完成之后。收购行为完成，在要约收购中应当指的是收购期限届满办理完有关手续，在协议收购中应当是指收购协议生效后办理了清算交割，在其他合法的收购方式中则应当依具体的情况而定。原法规定收购人转让其所持有的被收购的上市公司股票的限制期限是六个月，证券法修改时增加了六个月，是因为禁止收购人在收购行为结束后十二个月内转让，能够更好地防止投资者利用上市公司收购操纵证券市场和更好地保护中小股东的利益。

第九十九条　收购行为完成后，收购人与被收购公司合并，并将该公司解散的，被解散公司的原有股票由收购人依法更换。

【释义】　本条是对收购完成后，一定情形下更换被收购公司股票的规定。

收购行为完成后，需要更换被收购的上市公司的股票的情形是，收购人购入被收购的上市公司的具有控制权的股份，通过股东大会决议，将被收购的上市公司与收购人合并，解散被收购的上市公司。

收购人与被收购的上市公司合并，被收购的上市公司解散，被收购的上市公司成为收购人的一部分，被收购的上市公司的股东成为收购人的出资人，收购人应当给这部分出资人签发证明其对本企业出资的出资证明。收购人签发的出资证明依据收购人采用的企业形式的不同，程序不同。但是不管是什么样的程序，都必须注销被收购的上市公司的股东所持有的被收购的上市公司的股票。

第一百条　收购行为完成后，收购人应当在十五日内将收购情况报告国务院证券监督管理机构和证券交易所，并予公告。

【释义】　本条是对收购行为结束后，收购人的报告义务和公告义务的规定。

一、收购行为结束后，收购人的报告义务

1. 赋予收购人在收购行为结束后报告义务的目的。收购人在收购行为结束后的报告义务，是指收购行为结束后，收购人应当在十五日内将收购情况报告国务院证券监督管理机构和证券交易所。收购人的收购行为是否合法，是证券监督管理机构和证券交易所需要及时了解的，收购人及时将收购的情况报告证券监督管理机构和证券交易所，能够让他们及时确定收购活动是否合乎法律、行政法规和证券交易所规则的规定。因此，要求收购人在收购行为结束后将收购情况报告证券监督管理机构和证券交易所有很重要的意义。

2. 报告的对象。收购人应当向证券监督管理机构和证券交易所同时报告,不能只向证券监督管理机构做出报告,也不能只向证券交易所做出报告。收购人报告的证券交易所,应当是被收购的上市公司的股票上市交易的证券交易所。

3. 报告的内容。收购人向证券监督管理机构和证券交易所报告的应当是收购的情况,而不是与收购情况无关的信息。收购人向证券监督管理机构和证券交易所所报告的收购情况应当真实、准确、完整。所谓真实,是指公告的收购情况必须反映实际情况,不得弄虚作假;所谓准确,是指公告收购情况的陈述和提供的数据与实际情况应当符合;所谓完整,是指报告收购情况时应当没有遗漏。

4. 报告的期限。收购人应当在收购行为结束后的十五天内,履行其报告义务。收购人超过法定的报告期限向证券监督管理机构和证券交易所报告,或者不予报告,应当承担相应的法律责任。

二、收购行为结束后,收购人的公告义务

1. 规定公告义务的目的。收购人在收购结束后的公告义务,是指收购行为结束后,收购人应当在十五日内将收购情况向社会公众公布。收购结果如何将影响广大投资者的判断和决策,收购人向社会公布收购的情况,能使广大投资者了解收购的结果,便于他们根据这一信息做出正确的投资判断和决策。

2. 公告的内容。收购人向社会公众公告的应当是收购的情况,而不是与收购情况无关的信息。收购人向社会公众公告的收购情况应当真实、准确、完整。

3. 公告的期限。收购人应当在收购行为结束后的十五天内,履行其公告义务。收购人超过法定的公告期限向社会公众公告,或者不予公告,应当承担相应的法律责任。

第一百零一条　收购上市公司中由国家授权投资的机构持有的股份,应当按照国务院的规定,经有关主管部门批准。

国务院证券监督管理机构应当依照本法的原则制定上市公司收购的具体办法。

【释义】 本条是对收购上市公司中国家授权投资的机构持有的股份的批准和制定上市公司收购具体办法的规定。

在我国的公司实践中，国有企业改制为股份有限公司时，该企业的存量资产作为国有资产，投入到股份有限公司中，由国家授权投资的机构作为股东持有该公司的部分股权。同时，为了有效地合理运用国有资产，国家授权投资的机构也可以为了经营、投资的需要向某些上市公司进行投资，而持有该上市公司的股权。从国有资产管理和国家对某些重要行业控制的考虑出发，上市公司收购中涉及国家授权投资的机构持有的股份的，应当按照国务院的规定，报经有关主管部门批准。有关主管部门准许转让的，才能转让；不同意转让的，不得转让。

本法对上市公司收购的收购方式、收购程序、收购人的义务等作了规定，但是仍比较原则，可能无法满足当前和今后规范上市公司收购，促进上市公司收购良性进行的需要。为此，本条规定国务院证券监督管理机构应当制定上市公司收购的具体办法，对上市公司收购作出更为详细具体的规定。制定上市公司收购的具体办法不仅是国务院证券监督管理机构的一项法定权利，也是一项法定义务。国务院证券监督管理机构制定上市公司收购具体办法时，应当依照本法规定的原则制定，不得违背本法。

第五章　证券交易所

第一百零二条　证券交易所是为证券集中交易提供场所和设施,组织和监督证券交易,实行自律管理的法人。

证券交易所的设立和解散,由国务院决定。

【释义】 本条是对证券交易所的概念和设立、解散由国务院决定的规定。

一、本条关于证券交易所概念的规定,包括两个方面的含义:

一个方面的含义是,证券交易所是法人。所谓法人,按照民法通则第三十六条的规定,是指具有民事权利能力和民事行为能力,依法独立享有民事权利和承担民事义务的组织。法人的民事权利能力和民事行为能力,从法人成立时产生,到法人终止时消灭。证券交易所有严密的组织形式和组织机构,而且有整套的交易规则和交易制度,这个组织在市场经济条件下,从事的是一种民事活动,其从事民事活动必须符合民法通则的有关规定。按照民法通则的规定,市场经济中从事民事活动的主体主要有两个:一类是法人,另一类是公民(自然人)。证券交易所进行民事活动,也必须属于其中的一个主体,这个主体又能独立的享有民事权利和承担民事义务,在这种情况下,需要法律赋予其民事主体的资格。规定证券交易所是法人,是将其与自然人、个体工商户以及其他非法人组织区分开来,这是发展社会主义市场经济的必然要求,也是世界各国证券立法的通例。

另一个方面的含义是,证券交易所的职能是为证券集中交易提供场所和设施,组织和监督证券交易,实行自律管理。证券交易所作为证券市场的核心，在证券市场中的角色是多重的：第一，它是证券市场集中交易的组织者，为投资者、证券公司、上市公司提供场地、设施和服务，为市场参与者提供交易平台和服务；第二，它是重要的自律监管者，通过契约、法律规定或者监管部门的授权，对证券公司、上市公司、证券市场进行第一线的监管，以维护证券市场交易秩序、促进市场效率的提高。所谓自律管理，就是通过内部组织机制的运行，规范其成员的行为，实现其团体内的秩序，主要体现为自我规范、自我约束、自我管理和自我控制。证券交易所的自律管理是证券市场监管体系的重要组成部分；第三，它是被监管者，要接受政府监管部门的依法监管。一是证券交易所的设立要受到监管；二是证券交易所的自律管理活动要受到监督。证券交易所自律管理必须置于证监会的监督之下。因此本条规定，证券交易所是为证券集中交易提供场所和设施，组织和监督证券交易，实行自律管理的法人。

这里需要说明的是，原证券法第九十五条规定，证券交易所是不以营利为目的的法人。本次修改删去了“不以营利为目的”的内容。这是因为，随着证券市场向着广度和深度进一步拓展，证券交易所的地域界限已经被打破，全球证券市场迈入了相互竞争的新时代。在这样的前景下，证券交易所的业务活动越来越类似于企业，生存与发展成为证券交易所首要的主题。因此各国证券交易所纷纷进行商业化改革，把自己变为一个客户主导、营利导向的商业机构。尽管我国证券市场相对封闭，证券交易所尚不存在生存压力，但加入 WTO 后我国证券市场的开放已是不可逆转的趋势，证券交易所之间的全球竞争也必然会波及我国，不以营利为目的的限制将不可避免地束缚证券交易所未来的发展。虽然目前经国务院批准，中国证监会发布的《证券交易所管理办法》以及上海、深圳两个证券交易所的章程均规定证券交易所“不以营利为目的”，但并不排除今后的商业化改革以及以营利为目的的证券交易所的出现。因此,本条的规定为今后证券交易所的发展预留了一定的空间。

二、证券交易所的种类

证券交易所依组织形式可分为两类:一类是会员制证券交易所,另一类是公司制证券交易所。

1. 会员制证券交易所

会员制证券交易所由会员自愿出资共同组成,交易所为会员所有和控制,只对会员服务,只有会员才能利用交易所的交易系统进行交易。世界上大多数实行会员制的证券交易所都是非营利性的证券交易机构。会员制证券交易所的会员由证券公司组成,会员依章程规定出资,除依章程规定分担经费外,其对交易所承担的责任,以其出资额为限。会员制证券交易所的组织机构由会员大会、理事会、监事会、总经理和职能部门组成。会员大会为权力机构,理事会由会员选举产生的理事组成,为交易所的经营管理事务决策机构,决定交易所运营、管理等重要事项。

2. 公司制证券交易所

公司制证券交易所是由股东出资设立,以公司形式出现的法人。公司制证券交易所由股东会员出资设立,并以股东出资为限对外承担有限责任。公司制证券交易所的股东一般由银行、证券公司、投资信托公司等组成。有资格入场进行证券交易的证券公司可能是股东,也可能不是股东。公司制证券交易所一般是以营利为目的,满足股东利益最大化的企业法人。公司制证券交易所的权力机构为股东大会,决定与股东利益直接相关的重大事项;经营决策机构为董事会,负责处理交易所的经营管理的重要事项。

3. 会员制证券交易所与公司制证券交易所的区别是:

(1)会员制证券交易所为非营利性的法人组织;公司制证券交易所一般为营利性的法人组织。

(2)会员制证券交易所入场交易的必定是证券交易所会员,

非会员不得入场交易；公司制证券交易所入场交易的可能是公司股东，也可以不是公司股东。

（3）会员制证券交易所的会员可以在交易市场内从事证券业务，而公司制证券交易所的股东，如果不是证券公司，则不得从事证券业务。

（4）会员制证券交易所的收入，来源于会员的会费及其他收入，上市费用和交易佣金相对较低；公司制证券交易所的收入主要来源于上市费和证券交易手续费，故在此类证券交易所上市、交易费用较高。

本法第一百一十条规定："进入证券交易所参与集中交易的，必须是证券交易所的会员。"本法第一百一十六条、第一百一十八条也分别规定了"会员费"和"会员管理规则"。此外，我国上海、深圳两个证券交易所都在章程中规定其为"实行自律管理的会员制法人"。因此，我国证券交易所目前的组织形式应为会员制。但如果在证券法中将证券交易所的组织形式限定为会员制，可能会制约证券交易所改革的步伐。本法没有明确规定我国的证券交易所采用何种组织形式，为证券交易所的市场化预留了发展空间。

三、证券交易所的特征

1. 证券交易所本身既不持有证券，也不买卖证券，更不决定证券的价格，它只是为证券买卖双方成交创造条件，提供场所和设施，组织和监督证券交易。

2. 证券交易所中的买卖完全公开。证券交易所要求所有申请上市的证券发行者，必须真实地公布其经营情况和财务状况，被批准后方能上市。同时，交易所定期公布各种证券的行情统计，以使投资者选择投资目标。证券交易所中的每笔买卖公开记录在案。在交易所上市的证券不仅在上市前要公开有关情况，而且在上市后还要定期公布其经营及财务状况。

3. 证券交易所具有严密的组织和规章制度。不论是会员制组织形式还是公司制组织形式都有自己一套组织方式，凡参加者都需具备一定的条件，有一定的审批手续。交易所的交易者必须是会员或其成员，并对成交、结算都有严格的规定。

四、证券交易所的设立和解散

证券交易所的设立是指创设提供证券集中交易场所这一法人的法律行为。证券交易所的解散是指已经存在的证券交易所停止提供证券交易活动的场所、不再进行有关活动的法律行为。

1. 决定证券交易所设立和解散的机关是国务院

（1）本条规定国务院决定证券交易所的设立，包括三个方面内容：一是是否设立证券交易所由国务院来决定；二是在什么时间设立由国务院来决定；三是在什么地方设立、设立多少由国务院来决定。

（2）本条规定国务院决定证券交易所的解散，同设立一样，也包括三个方面的内容：一是是否解散证券交易所由国务院来决定；二是什么时候解散由国务院决定；三是以什么方式进行解散由国务院来决定。

（3）证券交易所的设立和解散由国务院决定是一个强制性的规定。也就是说，未经过国务院的批准，任何单位和个人均无权决定证券交易所的设立和解散。否则，要承担相应的法律责任。

（4）本条规定证券交易所的设立和解散由国务院来决定，主要考虑到三个方面的原因：一是，证券市场是一个非常敏感的市场，有人讲，证券市场是反映一个国家经济发展和国家管理的晴雨表。我国证券市场经过几年的实践，积累了一些经验，但是相对于已经发展几百年的国家来讲，经验比较少，这就需要慎重行事。因证券交易所是证券交易的主要场所，涉及的面很广，如果设立不合适，或者解散的不合适，就有可能影响国家的经济秩序，造成社会的混乱。对此，国家需要进行宏观调控。二是，关于证券交易所的设立和解散，许多国家管理也是比较严格的，设立证券交易所必须经过主管部门审核批准，作为我们这个证券市场还不成熟的国家来讲，更需要严格控制，加强管理。三是，我国的投资者对证券市场的认识还不够，投资心理还不够成熟，在这种情况下，也需要国家加强宏观管理，否则可能影响国家的经济秩序，造成社会混乱。

2. 证券交易所的设立

本法关于证券交易所设立的具体程序没有作具体的规定。根据《证券交易所管理办法》规定，设立证券交易所，首先由证监会进行审核，审核之后报国务院进行批准。申请设立证券交易所，应当向证监会提交下列文件：申请书、章程和主要业务规则草案、拟加入会员名单、理事会候选人员名单及其简历、场地和设备及资金情况的说明、拟任用管理人员的情况说明、证监会要求提交的其他文件等。

3. 证券交易所的解散

解散证券交易所，经证监会审核同意后，报国务院批准。《上海证券交易所章程》规定，证券交易所遇有下列情况之一，经中国证监会审核同意，报国务院批准后，予以解散：(1)不再具备法律规定的设立条件；(2)会员大会决议解散；(3)遇有不可抗力或意外事件，致使证券交易所长时期无法正常运转；(4)法律规定的其他原因。证券交易所解散时，按国家规定的程序进行清算。

第一百零三条　设立证券交易所必须制定章程。

证券交易所章程的制定和修改，必须经国务院证券监督管理机构批准。

【释义】 本条是对证券交易所章程的规定。

无论是会员制证券交易所或是公司制证券交易所，其设立都必须具备章程，这是设立证券交易所的必备条件。证券交易所章程，是指由证券交易所会员大会或者股东会制定的对证券交易所及其会员、内部组织机构具有约束力的并经过国务院证券监督管理机构批准的内部行为规范。对其可作如下的理解:一是,证券交易所的章程是由会员大会或者股东会议通过的。二是,证券交易所的章程对证券交易所及其会员、内部组织机构均有约束力,也就是说,证券交易所和证券交易所的会员、股东、内部组织机构均必须遵守其规定。三是,证券交易所章程必须经过证券监督管理机构批准。四是,它是一种内部行为规范。即是证券交易所及其有关机构、成员的行为准则。

目前我国证券法律、法规所规定的证券交易所章程的记载事项集中体现在《证券交易所管理办法》中。根据该办法的规定,证券交易所章程应当包括下列事项:(1)设立目的;(2)名称;(3)主要办公及交易场所和设施所在地;(4)职能范围;(5)会员的资格和加入;(6)退出程序;(7)会员的权利和义务;(8)对会员的纪律处分;(9)组织机构及其职权;(10)高级管理人员的产生任免及其职责;(11)资本和财务事项;(12)解散的条件和程序;(13)其他需要在章程中规定的事项。

根据本条第二款的规定,证券交易所章程的制定和修改须经国务院证券监督管理机构批准。这就是说,证券交易所章程的制定和修改后的生效时间为国务院证券监督管理机构批准之日。证券交易所的章程是设立证券交易所必须具备的条件之一,证券交易所章程的制定或修改,应当符合法律对证券交易所的有关规定,为了保证章程的合法性,本条规定,证券交易所章程必须经过国务院证券监督管理机构批准。

第一百零四条　证券交易所必须在其名称中标明证券交易所字样。其他任何单位或者个人不得使用证券交易所或者近似的名称。

【释义】　本条是对证券交易所名称的规定。

证券交易所的名称是指证券交易所的称谓,它是区别于其他单位或者个人的标志。在法律上以专门条文设定名称的规范,是为了便于主管机关监管,也有利于投资者识别。根据我国的有关法律规定,法人名称的构成、确定及效力应遵循以下原则:(1)法人名称的构成必须符合法律规定;(2)法人只能使用一个名称;(3)法人名称不得包含禁用文字;(4)法人的名称使用权受到法律保护;(5)法人名称具有排他的和禁止仿冒的效力。证券交易所的名称制度除遵循上述一般性规定之外,还具有特殊之处。

本条关于证券交易所名称规定了下述两个方面的内容:

第一,证券交易所名称中必须标明证券交易所字样。这是证券交易所名称的强制使用制度,即要求其名称使用规范化。证券交易所是一个特定化了被人们认可的名称,本法规定必须标明证券交易所字样也是为了更好地使人们认识它、了解它。

第二,其他单位或个人不能使用或者使用相似的名称。这是为了防止该名称被滥用,造成混乱。不能使用证券交易所或者与其相似的名称是指不得直接使用证券交易所的字样或者容易被人误解的字样,比如不得使用"某某证券买卖所"、"某某证券所"、"某某证交所"等。"其他任何单位或者个人"的概念应当理解为不受地域、行业限制的国内所有单位和个人。由此可见,证券交易所的名称具有最广泛的排他效力。

第一百零五条　证券交易所可以自行支配的各项费用收入,应当首先用于保证其证券交易场所和设施的正常运行并逐步改善。

实行会员制的证券交易所的财产积累归会员所有,其权益由会员共同享有,在其存续期间,不得将其财产积累分配给会员。

【释义】 本条是对证券交易所对自行收入的各项费用如何支配的规定。

本条所指可以自行支配的各项费用收入是指证券交易所在提供证券交易的场所、设施和服务过程中收取的为证券交易所管理的那些费用，比如证券交易费用、会员费、席位费及其他业务收入等。证券交易所有权自行支配上述费用收入。对于这部分费用应当用于下述两个方面：

第一，保证证券交易场所和设施的运行。交易场所是指交易大厅及其与交易有关的场所。证券交易所的设施是指保证证券交易的各种设备，比如显示屏幕、电话、电脑、电路等。证券交易场所和设施是证券交易所的核心部分，这一部分不正常或者出了问题，整个证券交易所就会引起混乱或者造成交易中断，给社会造成不良的影响。为此，本条要求证券交易所对其收入并可以自行支配的各项费用，必须首先用于保证证券交易场所和设施的正常运行，这就要求证券交易所必须进行保养和维修，及时处理存在的问题。

第二，用于场所和设施的改善。所谓改善，是指在现有的自己运用的资金范围内根据实际情况使现有的交易场所和设施有所改观，不断提高现有的条件。这一规定是保证证券交易高效运行的一项措施。以深圳证券交易所为例，为创造高效的集中交易场所，早在 1993 年，深圳证券交易所便采用 TAN – DEM 大型计算机运行系统，极大地提高了交易中自动撮合系统的效率。同年，利用国际上先进的 VSAT 卫星通讯网络传递成交回报资料和交易行情。深圳证券交易所实现了通讯卫星化、结算无纸化和运作无大堂化，并不断更新证券交易结算系统和市场监察系统以及行情和信息发布系统。2001 年上线的交易系统采用了先进的设备和技术，日处理交易能力达到两千万笔。

本条第二款规定，实行会员制的证券交易所的财产积累归会员所有，其权益由会员共同享有，在其存续期间，不得将其财产积累分配给会员。证券交易所除了支出有关费用以外，剩余的费用即是证券交易所的财产积累。实行会员制的证券交易所，其财产积累由会员共同享有,由于会员制证券交易所属于非营利性法人,该财产积累如果分配给会员,即构成会员的营利回报,这与会员制的非营利性不符。因此,证券交易所在存续期间不得将其财产积累分配给会员,只有在证券交易所解散时才能将剩余财产分配给会员。

第一百零六条　证券交易所设理事会。

【释义】　本条是对证券交易所理事会的规定。

根据《证券交易所管理办法》的规定,会员大会是证券交易所的权力机构,决定证券交易所的重大问题,但是它只是一个议事机构,不是常设机构。在这种情况下,需要其设置一个常设机构,这个常设机构即为国际上通行的机构理事会。我国参照国际上通行的做法,也作了规定。

关于理事会的性质,本法没有作具体的规定,一般可理解为是证券交易所的管理执行机构。对于这一机构可作如下理解:(1)理事会是证券交易所的常设机构,依照法律规定和证券交易所章程而设置。(2)理事会是证券交易所的日常管理机构,负责证券交易所的日常业务活动的管理与指挥,并执行会员大会的有关决议。(3)理事会由证券交易所会员大会选举产生。

对于理事会与会员大会的关系这一问题,本法没有作出具体的规定,一般来讲,理事会和会员大会的关系为理事会对会员大会负责。具体讲:理事会成员由会员大会产生,理事会必须执行会员大会的各项决议;理事会必须忠于职守,认真履行各项法定的和会员大会确定的各项义务;理事会必须督促自己的下属机构依法履行职务;理事会必须按照法定的程序将自己的工作情况向会员大会进行报告;理事会如果不履行职务出现了违法行为必须依法承担责任。

根据《证券交易所管理办法》第二十条规定,理事会的职责是:(1)执行会员大会的决议;(2)制定、修改证券交易所的业务规则;(3)聘任总经理和副总经理;(4)审定总经理提出的工作计划;

(5)审定总经理提出的财务预算、决算方案;(6)审定对会员的接纳;(7)审定对会员的处分;(8)根据需要决定专门委员会的设置;(9)会员大会授予的其他职责。

根据《证券交易所管理办法》的规定,证券交易所理事会由七至十三人组成,其中非会员理事人数不少于理事会成员总数的三分之一,不超过理事会成员总数的二分之一。会员理事由会员大会选举产生,非会员理事由证监会委派。理事连续任职不得超过两届。这种结构安排的目的在于防止证券交易所的利益取向过于倾向于会员从而损害投资者的合法权益,同时,也有利于强化证券交易所在证券交易业务方面的公正性。

根据《证券交易所管理办法》的规定,理事会设理事长一人,副理事长一至二人。理事长、副理事长由证监会提名、理事会选举产生。总经理应当是理事会成员。理事长负责召集和主持理事会会议。理事长因故不能履行职务时,由副理事长代为其履行职务。理事长担任会员大会期间的会议主席,但不得兼任证券交易所总经理。

理事会会议必须每季度召开一次。此外,据深圳、上海证券交易所章程的规定,遇有特殊情况时,可由理事长决定召开特别会议。理事会会议须由三分之二以上理事出席,其决议须经出席会议的三分之二以上的理事表决同意方为有效。理事会决议应当在会议结束后两个工作日内报证监会备案。

根据《上海证券交易所章程》的规定:会员理事遇下列情况之一,经理事会审核同意,会员大会通过后,其理事资格终止:(1)会员资格被终止;(2)会员提出不再担任理事;(3)不能正常履行会员义务,并对证券交易市场造成严重影响;(4)因指派理事代表不符合规定,且拒不改派;(5)会员有重大违法行为或严重违反证券交易所章程、业务规则的行为;(6)会员大会认定的其他情况。非会员理事有下列情况之一的,理事会可以提请中国证监会终止其理事资格:(1)被认定为证券市场禁入者;(2)在证券交易所会员公司兼职;(3)严重违反国家法律、法规、规章、政策的有关规定；(4)其他情况。

第一百零七条　证券交易所设总经理一人，由国务院证券监督管理机构任免。

【释义】 本条是对证券交易所总经理的规定。

本条关于总经理的设置的规定包括下述两个方面的内容：

1. 总经理的设置。总经理是证券交易所的常设机构，也是必设机构。总经理连续任职不得超过两届。总经理在理事会领导下负责证券交易所的日常管理工作，为证券交易所的法定代表人。根据《证券交易所管理办法》的规定，证券交易所设总经理一人，副总经理一至三人。总经理、副总经理由证监会任免。总经理、副总经理任期三年。总经理因故临时不能履行职责时，由总经理指定的副总经理代其履行职责。总经理的职责包括：(1)组织实施会员大会和理事会决议，并向其报告工作；(2)主持证券交易所的日常工作；(3)决定证券交易所的机构设置；(4)聘任或解聘证券交易所总经理助理、部门负责人及其他管理人员；(5)代表证券交易所对外处理有关事务；(6)中国证监会授予的其他职责。

2. 总经理由国务院证券监督管理机构任免。这是一个具有中国特色的规定，按照通常的理解，在证券交易所实行会员制的国家里，总经理一般是由理事会任免的，而我国规定由国务院证券监督管理机构任免，理事会无权任免总经理。这样规定的目的是加强对证券交易所总经理的监管，保障交易所合法合规稳定运行。

第一百零八条①　有《中华人民共和国公司法》第一百四十七

---

① 2014年8月31日《全国人民代表大会常务委员会关于修改〈中华人民共和国保险法〉等五部法律的决定》将本条中的“有《中华人民共和国公司法》第一百四十七条规定的情形”修改为“有《中华人民共和国公司法》第一百四十六条规定的情形”。

条规定的情形或者下列情形之一的，不得担任证券交易所的负责人：

（一）因违法行为或者违纪行为被解除职务的证券交易所、证券登记结算机构的负责人或者证券公司的董事、监事、高级管理人员，自被解除职务之日起未逾五年；

（二）因违法行为或者违纪行为被撤销资格的律师、注册会计师或者投资咨询机构、财务顾问机构、资信评级机构、资产评估机构、验证机构的专业人员，自被撤销资格之日起未逾五年。

【释义】 本条是对证券交易所负责人任职资格的限制条件的规定。

所谓任职资格，是指担任证券交易所负责人的条件。对于证券交易所负责人的范围，本法未作规定，一般认为包括证券交易所的理事、监事、总经理、副总经理等。按照本条规定以下两种情况不能担任证券交易所负责人：

（一）有《中华人民共和国公司法》第一百四十七条规定的情形之一的不能担任。公司法对公司负责人的任职资格作了规定，本法也适用该规定。按照公司法第一百四十七条的规定，有下列情形之一的，不得担任证券交易所的负责人：(1)无民事行为能力或者限制民事行为能力；(2)因贪污、贿赂、侵占财产、挪用财产或者破坏社会经济秩序，被判处刑罚，执行期满未逾五年，或者因犯罪被剥夺政治权利，执行期满未逾五年；(3)担任破产清算的公司、企业的董事或者厂长、经理，对该公司、企业的破产负有个人责任的，自该公司、企业破产清算完结之日起未逾三年；(4)担任因违法被吊销营业执照责令关闭的公司、企业的法定代表人，并负有个人责任的，自该公司、企业被吊销营业执照之日起未逾三年；(5)个人所负数额较大的债务到期未清偿。

（二）有本条规定情况之一的不能担任：

1. 因违法行为或者违纪行为被解除职务的证券交易所、证券登记结算机构的负责人或者证券公司的董事、监事、高级管理人员，自被解除职务之日起未逾五年的。这一规定，包括下述内容：

(1)限制的对象。限制对象为三大类：一大类是，被证券交易所开除职务的负责人包括理事、监事、总经理、副总经理等。另一大类是，被证券登记结算机构解除职务的董事、监事、经理等负责人员。第三大类是，被证券公司解除职务的董事、监事和高级管理人员。上述三大类人员均应当是违反法律、法规、行政性规章的规定或者违反本行业、本所或者本公司的纪律而被解除职务的人员。

(2)限制的时间。上述三类人员被限制的时间为五年，这五年的起算时间为被解除职务时。如果超过五年的，就可以担任证券交易所的负责人。需要说明的是，这里限制对象均是被解除职务的人员，所谓解除职务，是指由证券交易所的会员大会、证券登记结算机构的权力机构或者证券公司的权力机构，根据法律、行政法规和内部规章制度的规定，免去其行政职务，但是还可以在其单位担任从事其他业务活动的一般职务。

2. 因违法行为或者违纪行为被撤销资格的律师、注册会计师或者投资咨询机构、财务顾问机构、资信评级机构、资产评估机构、验证机构的专业人员，自被撤销资格之日起未逾五年。这一项是对被中介服务机构解除职务的人员的限制。这一规定，包括下述内容：

(1)限制的对象。限制对象为被中介服务机构解除职务的人员包括：第一，被司法行政部门吊销律师执业证书的人员。根据《中华人民共和国律师法》第四十五条的规定，律师有下列行为之一的，由省、自治区、直辖市人民政府司法行政部门吊销律师执业证书：(1)泄露国家秘密的；(2)向法官、检察官、仲裁员以及其他有关工作人员行贿或者指使、诱导当事人行贿的；(3)提供虚假证据，隐瞒重要事实或者威胁、利诱他人提供虚假证据，隐瞒重要事实的。律师因故意犯罪受刑事处罚的，应当吊销其律师执业证书。

第二,被吊销注册会计师证书的人员。根据《中华人民共和国注册会计师法》的第十三条的规定,除法定情形外,注册后有下列情形之一的,由准予注册的注册会计师协会撤销注册,收回注册会计师证书:(1)完全丧失民事行为能力的;(2)受刑事处罚的;(3)因在财务、会计、审计、企业管理或者其他经济管理工作中犯有严重错误受行政处罚、撤职以上处分的;(4)自行停止执行注册会计师业务满一年的。第三,投资咨询机构、财务顾问机构、资信评级机构、资产评估机构、验证机构被吊销执业证书的专业人员。投资咨询机构、财务顾问机构、资信评级机构、资产评估机构、验证机构的专业人员是指在投资咨询机构、财务顾问机构、资信评级机构、资产评估机构、验证机构从业并取得执业证书的人员。这些人员如果违反法律、法规和内部纪律,由有关法定的机构收回有关的执业证书。

(2)限制的时间。上述三类人员被限制的时间为五年,这五年的起算时间为被撤销资格时。如果超过五年的,仍可以担任证券交易所的负责人。需要说明的是,这里所说的"撤销资格"应当理解为撤销上述三类人员执业证书。

第一百零九条　因违法行为或者违纪行为被开除的证券交易所、证券登记结算机构、证券服务机构、证券公司的从业人员和被开除的国家机关工作人员,不得招聘为证券交易所的从业人员。

【释义】 本条是对招聘证券交易所从业人员的限制条件的规定。包括下述内容:

1. 限制的对象。限制对象为五类人员:第一类人员是被开除的证券交易所的从业人员。证券交易所的从业人员是指所有在证券交易所任职的工作人员,比如理事、总经理及其他人员。第二类人员是被开除的证券登记结算机构的从业人员;第三类人员是被开除的证券公司的董事、监事、高级管理人员及其他工作人员。第四类人员是被开除的证券服务机构的从业人员，包括投资咨询机构、财务顾问机构、资信评级机构、资产评估机构、验证机构从事证券业务的专业人员。第五类人员是被开除的国家机关的工作人员。这类人员包括国家公务员和公务员以外的工勤人员。

2. 限制的原因。这些人员因为违反法律、法规、内部组织纪律被开除。之所以不允许这些人员再任职，主要考虑的是这些人员在一定程度上已经失去人们的信任，同时也需要给这些人一定的惩罚，使其他人员注意遵纪守法。

3. 限制的时间。这些人自被开除之日起永远不能担任证券交易所的工作人员。

第一百一十条　进入证券交易所参与集中交易的，必须是证券交易所的会员。

【释义】　本条是对参与证券交易所集中交易的主体的规定。

我国现有的上海、深圳证券交易所都是会员制交易所，因此本条规定，在证券交易所参与集中交易的必须是证券交易所的会员。如果不是证券交易所的会员则不能成为在证券交易所内参与集中交易的主体。

1. 会员的资格条件。按照《证券交易所管理办法》的规定，证券交易所接纳的会员应当是有权部门批准设立并具有法人地位的境内证券经营机构。证券经营机构即证券公司，是指依照公司法、本法的规定成立并经国务院证券监督管理机构审查批准的从事证券经营业务的有限责任公司和股份有限公司。《上海证券交易所章程》规定证券交易所的会员必须同时具备下列条件：(1)经中国证监会依法批准设立、具有法人地位的证券公司；(2)具有良好信誉和经营业绩；(3)组织机构和业务人员符合中国证监会和证券交易所规定的条件，符合证券交易所对技术风险防范提出的各项要求；(4)承认证券交易所章程和业务规则，按规定交纳会员费、席位费及其他费用;(5)证券交易所要求的其他条件。具备上述规定条件的证券公司,在向证券交易所提出申请并提供相应的申报文件,经理事会批准后,方可成为证券交易所的会员。证券交易所接纳会员应当在决定接纳后五个工作日内向中国证监会备案。

2. 证券交易所会员享有下列权利:(1)参加证券交易所会员大会;(2)选举权和被选举权;(3)对证券交易所事务的建议权和表决权;(4)进入证券交易所市场从事证券交易及享受证券交易所提供的服务;(5)对证券交易所事务和其他会员的活动进行监督;(6)在保留至少一个交易席位的情况下,可转让交易席位;(7)其他相应的权利。

3. 证券交易所会员承担下列义务:(1)遵守国家的有关法律、法规、规章和政策,依法开展证券经营活动;(2)遵守证券交易所章程、业务规则及其他相关规章制度,执行证券交易所决议;(3)派遣合格代表从事证券交易活动;(4)履行对证券交易所市场的交易及交收义务;(5)保证投资者的合法权益;(6)维护交易市场的稳定发展;(7)按规定交纳各项经费和提供有关信息资料;(8)接受证券交易所的监管;(9)其他相关的义务。

4. 会员资格的终止:(1)由会员提出申请,并经证券交易所理事会批准;(2)取得会员资格后三个月内未办妥入市手续或未开设证券交易所业务;(3)会员法人实体解散、被撤销或依法宣告破产;(4)不符合章程规定的会员条件;(5)不能继续履行正常的交易及交收义务;(6)其他违反国家法律、法规的行为。

第一百一十一条　投资者应当与证券公司签订证券交易委托协议,并在证券公司开立证券交易账户,以书面、电话以及其他方式,委托该证券公司代其买卖证券。

【释义】 本条是对投资者买卖证券程序的规定。

本条所讲投资者,是指买卖证券的单位或者个人。投资者在证券交易所买卖证券必须通过有会员资格的证券公司进行，自己不能直接在证券交易内进行交易，如果允许投资者直接到证券交易所内进行交易，会给证券交易所的管理带来很多不便。所以，本条规定，投资者只能通过委托证券公司的方式在证券交易所买卖证券。

投资者买卖证券的程序包括下列几项：

1. 与证券公司签订证券交易委托协议。

投资者买卖证券，必须先与证券公司签订证券交易委托协议，未签订证券交易委托协议的，不得买卖证券。证券交易委托协议一般由证券公司统一印制，供委托人使用。协议一经签订，投资者即成为该证券公司的客户。证券交易委托协议应当包括但不限于下列内容：

(1)证券公司与客户遵守有关业务规则的承诺；

(2)证券公司已向客户揭示证券买卖的各类风险，包括不同委托方式的风险；

(3)客户表明证券公司已向其说明证券买卖的各类风险；

(4)会员受托业务范围和权限；

(5)指定交易或转托管有关事项；

(6)客户开户所需证件及其有效性的确认方式和程序；

(7)委托、交收的方式、时间、内容和要求；

(8)交易结算资金及证券管理的有关事项；

(9)交易费用及其他收费说明；

(10)证券公司对客户委托事项的保密责任；

(11)客户应当履行的交收责任；

(12)违约责任及免责条款；

(13)争议解决办法。

委托书经双方盖章或者签字成立。证券公司不得接受客户的全权委托而决定证券买卖、选择证券种类、决定买卖数量或者买卖价格,也不得对客户买卖证券的收益或者赔偿证券买卖的损失作出承诺。

2. 在证券公司开立证券交易账户。

投资者到证券公司办理账户,包括:

(1)向证券公司办理名册登记。投资者必须持自己的身份证或者法人证明向证券公司办理名册登记。名册登记主要包括:就个人来讲,名册主要登记投资者个人的姓名、性别、身份证号码、家庭住址、职业、联系电话,同时留存印鉴和签名卡样;就法人来讲,主要包括法人证明,法定代表人委托代理人的书面委托书及法定代表人和代理人的姓名、性别等。

(2)开立证券和资金账户。证券账户是为了证券交易方便,在证券登记结算机构开立的专门保存证券的账户,用于记录投资者所持有的证券种类和数量。除了国家法律、法规禁止的一些自然人和法人之外,其他任何自然人或法人持有效证件,均可向证券登记机构申请开设证券账户。每个投资者在一个交易所交易,只允许开立一个证券账户。已开立证券账户的投资者应当持证券账户和身份证向自己选择的证券公司申请开立资金账户。资金账户用于存放投资人买入证券所需的资金和卖出证券取得的价款等。根据本法第一百三十九条第一款的规定,证券公司客户的交易结算资金应当存放在商业银行,以每个客户的名义单独立户管理。

3. 确定证券买卖委托方式。这是指投资者向证券公司提出买卖证券的指令,由证券公司在交易所代其完成证券交易。按照本条规定,投资者可以选择下述证券买卖委托方式:

(1)书面方式,是指由投资者以书面的形式比如现场填写委托书、电报、传真、信函等向证券公司写出自己的委托内容和要求,由证券公司代为买卖证券。书面委托是历史最悠久的一种委托方式。

(2)电话方式,是指由投资者以电话的形式将委托的内容和要求向证券公司提出，证券公司根据委托代为买卖证券。

(3)其他方式，是指上述两种委托方式以外的方式。随着交易技术的不断发展，证券公司相继开办了电脑终端委托、触摸屏委托等方式。目前，我国上海、深圳证券交易所接受客户买卖委托的形式主要有柜台委托、电话委托和电脑委托。近年来，随着计算机互联网技术的迅速发展，使得网上证券委托交易方式逐渐成熟，中国证监会于 2000 年 4 月 13 日正式发布实施《网上证券委托暂行管理办法》，对证券公司网上委托业务的业务规程、技术准备和信息披露等进行了规范，这标志着我国网上证券委托交易也步入了规范发展的轨道。

此外，按委托价格方式不同，委托又可分为市价委托和限价委托。市价委托，是指投资者要求所委托的证券公司按照市场的价格买卖证券，也就是按照最高价卖出或者最低价买进。这种委托的特点是速度快，常常是在出售证券时，特别是在市场价格下跌时采用。限价委托，是指投资者要求自己委托的证券公司按照限定的价格幅度买卖证券，即投资者限定买进的最高价或者卖出的最低价，证券公司也应当按照限定的价格标准进行买卖。证券公司以低于限价买进或者高于限价卖出，属于允许的范围。

第一百一十二条　证券公司根据投资者的委托，按照证券交易规则提出交易申报，参与证券交易所场内的集中交易，并根据成交结果承担相应的清算交收责任；证券登记结算机构根据成交结果，按照清算交收规则，与证券公司进行证券和资金的清算交收，并为证券公司客户办理证券的登记过户手续。

【释义】　本条是对证券公司接受委托买卖证券的程序的规定。

一、证券公司提出交易申报

根据本条规定，证券公司根据投资者的委托，按照证券交易规则提出交易申报。所谓按照投资者的委托，是指证券公司必须根据证券交易委托协议，按照投资者的指令提出交易申报。按照证券交易规则是指证券公司应当按照证券交易规则中申报内容、方式及程序等有关规定进行交易申报。

二、成交

成交是指证券公司相互间通过就买卖证券的价格、数量达成一致，成立证券买卖合同的过程。现以电脑竞价成交方式为例对成交作一说明。证券公司接受投资者委托后，将交易申报通过电脑输入证券交易所电脑主机，电脑主机收到申报后按证券品种、价格、数量排列，并发出已接受的通知，再将各方交易申报按规定的顺序和原则自动撮合成交，并通知双方在成交单上签字盖章，交易即告成立。成交的同时，电脑主机将成交情况输送显示在行情显示屏上。证券交易于成立时生效，买卖双方必须承认交易结果，履行清算交收义务，任何一方不得反悔。如证券公司的业务人员未按照投资者的委托进行买卖申报或者操作失误，证券公司根据成交结果承担相应的责任，投资者有权要求证券公司赔偿其经济损失。

三、证券登记结算机构根据成交结果，按照清算交收规则，与证券公司进行证券和资金的清算交收

清算是指证券公司将接受委托而代理买进或卖出证券的数量、金额相互抵冲核销后，按其差额进行结算的过程。交收是指证券买卖成交后，买方支付价款，收取证券，卖方交付证券、收取价款的过程。清算交收是证券交易的最后履约阶段。证券买卖成交后，买卖双方的投资者需通过各自委托的证券公司进行现金和证券的交收。买入证券者获得证券，同时交付现金；卖出证券者交付证券，同时获得现金。清算交收分为两个阶段：一是证券公司与证券登记结算机构进行清算交收；二是投资者与证券公司进行清算交收。在我国，由于实行无纸化电脑交收，采用集中保管证券方

式，所以在一般情况下，办理证券交收时，由证券登记结算机构通过证券集中保管库存账户划转完成，从而使清算交收的时间大大缩短。本条所称的按照“清算交收规则”是指通常遵循的“净额交收”规则，即每一证券公司在一个清算期间，对价款的清算，只交收其应收、应付相抵后的净额，在每个营业日交易所闭市后，由交易所编制当日“清算交收表”和“资金结算一览表”，发送证券公司清算交收人员。证券公司核对无误后，即在交收期限内履行交收手续。证券公司必须按照“清算交收表”中所载小项足额办理交收。在办理价款交收时，如果是应付价款，则须如数将款项划到证券登记结算机构的账户；如果是应收价款，则由证券登记结算机构将款项划至收款人的账户。证券公司必须按规定的时间办理清算交收。如果不按规定时间办理清算交收，或者交收的价款、证券有错，证券公司要承担相应的责任。

四、证券登记结算机构为证券公司客户办理证券的登记过户手续

登记过户是指证券交易成交后，由证券登记结算机构根据成交结果，将证券所有权从卖主过户到买主，并在投资者的账户进行登记的行为。由于我国证券交易实行结账保管和无纸化交易，实行电脑交易过户一体化后，所有的登记过户手续全部由电脑过户系统一次完成。在交易完成后，对买入证券的投资者立即在其证券账户内增加该证券数量，同时在卖出方证券账户上减少相应的数量，投资者无需再另外办理登记过户手续。

第一百一十三条　证券交易所应当为组织公平的集中交易提供保障，公布证券交易即时行情，并按交易日制作证券市场行情表，予以公布。

未经证券交易所许可，任何单位和个人不得发布证券交易即时行情。

【释义】 本条是对证券交易所义务的规定。

为组织公平的集中交易提供保障是证券交易所的义务之一。国家设立证券交易所目的是确保证券交易有序运行，保证投资者有一个公平交易的场所。所以，本条要求证券交易所要为组织公平的集中交易提供保障。这里所说的保障应当是一种综合保障，包括技术保障、场地保障、设施保障、人员保障等。随着科学技术的发展，电脑技术被大量运用以提高证券交易所的运作效率。我国的上海、深圳证券交易所经过多年的发展，也逐步实现了高度的无形化和电脑化。在这种情况下，传统的针对原始形式的有形席位的一些保障措施都已渐渐不再重要，最重要的保障对象成为证券交易所的电脑运行系统。证券交易所的电脑运行架构分为交易系统、结算系统、信息系统、监察系统四大模块，保障这一系统的正常、安全运行便成为证券交易所的一项重要任务。尤其是近年来随着计算机因特网技术的发展，网上犯罪行为如黑客等日益频繁，维护电脑运行系统的安全运行，提高交易效率便成为证券交易所一项繁重的任务。

公布交易信息也是证券交易所的义务之一。信息公开是证券市场的一个重要规则，也是保证证券交易正常运行的基础，只有信息公开，才能保护投资者的利益，使投资者根据市场的基本情况来判断自己是否进行投资。为此，本条规定了证券交易所公开证券交易信息的义务。本条规定的公布证券交易即时行情，是指应将证券交易的随时行情公布出来，目前是通过电子系统进行公布。行情表一般包括证券代码、证券的名称、开盘价、昨日收盘价、成交量、证券的即时价格等。另一种公布交易信息是按交易日公布交易行情。是指证券交易所在每个交易日结束后，将该日的交易情况整理清楚，制作行情表，并在中国证监会指定的媒体上进行批露。按日制作的证券市场行情表反映一天内某一证券基本情况必须公布，目前主要是通过报刊的方式进行公布的。该表一般记载下列事项：上市证券的名称；开市、最高、最低及收市价格；与前一个交易日收市比较后的涨跌情况；成交量、值的分计及合计；股价指数及其涨跌情况；证监会要求的其他事项。

证券交易即时行情是投资者对证券作出客观判断的重要依据。发布证券交易即时行情必须准确及时，不能延迟和出现差错，否则会给投资者造成不必要的损失。发布虚假的证券交易即时行情更是会造成严重的后果。因此，对发布证券交易即时行情必须要有严格的要求。未经证券交易所许可，任何单位和个人不得发布证券交易即时行情。

第一百一十四条　因突发性事件而影响证券交易的正常进行时，证券交易所可以采取技术性停牌的措施；因不可抗力的突发性事件或者为维护证券交易的正常秩序，证券交易所可以决定临时停市。

证券交易所采取技术性停牌或者决定临时停市，必须及时报告国务院证券监督管理机构。

【释义】　本条是对证券交易所技术性停牌、临时停市的规定。

采取技术性停牌的措施和决定临时停市是本法规定的证券交易所的一项职权。这项职权包括下述内容：

1. 技术性停牌和临时停市的含义。技术性停牌是指上市的证券因技术性原因而被证券交易所暂时停止上市。临时停市是指证券交易所在一定时期因特殊原因而暂停营业。根据本条规定，技术性停牌措施的适用条件是突发性事件发生影响证券交易正常进行；临时停市的条件是不可抗力的突发性事件的发生或为维护证券交易市场的秩序。

2. 技术性停牌和临时停市的原因。出现下列情况，证券交易所可以决定技术性停牌和临时停市：（1）因不可抗力、意外事故、技术故障或者非证券交易所能够控制的其他异常情况之一，导致部分或者全部交易不能进行的；(2)出现无法申报的交易席位数量超过证券交易所已开通席位总数的百分之十以上的，或者行情传输中断的营业部数量超过营业部总数的百分之十以上的异常交易情况，严重影响交易进行的。

3. 技术性停牌和临时停市的后果。证券交易所应当对技术性停牌和临时停市的决定予以公告。除证券交易所认定的特殊情况之外，技术性停牌和临时停市前交易主机已经接受的申报有效。因采取技术性停牌和临时停市的措施造成的损失，证券交易所不承担责任。技术性停牌和临时停市的原因消除后，证券交易所可以决定恢复交易。

4. 技术性停牌和临时停市的报告。本条第二款规定，证券交易所采取技术性停牌或者决定临时停市，必须及时报告国务院证券监督管理机构。由于技术性停牌、临时停市是一种较为严重的应急措施，其涉及面广，影响也较大，因此，技术性停牌和临时停市的决定应由证券交易所作出，并应当及时向国务院证券监督管理机构报告。

总体看来，证券交易所在出现突发情况时采取技术性停牌的措施和决定临时停市，有利于保护投资者的利益，使投资者赢得时间对市场行情及其走向进行充分的分析和预测，减少了投资的盲目性，对于维护证券交易所的正常交易秩序具有重要的意义。

第一百一十五条　证券交易所对证券交易实行实时监控，并按照国务院证券监督管理机构的要求，对异常的交易情况提出报告。

证券交易所应当对上市公司及相关信息披露义务人披露信息进行监督，督促其依法及时、准确地披露信息。

证券交易所根据需要，可以对出现重大异常交易情况的证券

账户限制交易,并报国务院证券监督管理机构备案。

【释义】 本条是对证券交易所对证券交易实行监控并监督上市公司披露信息、对异常证券账户限制交易的规定。

证券交易所是证券市场的组织者,直接面对上市公司、投资者、证券公司和广大中介机构,能够对证券交易进行实时监控,这种特殊的角色、职能和优势,客观上要求证券交易所承担起对会员公司、上市公司、证券交易的一线监管责任。证券交易所在提供证券交易场所的同时,还有监督管理证券交易正常有序进行的职能,这是国际上通行的做法。我国证券市场实行集中统一监管模式,由中国证监会行使统一监管权。但这并不排除证券交易所对证券交易实行自律监管,是我国证券监管体制的重要一环。首先,证券交易所的先天因素决定了其比行政机关更加熟悉行业内的运作,更加容易掌握市场的真实情况。其次,作为证券交易的组织者,交易所拥有大量的第一手信息,这就意味着由其进行检查和监督会更有效率。本法明确赋予证券交易所一定的监管职能,实时监控权与信息披露监督权就是其中重要的部分。

1. 实时监控。所谓实时监控,是指证券交易所为实现对证券交易的有效监督和管理,通过电脑程序对证券交易情况进行统计分析并及时警示非正常交易的监控措施。证券交易所电脑运行系统均设有监控系统,专门履行实时监控任务。其日常监控主要包括四方面的内容:

(1)行情监控。它是指对交易行情进行实时监控,观察股票价格、股价指数、成交量等的变化情况,如果出现股价或指数突然大幅度波动或成交量突然放大等,监控人员可以立即掌握情况,作出判断。

(2)交易监控。它是指对异常交易进行跟踪,如果异常交易是由违规引起的,则对违规者进行调查。

(3)证券监控。它是指对证券卖出情况进行监控,如果发现某证券账户中没有证券或数量不足而卖出证券，构成卖空，则对相应的证券商进行处罚。

(4)资金监控。它是指对证券交易和新股发行的资金进行监控，如果买入证券未及时补足清算头寸，构成买空，监控系统可以立即根据实际情况，作出判断。

本条还规定证券交易所有义务将本交易所内的异常情况，按照国务院证券监督管理机构的要求，向国务院证券监督管理机构报告。

2. 对信息披露的监督。上市公司信息披露是公开原则在证券市场中的体现。证券交易所作为集中的证券交易场所，必须以维护投资者利益、充分保障公平交易为基本原则。上市公司的信息对于投资者的决策具有重要的参考作用，证券交易所应当尽责监督上市公司及相关信息披露义务人依法及时、准确地披露信息，保证投资者及时获取上市公司的信息。本条的规定，为证券交易所行使信息披露监督权提供了权威的法律依据。上市公司及相关信息披露义务人应当披露的信息包括招股说明书、债券募集办法、上市公告书、定期报告和临时报告等。

3. 限制交易。本条第三款规定，证券交易所根据需要，可以对出现重大异常交易情况的证券账户限制交易，并报国务院证券监督管理机构备案。这是本次修改新增加的内容。

异常交易行为会损害投资者利益，严重危害证券市场发展。因此，应当赋予证券交易所限制证券交易的权力，强化交易所一线监管职能。交易所实时监控系统可以捕捉到部分违反交易规则的异常交易行为，将预先设置合理监控指标，对证券交易价格剧烈波动或者严重背离指标的情形，及时检查、专项监控，对出现重大异常交易情况的证券账户限制交易。如果存在内幕交易或市场操纵嫌疑，要上报证监会立案查处。根据本条规定，证券交易所对证券账户进行限制交易，应当报国务院证券监督管理机构备案。

第一百一十六条 证券交易所应当从其收取的交易费用和会员费、席位费中提取一定比例的金额设立风险基金。风险基金由证券交易所理事会管理。

风险基金提取的具体比例和使用办法，由国务院证券监督管理机构会同国务院财政部门规定。

【释义】 本条是对证券交易所风险基金的规定。

证券交易所风险基金是指用于弥补证券交易所重大经济损失，防范与证券交易所业务活动有关的重大风险事故，以保证证券交易活动正常进行而设立的专项基金。但是，这一基金并不保护投资者由于市场欺诈行为而遭受到的证券价值损失，也不保护因不可抗力事件导致的损失。

风险基金的来源包括：(1)交易费用。按证券交易所收取的交易费用的百分之二十提取，单独列账；(2)会员费。按证券交易所收取的会员费用的百分之十的比例一次性提取，单独列账；(3)席位费。按证券交易所收取席位年费的百分之十提取，单独列账；(4)按新股申购冻结资金利差账面余额的百分之十五，一次性提取；(5)对违规会员的罚款、罚息收入。

根据本条规定，风险基金由证券交易所的理事会进行管理。证券交易所的理事会应当指定专门机构，负责风险基金的日常管理和使用。本法第一百一十七条规定，证券交易所应当将收存的风险基金存入开户银行专门账户，不得擅自使用。

对于风险基金提取的具体比例和使用办法，本条规定由国务院证券监督管理机构和国务院财政部门作具体的规定。也就是说，本法授予了国务院证券监督管理机构和国务院财政部门一项法定的职权，即制定风险基金提取的具体比例和使用办法。2000年4月4日，中国证监会、财政部颁布了《证券交易所风险基金管理暂行办法》。对风险基金的概念、基金来源和提取的具体比例、使用办法等作了详细的规定。

第一百一十七条　证券交易所应当将收存的风险基金存入开户银行专门账户,不得擅自使用。

【释义】　本条是对证券交易所不得擅自使用风险基金的规定。

风险基金是一种法定的有特殊用途的基金,只有发生了特定的情况时才能动用。只有这样才能保护广大客户、会员的利益,保证证券交易的正常运行。为此,本条给证券交易所设定了一项法定的义务,即专款专用,不得擅自动用。具体来讲包括:

(1)存入专门的账户。上面讲到风险基金是具有特殊用途的基金,应当开立专门的账户全部存入证券交易所开户的国有商业银行,存款利息全部转入基金专户。不得同其他的有关资金存入一个账户,以免同其他的资金混同。

(2)风险基金资产与证券交易所资产分开列账。基金应当下设分类账,分别记录基金资产、利息收入及对应的资产本息使用情况。

(3)不得擅自使用。不得擅自使用是指不得违反本法的规定任意动用风险基金,将风险基金挪作他用,或者不按照规定的数量使用等。证券交易所动用风险基金时,必须报经证监会商财政部后批准。动用后,证券交易所应当向有关责任方追偿,追偿款转入本基金。

第一百一十八条　证券交易所依照证券法律、行政法规制定上市规则、交易规则、会员管理规则和其他有关规则,并报国务院证券监督管理机构批准。

【释义】　本条是对证券交易所依法制定业务规则的规定。

证券交易市场是一个有秩序的市场,而市场有秩序就必须有自己的制度建设。制度建设可以规范证券业务经营活动,可以强化证券交易所的自律监管职能。证券交易所负有制定业务规则对证券市场进行规范的权利和义务,该业务规则是证券经营活动的自律性规范。业务规则是证券交易所管理证券市场以及证券市场参与者参与市场活动的主要依据。证券市场参与者应当受业务规则的约束。

根据本法和《证券交易所管理办法》等法律、法规的有关规定,证券交易所业务规则主要包括:

(1)上市规则,是证券交易所规范上市公司上市行为的规定。主要规范了证券交易所的职权和上市公司的义务。主要内容包括:①证券上市的条件、申请和批准程序以及上市协议的内容及格式;②上市公告书的内容及格式;③上市保荐人的资格、责任、义务;④上市费用及其他有关费用的收取方式和标准;⑤对违反上市规则行为的处理规定;⑥其他需要在上市规则中规定的事项。

(2)交易规则,是证券交易所与参与证券交易的会员之间达成的有关证券交易的行为规范。内容包括:①交易证券的种类和期限;②证券交易方式和操作程序;③证券交易中的禁止行为;④清算交收事项;⑤交易纠纷的解决;⑥上市证券的暂停、恢复与取消交易;⑦证券交易所的开市、收市、休市及异常情况的处理;⑧交易手续费及其他有关费用的收取方式和标准;⑨对违反交易规则行为的处理规定;⑩证券交易所证券交易信息的提供和管理;⑪股价指数的编制方法和公布方式;⑫其他需要在交易规则中规定的事项。

(3)会员管理规则,是指证券交易所对会员管理的基本规则。主要内容包括:①取得会员资格的条件和程序;②席位管理办法;③与证券交易和清算业务有关的会员内部监督、风险控制、电脑系统的标准及维护等方面的要求;④会员的业务报告制度;⑤会员所派出市代表在交易场所内的行为规范;⑥会员及其出市代表违法、违规行为的处罚;⑦其他需要在会员管理规则中规定的事项。

(4)其他有关规则,如证券交易所从业人员规则、证券交易所营业细则等。

证券交易所应当在其职能范围内制订业务规则，不得违反法律、行政法规的有关规定。业务规则由证券交易所理事会通过后，必须经过国务院证券监督管理机构批准方能生效

第一百一十九条 证券交易所的负责人和其他从业人员在执行与证券交易有关的职务时，与其本人或者其亲属有利害关系的，应当回避。

【释义】 本条是对证券交易所负责人和其他从业人员执行职务应当回避的规定。

证券交易所只有做到公开、公平、公正才能够起到其应有的作用。证券交易所应保证参与证券交易的各方的利益不受侵犯和保证证券交易过程中的高效和秩序。为了达到公开、公平、公正的目的，本条作了回避的规定。所谓回避，是指证券交易所的理事、总经理等负责人和其他从事证券交易工作的人员在执行与证券交易有关的职务与自己或者自己的亲属有利害关系时，应当退出由他人来处理。

根据本条规定，回避的人员包括下述两大类：第一类是，证券交易所的负责人员，主要包括：(1)理事。证券交易所的理事是证券交易所理事会成员，一般是由会员提名经会员大会选举产生。理事分为会员理事和非会员理事。这里所讲的理事包括上述两种。理事是证券交易所的常设人员，属于证券交易所管理机构的成员，了解证券交易中的有关问题，如果其处理问题不公正，会影响整个交易秩序。所以，其在处理法定问题时必须回避。(2)总经理。总经理是由证券监督管理机构任命的，负责证券交易所的日常管理工作。其执行与证券交易有关的职务时也必须公正。第二类是，证券交易所负责人员以外的其他从业人员。其他从业人员是指副总经理、各部门经理、技术人员等人员。这些人在执行与

证券交易有关的职务时，凡与其本人或者其亲属有利害关系的，也应当回避。

本条规定了上述人员回避的条件：

其一，执行的是与证券交易有关的职务。比如是审查上市公司是否符合上市的基本条件、上市公司在交易过程中是否有违法行为等。如果其执行的不是与证券交易有关的职务，则没有回避的问题。其二，与其本人或者其亲属有利害关系。所谓有利害关系，是指处理的对象和自己或者自己的亲属有一定的恩怨或者处理时对自己或亲属有利或者对他人不利的情形等。上述两个条件必须同时具备，缺少其中一项，不需要回避。需要说明的是，本条对于如何回避，谁来提出等具体的情况，没有作出具体的规定，为便于操作，证券交易所的业务规则应当依据本条规定的基本原则作出具体的规定。

第一百二十条 按照依法制定的交易规则进行的交易，不得改变其交易结果。对交易中违规交易者应负的民事责任不得免除；在违规交易中所获利益，依照有关规定处理。

【释义】 本条是依交易规则进行的交易不得改变交易结果以及违规交易者应当承担的法律责任的规定。

本条规定，按照依法制定的交易规则进行的交易，不得改变其交易结果。由于证券交易市场主体变化很大，涉及众多的投资者，如果交易结果得以确认后，可以随意改变，整个市场交易秩序就会混乱，影响到众多的投资者的利益。因此，只要是依据证券交易所制定的交易规则进行的交易，不论其交易主体是否发生违规行为，均应予以确认。由此，可以看出这一规则和其他市场的交易规则是不完全一致的，因为在其他的交易活动中，有可能改变已经完成的交易结果。

本条第二款规定，对交易中违规交易者应负的民事责任不得免除;在违规交易中所获利益,依照有关规定处理。交易结果的确认并不否定交易中违规交易者应承担的责任。在交易活动中,虽然交易结果不得改变,但是存在过错的一方应当承担民事赔偿责任。本条规定民事责任不得免除,还有一层意思就是在追究违规交易者行政责任甚至刑事责任的同时,民事责任亦不免除。

在违规交易中所获利益应当按照有关规定进行处理。如果因违规交易给他人造成损失的,违规交易者应当承担赔偿责任。在违规交易中所获利益属于非法获得的利益,除承担赔偿责任外,应当依法没收上缴国库。

第一百二十一条　在证券交易所内从事证券交易的人员,违反证券交易所有关交易规则的,由证券交易所给予纪律处分;对情节严重的,撤销其资格,禁止其入场进行证券交易。

【释义】 本条是对在证券交易所内违规交易人员的纪律处分的规定。

按照本条规定,承担责任的人员为在证券交易所从事证券交易,违反证券交易所有关交易规则的人员,如会员证券公司派出的入场代表。

给予纪律处分的前提,是违反了证券交易所的有关交易规则,这些规则应当包括证券法、证券交易所管理办法、证券交易所章程、证券交易所交易规则等规定中所有有关证券交易的规则,如证券交易方式和操作程序、交易中的禁止行为、交易合同生效和废止条件、清算交收事项、证券交易所和开市、收市、休市及异常情况的处理等。

所谓追究责任的主体,是指在证券交易所内从事证券交易的人员违反了证券交易的有关交易规则时由哪一个机构来追究其责任。按照本条的规定,追究其责任的机构为证券交易所。为什么要由证券交易所来追究其责任呢?其主要原因是,他违反的是证券交易所的有关交易规则。也就是说，违反了一个组织规定，这个组织当然有权对其进行处理。违反证券交易所有关交易规则，证券交易所自然有权处理违反规则的人员。

证券交易所作为法人实体，对从业人员的纪律处分不同于国家行政机关的行政处分或司法处分。其内容应当包括警告、书面通报批评、公开批评、罚款、限制交易、暂停业务等。对情节严重的，撤销其资格，禁止其入场进行证券交易。所谓"情节严重"，是指给客户或者证券交易所造成很大的损失、造成不良影响或者违反证券交易的有关交易规则经过证券交易所的教育仍不改正等行为。撤销交易资格，是指收回颁发的资格证书，不再承认其具有交易人员资格。资格撤销以后，不能再在证券交易所内从事证券交易业务。

第六章 证 券 公 司

第一百二十二条 设立证券公司，必须经国务院证券监督管理机构审查批准。未经国务院证券监督管理机构批准，任何单位和个人不得经营证券业务。

【释义】 本条是对设立证券公司经营证券业务必须经审查批准的规定。

关于设立证券公司的管理制度，国际上的通行做法有两种：一是审批制；二是注册制。所谓审批制是指证券管理机关对申请人提出的设立证券公司的申请，不仅要求申请人依照法定程序提交法律规定的各种申请文件，还要对其提交的申请文件的真实性、准确性和完整性进行实质审查，对符合法定条件的设立申请，予以批准，不符合法定条件的设立申请，不予批准的管理制度。所谓注册制，是指证券管理机关对申请人提出的设立证券公司的申请，不进行实质审查，只要申请人依照法定程序提交了法律规定的各种申请文件，并且申请文件所记载的事项符合法律规定，即可获准设立注册的管理制度。对证券公司的设立实行审批制可以防止信誉不好、资产不良、内部组织机构不健全和缺乏具有法定资格的经营管理人员的证券公司进入资本市场，有利于净化市场环境，增强交易安全，具有一定的防范市场风险的作用。实行注册制可以使设立证券公司更加便利，有利于提高市场效率，降低市场运作成本。

依照本条规定，在我国设立证券公司经营证券业务，实行审批制，即必须经国务院证券监督管理机构审查批准，未经国务院证券监督管理机构批准，不得经营证券业务，这是从我国国情出发作出的立法选择。我国的证券市场建立的时间不长，以上海、深圳两个证券交易所的设立为标志，至今只有十多年的历史，与发达国家相比，经验不足，投资者、管理者、中介机构都不够成熟，风险意识和防范风险的能力较弱。证券公司作为筹资企业与投资者的桥梁和经营证券业务的特殊金融机构，是证券市场的重要参与者，没有规范、守法的证券公司，就不可能有稳定、健康的证券市场。同时，证券公司从事的证券承销、经纪、自营、资产管理及其他证券业务，具有高流动性和高风险性的特点，需要有专门人才、健全的内部管理机制和必要的经营条件。此外，证券公司的数量也要与证券市场的规模、证券业务量的大小以及经济发展的需要相适应。因此，由国务院证券监督管理机构依照法定条件和审慎监管原则对证券公司的设立进行审批，从源头上对证券公司的质量把一道关是必要的。对证券公司的设立实行审批制，也就意味着除经批准设立的证券公司外，其他未经国务院证券监督管理机构批准的任何单位和个人都不得经营证券业务。

第一百二十三条　本法所称证券公司是指依照《中华人民共和国公司法》和本法规定设立的经营证券业务的有限责任公司或者股份有限公司。

【释义】　本条是对证券公司组织形式的规定。

有限责任公司是指依照公司法规定的条件和程序设立的，股东以其认缴的出资额为限对公司承担有限责任，公司以其全部财产对公司的债务承担责任的公司。有限责任公司的主要特点是：(1)股东人数较少，股权转让受到限制，属于资合公司，但又具有人合公司的属性，因此，股东责任心较强，公司比较稳定。(2)内部组织机构的设置、经营管理方式比较灵活，决策比较便捷、迅速。(3)公司的资本不分成等额股份，不发行股票，筹资能力受到限制；股权转让受到限制，股权的流动性差。

股份有限公司是指依照公司法规定的条件和程序设立的，全部资本分成等额股份，股东以其认购的股份为限对公司承担有限责任，公司以其全部财产对公司的债务承担责任的公司。股份有限公司的主要特点是：(1)公司实行股东会、董事会、监事会制度，所有权与经营权分离，有利于政企分开，有利于公司决策的科学性和内部权力的制衡。(2)可以公开发行股份，有利于公司筹集资金。(3)公司股份可以流通转让，有利于社会资源合理配置。(4)通过股票公开发行、上市交易和公司财务、信息的公开，可以提高公司的知名度，强化社会监督，促进公司改善经营管理。(5)公司的设立条件和程序严格，设立公司的难度较大。(6)股东人数多，流动性大，中小股东对公司缺乏责任感。

证券公司的设立必须依照公司法和本法的规定，采取有限责任公司或者股份有限公司形式。主要考虑是：(1)这两种公司形式都是我国公司法所规范的公司形式，从公司设立到终止，其组织和行为全部受到公司法的严格规范。(2)解决了所有者与经营者之间的财产关系，产权明晰，公司股东作为出资者按投入公司的资本享有资产受益、参与重大决策和选择管理者等权利；公司财产独立，并对其财产享有法人财产权。(3)责任形式明确，有限责任公司的股东以其认缴的出资额为限对公司承担责任，股份有限公司的股东以其认购的股份对公司承担责任，公司以其全部财产对公司的债务承担责任。(4)公司实行股东会、董事会、监事会制度，各机构权责分明，有利于形成合理、完善的决策、监督机制。证券公司作为经营证券业务的金融机构，其自身的组织和行为是否规范对证券市场的稳定和发展影响重大，应当采取有限责任公司或者股份有限公司的形式，接受公司法和本法的规范。具体采取哪一种公司形式，可以由设立证券公司的发起人或者股东根据公司的业务性质和发展要求自行决定。

第一百二十四条　设立证券公司,应当具备下列条件:

(一)有符合法律、行政法规规定的公司章程;

(二)主要股东具有持续盈利能力,信誉良好,最近三年无重大违法违规记录,净资产不低于人民币二亿元;

(三)有符合本法规定的注册资本;

(四)董事、监事、高级管理人员具备任职资格,从业人员具有证券从业资格;

(五)有完善的风险管理与内部控制制度;

(六)有合格的经营场所和业务设施;

(七)法律、行政法规规定的和经国务院批准的国务院证券监督管理机构规定的其他条件。

【释义】　本条是对证券公司设立条件的规定。

根据本条规定,设立证券公司应当具备下列条件:

1. 有符合法律、行政法规规定的公司章程。公司章程是记载公司组织规范及行为准则的法律文件。根据公司法和有关行政法规的规定,证券公司的章程应当主要载明下列事项:公司名称和住所;公司经营范围;公司注册资本;有限责任公司股东的姓名或者名称;股东的权利和义务;有限责任公司股东的出资方式和出资额,或者股份有限公司股份总数、每股金额、发起人的姓名或者名称、认购的股份数;有限责任公司股东转让出资的条件;公司的机构及其产生办法、职权、议事规则;公司的法定代表人;公司的解散事由与清算办法等。同时,证券公司与普通公司不同,本法及有关行政法规对其注册资本、人员、机构、风险管理和内部控制制度以及行为规范有特殊要求,证券公司的章程不得与这些要求相违背,其中的一些要求应当体现在公司章程中。

2. 主要股东应符合法定条件。证券公司的股东构成及其资信情况,关系到社会公众对证券公司的信任度,对证券公司的规范化、专业化运作有重要影响。证券公司作为金融企业,与一般企业不同,对其股东构成应有更高的要求。从国外的情况看,证券公司的股东多为金融机构,这有利于利用这些机构的金融业务经验、良好的信誉和丰富的金融信息资源为投资者提供优良的服务。从目前我国的实践来看,证券公司的主要股东多为商业银行、大型集团公司、国家授权投资的机构和一些上市公司。为了进一步提高证券公司质量,维护投资者的利益,本条对证券公司的主要股东提出了严格的条件:一是要求具有持续盈利能力,信誉良好,其具体标准由行政法规或者国务院证券监督管理机构规定;二是要求最近三年无重大违法违规记录,即没有因违法违规行为而受到行政处罚和刑事处罚的记录;三是要求其在成为证券公司的股东时的净资产不低于人民币二亿元。

3. 有符合本法规定的注册资本。证券公司经营证券经纪、证券投资咨询、与证券交易、证券投资活动有关的财务顾问这三项业务中的一项或者多项的,注册资本不得低于人民币五千万元。经营证券承销与保荐、证券自营、证券资产管理、其他证券业务之一的,注册资本不得低于人民币一亿元;经营其中两项以上的,注册资本不得低于人民币五亿元。不论是经营何种证券业务的证券公司,其注册资本都应当是实缴资本。

4. 董事、监事、高级管理人员具备任职资格,从业人员具有证券从业资格。证券公司的高级管理人员,是指证券公司的经理、副经理、财务负责人,上市的证券公司董事会秘书和公司章程规定的其他人员。证券公司的从业人员,是指在证券公司中任职,并具体经办公司业务的各类人员,不包括后勤劳务人员。由于证券市场的高风险性和证券公司的经营活动对证券市场健康发展的重大影响,许多国家对证券公司的管理人员和从业人员的任职资格都作出了明确的法律规定。目前,我国的证券公司发育还不够成熟,有些证券公司的管理人员和从业人员素质不高,存在为安排干部或者子女就业,或者为其他目的,把不具备条件的人员安排到证券公司的管理岗位和业务岗位上的情况。为了从制度上保障证券公司管理人员和从业人员的素质，本条要求证券公司的董事、监事、高级管理人员应当具备任职资格，从业人员应当具有证券从业资格。

5. 有完善的风险管理与内部控制制度。证券公司的风险管理与内部控制是指证券公司为实现经营目标，根据经营环境变化，对证券公司经营与管理过程中的风险进行识别、评价和管理的制度安排、组织体系和控制措施。完善的风险管理与内部控制制度应当符合健全、合理、制衡、独立的原则，确保风险管理与内部控制的有效。健全性是指风险管理与内部控制应当覆盖证券公司的所有业务、部门和人员，落实到经营管理的各个环节。合理性是指风险管理与内部控制应当与证券公司经营规模、业务范围、风险状况及经营环境相适应。制衡性是指证券公司部门和岗位的设置应当权责分明、相互制约。独立性是指证券公司专门负责风险管理与内部控制的部门应当独立于证券公司其他部门。

6. 有合格的经营场所和业务设施。合格的经营场所和业务设施，是指符合条件的与证券公司业务相适应的办公场所、营业场所、电子信息处理系统、报价系统、与证券交易所主机联网的电脑终端及其他必要的经营场所和业务设施。合格的经营场所和业务设施是证券公司开展证券业务必备的物质基础。为了防止诈骗和维护证券市场的交易安全，设立证券公司必须要有合格的经营场所和业务设施。

7. 法律、行政法规规定的和经国务院批准的国务院证券监督管理机构规定的其他条件。除本条规定的条件外，本法的其他条款对证券公司的有些要求在证券公司设立时也适用，比如本法第一百三十一条、第一百三十二条对证券公司管理人员和从业人员的要求等。此外，其他有关法律、行政法规及经国务院批准国务院证券监督管理机构对公司设立条件的规定和对证券公司设立条件作出的补充或者细化规定，比如公司法关于股份有限公司发起人及股份发行的要求等，在证券公司设立时也应当具备。

第一百二十五条　经国务院证券监督管理机构批准，证券公司可以经营下列部分或者全部业务：

（一）证券经纪；

（二）证券投资咨询；

（三）与证券交易、证券投资活动有关的财务顾问；

（四）证券承销与保荐；

（五）证券自营；

（六）证券资产管理；

（七）其他证券业务。

【释义】　本条是对证券公司业务种类的规定。

根据本条规定，证券公司可以经营下列证券业务：

1. 证券经纪业务。这是指证券公司通过收取证券买卖佣金，促成买卖双方证券交易的中介业务活动。由于在证券市场交易的证券种类繁多，数额巨大，交易所交易席位有限，一般投资者不能直接进入证券交易所进行交易；此外，证券投资者数量众多，直接从事证券交易成本高，不易成交。因此，有必要通过专门的中介机构——证券公司促成证券交易。

2. 证券投资咨询业务。这是指为投资人或者客户提供证券投资分析、预测或者建议等直接或者间接有偿咨询服务的活动，包括：接受客户委托，提供证券投资咨询服务；举办有关证券投资咨询的讲座、报告会、分析会等；在报刊上发表证券投资咨询的文章、评论、报告，通过电台、电视台等传播媒体提供证券投资咨询服务；通过电话、传真、电脑网络等电信设备系统，提供证券投资咨询服务等。

3. 与证券交易、证券投资活动有关的财务顾问业务。这是指证券公司根据客户需求，为客户的证券投融资、资本运作、证券资产管理等活动提供咨询、分析、方案设计等服务，比如证券投融资顾问、改制、并购、资产重组顾问、债券发行顾问、证券资产管理顾问、企业常年财务顾问等。

4. 证券承销、保荐业务。证券承销业务是指证券公司通过与证券发行人签订证券承销协议，在规定的证券发行期限内协助证券发行人推销其所发行的证券的业务活动。证券承销方式有两种：一是代销，即证券公司代发行人发售证券，在承销期结束时，将未售出的证券全部退还给发行人的承销方式。二是包销，即证券公司将发行人发行的证券按照协议全部购入或者在承销期结束时，将售后剩余的证券全部自行购入的承销方式。保荐业务是指证券公司对发行人的发行、上市文件进行实质性核查，保证其真实、准确、完整，推荐发行人证券发行、上市的业务活动。证券公司的保荐业务分为发行保荐和上市保荐。对于作为上市保荐人的证券公司，还应当在发行人的证券上市后的一定期限内持续督导发行人规范运作和按照规定履行信息披露等义务。

5. 证券自营业务。这是指证券公司以自己的名义和资金进行证券买卖，并从中获取收益的业务活动。

6. 证券资产管理。这是指证券公司依照与客户签订的资产管理合同，根据合同约定的方式、条件及要求，运用客户资产进行证券投资的业务活动。证券资产管理业务分为一般资产管理业务和集合资产管理业务。一般资产管理业务是指证券公司为单一客户运用该客户资产进行证券投资的业务。集合资产管理业务是指证券公司将多个客户的资产集中起来，根据集合资产管理计划，以组合投资方式进行证券投资的业务活动。

7. 其他证券业务。除上述业务外，证券公司还可以经营经国务院证券监督管理机构核定的其他证券业务，如接受委托代付代收股息红利业务，代销政府债券、证券投资基金份额业务等。

第一百二十六条　证券公司必须在其名称中标明证券有限责任公司或者证券股份有限公司字样。

【释义】 本条是对证券公司名称的规定。

证券公司的名称,是指依法经公司登记机关核准登记,用于表明公司特征并与其他公司相区别的标志。证券公司作为具有法人资格的民事主体必须要有自己的名称,并以自己的名义从事经营活动,依法行使权利,履行义务。证券公司的名称一般由三部分文字组成:一是证券公司的设立地名称,如北京、上海、深圳等,也有的证券公司名称中不包含这一内容。二是证券公司的公司形式,如有限责任公司、股份有限公司。三是体现证券公司自身特点的文字组合。依照本条规定,证券公司必须在其名称中标明有限责任公司或者股份有限公司字样,明确其公司形式,同时,证券公司确定其名称还应当遵守国家有关公司名称登记管理的规定。

第一百二十七条　证券公司经营本法第一百二十五条第(一)项至第(三)项业务的,注册资本最低限额为人民币五千万元;经营第(四)项至第(七)项业务之一的,注册资本最低限额为人民币一亿元;经营第(四)项至第(七)项业务中两项以上的,注册资本最低限额为人民币五亿元。证券公司的注册资本应当是实缴资本。

国务院证券监督管理机构根据审慎监管原则和各项业务的风险程度,可以调整注册资本最低限额,但不得少于前款规定的限额。

【释义】 本条是对证券公司注册资本最低限额的规定。

原证券法对证券公司实行分类管理,将证券公司分为综合类证券公司和经纪类证券公司,其中,综合类证券公司可以经营证券经纪业务、证券自营业务、证券承销业务和经国务院证券监督管理机构核定的其他证券业务,其注册资本最低限额为人民币五亿元;经纪类证券公司只允许专门从事证券经纪业务，其注册资本最低限额为人民币五千万元。这次修改证券法，不再将证券公司作上述分类，而对经营不同业务的证券公司规定了不同的注册资本最低限额。

经营不同业务的证券公司的注册资本最低限额是：(1)证券公司经营证券经纪、证券投资咨询和与证券交易、证券投资活动有关的财务顾问业务中的一项和数项的，注册资本最低限额为人民币五千万元。证券公司接受投资者委托，代理买卖证券，或者为证券投资提供咨询、财务顾问服务，不直接从事证券交易，不承担客户证券交易的风险，风险程度较低，因此，本条对其注册资本最低限额的要求较低。(2)经营证券承销与保荐、证券自营、证券资产管理和其他证券业务中的一项的，注册资本最低限额为人民币一亿元；经营其中两项以上的，注册资本最低限额为人民币五亿元。证券公司经营经营证券承销与保荐业务，所需资金量大，并要为证券发行文件的真实、准确、完整负保证责任，经营证券自营业务要承担证券交易的全部风险，经营证券资产管理业务要管理客户大量资产并直接作出投资决策，风险程度高，因此，本条对其注册资本最低限额的要求较高。

证券公司经营证券业务，风险较高，涉及众多投资者的利益，法律应当对其注册资本作严格要求。因此，本条规定，证券公司的注册资本应当实缴，不得分期缴付，以保证证券公司的资本足额按时到位，维持较好的偿付能力，保护客户的利益。

本条第一款关于证券公司注册资本最低限额的规定，是针对目前证券市场状况作出的要求。由于证券市场处于不断的变化之中，有些证券业务的风险会随着市场变化剧增，为了提高证券公司承担市场风险的能力，维护证券市场稳定，有必要授权国务院证券监督管理机构根据审慎监管原则和证券公司各项业务的风险程度，在必要时调整证券公司注册资本最低限额，同时要求这种调整不得少于本条第一款规定的限额。

第一百二十八条　国务院证券监督管理机构应当自受理证券公司设立申请之日起六个月内，依照法定条件和法定程序并根据审慎监管原则进行审查，作出批准或者不予批准的决定，并通知申请人；不予批准的，应当说明理由。

证券公司设立申请获得批准的，申请人应当在规定的期限内向公司登记机关申请设立登记，领取营业执照。

证券公司应当自领取营业执照之日起十五日内，向国务院证券监督管理机构申请经营证券业务许可证。未取得经营证券业务许可证，证券公司不得经营证券业务。

【释义】　本条是对证券公司设立审批、登记和申领经营证券业务许可证的程序规定。

1. 证券公司设立审批时限。由于证券业务与众多投资人的利益及证券市场的稳定关系密切，对证券公司设立申请的审批应当严格、慎重。因此，本条对证券公司设立申请的审批时限作出了不同于一般行政许可事项的规定，即国务院证券监督管理机构应当自受理证券公司设立申请之日起六个月内审查完毕，作出批准或者不予批准的决定，并通知申请人。对设立申请不予批准的，国务院证券监督管理机构还应当向申请人说明理由，以保障申请人的知情权。

2. 证券公司设立审批依据。国务院证券监督管理机构在审批证券公司设立申请时，除应当依据本法和有关法律、行政法规规定的条件和程序外，还应当依据审慎监管原则。审慎监管原则，是指国务院证券监督管理机构对证券公司提出的旨在防范和控制其经营风险，确保经营业务的稳健运行和客户资产安全所必需的监管要求和标准，包括风险管理、内部控制、资本充足率、资产质量、资产流动性等方面的要求和标准。

3. 证券公司的设立登记。证券公司设立申请获得批准的，申请人应当在规定的期限内，提交设立登记申请书、公司章程、验资证明、国务院证券监督管理机构的批准文件以及法律、行政法规规定的其他文件，向公司登记机关申请设立登记，领取营业执照。

4. 申领经营证券业务许可证。证券公司应当自领取营业执照之日起十五日内，向国务院证券监督管理机构申请经营证券业务许可证。未取得经营证券业务许可证，证券公司不得经营证券业务。

第一百二十九条[①] **证券公司设立、收购或者撤销分支机构，变更业务范围或者注册资本，变更持有百分之五以上股权的股东、实际控制人，变更公司章程中的重要条款，合并、分立、变更公司形式、停业、解散、破产，必须经国务院证券监督管理机构批准。**

证券公司在境外设立、收购或者参股证券经营机构，必须经国务院证券监督管理机构批准。

【释义】 本条是对证券公司重要事项变更必须经国务院证券监督管理机构批准的规定。

依据本条的规定，证券公司下列事项的变更，必须经国务院证券监督管理机构批准：

(1)设立、收购或者撤销分支机构。这是指证券公司设立或者撤销其分公司、营业部，或者收购其他证券公司的分公司、营业部。

(2)变更业务范围。这是指证券公司改变其经国务院证券监督管理机构依法核定的证券业务，扩大或者缩小其业务范围。

(3)变更注册资本。这是指证券公司改变其依法经核准登记注册的资本额，增加或者减少注册资本。

(4)变更持有百分之五以上股权的股东、实际控制人。这是

---

① 2013 年 6 月 29 日《全国人民代表大会常务委员会关于修改〈中华人民共和国文物保护法〉等十二部法律的决定》将本条第一款修改为："证券公司设立、收购或者撤销分支机构，变更业务范围，增加注册资本且股权结构发生重大调整，减少注册资本，变更持有百分之五以上股权的股东、实际控制人，变更公司章程中的重要条款，合并、分立、停业、解散、破产，必须经国务院证券监督管理机构批准。"

指对持有证券公司百分之五以上股权的股东予以变更，或者对虽不是证券公司的股东，但通过投资关系、协议或者其他安排，能够实际支配公司行为的人予以变更。

(5)变更公司章程。这是指证券公司修改其公司章程的法定记载事项，改变公司名称、住所、法定代表人等。

(6)公司合并。这是指证券公司与其他公司进行资产重组，合并设立新公司，或者吸收合并其他公司，或者被其他公司吸收合并。

(7)公司分立。这是指证券公司将其财产作相应分割，设立几家新公司。

(8)变更公司形式。这是指证券有限责任公司依法变更为证券股份有限公司，或者证券股份有限公司依法变更为证券有限责任公司。

(9)停业。这是指证券公司决定暂时停止经营证券业务。

(10)公司解散。这是指证券公司因章程规定的营业期限届满或者章程规定的其他解散事由出现、股东会或者股东大会决议而解散。

(11)破产。这是指证券公司不能清偿到期债务，并且资产不足以清偿全部债务或者明显缺乏清偿能力而被人民法院宣告破产。

(12)在境外设立、收购或者参股证券经营机构。这是指证券公司在我国境外设立、收购或者参股证券公司或者其他经营证券业务的机构。

证券公司上述事项的变更，对公司股东、债权人及客户的利益具有重要影响。为了保证交易安全，维护证券公司股东、债权人及客户的利益，本条要求证券公司上述事项的变更，必须事先报经国务院证券监督管理机构批准。

第一百三十条　国务院证券监督管理机构应当对证券公司的净资本，净资本与负债的比例，净资本与净资产的比例，净资本与自营、承销、资产管理等业务规模的比例，负债与净资产的比例，以

及流动资产与流动负债的比例等风险控制指标作出规定。

证券公司不得为其股东或者股东的关联人提供融资或者担保。

【释义】 本条是对证券公司风险控制指标以及禁止证券公司为其股东或者股东的关联人提供融资或者担保的规定。

证券公司风险控制指标包括公司的净资本,净资本与负债的比例,净资本与净资产的比例,净资本与自营、承销、资产管理等业务规模的比例,负债与净资产的比例,流动资产与流动负债的比例以及国务院证券监督管理机构规定的其他指标。其中,净资本是指根据证券公司资产流动性情况对其净资产进行调整后的资产价值,是证券公司净资产中流动性较高的部分,是表现证券公司资本充足状况的一种风险监控指标。负债是指证券公司所承担的能以货币计量并需要企业以转移资产或提供劳务加以清偿,从而引起未来经济利益流出的债务总额。净资产是指证券公司的资产总额减去负债总额后的余额。自营、承销、资产管理等业务规模是指证券公司从事证券自营、承销、资产管理等业务的营业总额。流动资产是指证券公司可以在一年内或者超过一年的一个营业周期内实现或者耗用的资产,包括现金、各种存款、短期投资、应收预付款项等。流动负债是指证券公司将在一年内或者超过一年的一个营业周期内偿还的债务,包括短期借款、应付票据、应付款、应付工资、应缴税金等。同国外成熟的证券市场相比,我国证券市场起步晚,管理经验欠缺,市场风险较大。证券公司作为证券市场的重要参与者,其面临的主要风险是流动性风险。证券监督管理机构对证券公司的监管重点,是保护投资者的利益及避免单个公司的流动性风险引发系统风险。因此,本条在原证券法有关"证券公司的对外负债总额不得超过其净资产额的规定倍数,其流动负债总额不得超过其流动资产总额一定比例"的基础上,对证券公司的风险控制指标作了补充规定,以进一步规范证券公司的行为,提高证券公司的偿付能力,从制度上防范证券公司经营风险。

由于证券公司风险控制指标的计算涉及许多因素，对经营不同证券业务的证券公司又有不同的要求，情况比较复杂，难以在本法中作出具体规定。因此本条授权国务院证券监督管理机构对证券公司风险控制指标作出规定。证券公司的净资本及其他风险控制指标不符合规定的，国务院证券监督管理机构应当责令其限期改正；逾期未改正，或者其行为严重危及该证券公司的稳健运行、损害客户合法权益的，国务院证券监督管理机构可以区别情形，对其采取本法第一百五十条规定的措施。

证券公司不得为其股东或者股东的关联人提供融资或者担保。股东的关联人，是指受证券公司股东直接或者间接控制，或者与证券公司股东之间存在可能导致公司利益转移的其他关系的企业和个人。在实践中，一些证券公司由于内部控制机制不严，经营活动不规范，资产质量较差，存在较大风险。其中一个很重要的原因是，证券公司治理结构不规范，内部监督制约机制不完善，存在股东、股东的关联人通过向证券公司借款或者要求证券公司为其提供无偿担保等关联交易，借此转移公司资产或者向证券公司转移风险的现象。为此，这次修改证券法增加规定，禁止证券公司为其股东或者股东的关联人提供融资或者担保。

第一百三十一条[①] **证券公司的董事、监事、高级管理人员，应当正直诚实，品行良好，熟悉证券法律、行政法规，具有履行职责所需的经营管理能力，并在任职前取得国务院证券监督管理机构核准的任职资格。**

有《中华人民共和国公司法》第一百四十七条规定的情形或者

---

① 2014年8月31日《全国人民代表大会常务委员会关于修改〈中华人民共和国保险法〉等五部法律的决定》将本条第二款中的“有《中华人民共和国公司法》第一百四十七条规定的情形”修改为“有《中华人民共和国公司法》第一百四十六条规定的情形”。

下列情形之一的，不得担任证券公司的董事、监事、高级管理人员：

（一）因违法行为或者违纪行为被解除职务的证券交易所、证券登记结算机构的负责人或者证券公司的董事、监事、高级管理人员，自被解除职务之日起未逾五年；

（二）因违法行为或者违纪行为被撤销资格的律师、注册会计师或者投资咨询机构、财务顾问机构、资信评级机构、资产评估机构、验证机构的专业人员，自被撤销资格之日起未逾五年。

【释义】 本条是对证券公司董事、监事、高级管理人员任职资格管理的规定。

证券公司的董事、监事、高级管理人员共同组成公司的经营管理层，负责公司的经营管理，有权依照法律和公司章程的规定，处理公司经营管理中的重大问题。他们的素质如何，能否忠实地履行自己的职责，不仅事关公司的命运，对证券市场的稳定与发展也有重大影响。为了使公司的管理层能够依照法律和公司章程的规定，忠实、勤勉地履行自己的职责，有必要对证券公司的董事、监事、高级管理人员的任职资格作出严格要求。

证券公司的董事、监事、高级管理人员的积极资格是：（1）应当正直诚实，品行良好。证券公司的管理人员通过其业务知识和经验，为投资者提供专业服务，对投资者负有诚实信用、勤勉尽责的义务，正直诚实、品行良好是对其道德水准、职业操守的基本要求。（2）熟悉证券法律、行政法规。市场经济是法制经济，知法是守法的必要前提，证券公司的董事、监事、高级管理人员只有了解和掌握证券法律、行政法规，才能以此规范自己的行为。（3）具有履行职责所需的经营管理能力。证券公司的董事、监事、高级管理人员仅有一定的道德水准和证券法律知识是不够的，还应当具有证券业务经营管理方面的专业知识、实践经验，具有履行职责所需的经营管理能力，才能为其客户提供专业化的优质服务。（4）在任职前取得国务院证券监督管理机构核准的任职资格。为保证证券公司的董事、监事、高级管理人员真正达到法律规定的道德和业务素质方面的要求,本条还对其任职资格设定了核准程序的规定,即证券公司的董事、监事、高级管理人员应当在任职前向国务院证券监督管理机构提出申请,由国务院证券监督管理机构核准其任职资格。

证券公司的董事、监事、高级管理人员的消极资格是:证券公司的董事、监事、高级管理人员除应当具备法定条件,取得核准的任职资格外,对于违反法律、法规,在从业活动中有违背诚信义务及欺诈行为的人员,应当禁止其成为证券公司的董事、监事、高级管理人员。具体情形包括:(1)无民事行为能力或者限制民事行为能力;(2)因贪污、贿赂、侵占财产、挪用财产或者破坏社会经济秩序,被判处刑罚,执行期满未逾五年,或者因犯罪被剥夺政治权利,执行期满未逾五年;(3)担任破产清算的公司、企业的董事或者厂长、经理,对该公司、企业的破产负有个人责任的,自该公司、企业破产清算完结之日起未逾三年;(4)担任因违法被吊销营业执照、责令关闭的公司、企业的法定代表人,并负有个人责任的,自该公司、企业被吊销营业执照之日起未逾三年;(5)个人所负数额较大的债务到期未清偿;(6)因违法行为或者违纪行为被解除职务的证券交易所、证券登记结算机构的负责人或者证券公司的董事、监事、高级管理人员,自被解除职务之日起未逾五年;(7)因违法行为或者违纪行为被撤销资格的律师、注册会计师或者投资咨询机构、财务顾问机构、资信评级机构、资产评估机构、验证机构的专业人员,自被撤销资格之日起未逾五年。根据公司法的规定,证券公司违反上述规定选举、委派董事、监事或者聘任高级管理人员的,该选举、委派或者聘任无效。董事、监事、高级管理人员在任职期间出现上述情形的,公司应当解除其职务。

第一百三十二条　因违法行为或者违纪行为被开除的证券交易所、证券登记结算机构、证券服务机构、证券公司的从业人员和

被开除的国家机关工作人员，不得招聘为证券公司的从业人员。

【释义】 本条是对招聘证券公司从业人员的限制条件的规定。

证券公司的从业人员，是指在证券公司中任职，依照证券公司章程的规定，经办所任职业务的证券公司的职员。包括证券公司的管理人员和业务人员。证券公司的从业人员依其职务经办的每项业务，对外都代表其所任职公司，其素质高低直接影响证券公司的形象、信誉和发展前景，对维护证券市场秩序，保障交易安全也至关重要。

目前，我国证券市场发展很快，一些证券公司为了扩充自身业务的需要，将一些有违法、违纪行为，甚至被所在单位开除的人员，招聘为公司的从业人员，以拓展业务。为了加强市场监管，保护投资者的合法权益，本法在总结证券市场监督管理经验的基础上规定，因违法行为或者违纪行为被开除的证券交易所、证券登记结算机构、证券公司的从业人员和被开除的国家机关工作人员，不得招聘为证券公司的从业人员。证券公司招聘从业人员一定要严格把关，对已招聘的从业人员如果发现有本条规定的情形的，应当依法予以解聘。

第一百三十三条 国家机关工作人员和法律、行政法规规定的禁止在公司中兼职的其他人员，不得在证券公司中兼任职务。

【释义】 本条是对在证券公司中兼职的限制条件的规定。

国家机关工作人员，是指在各级国家权力机关、行政机关、司法机关及其他履行国家管理职能的机关中从事公务的人员。禁止国家机关工作人员在证券公司中兼职，是因为他们手中掌握国家赋予的管理公共事务的职权，这种权力不应当用于公司的经营。否则，将使国家权力与公司的经营活动结合在一起，弊端很大。第一，容易使国家权力被滥用，为非法经营提供方便；第二，容易让国家机关中的腐败分子钻空子，以权谋私；第三，容易削弱国家对社会经济生活的监管职能，损害党和政府的威信。

除本条规定的国家机关工作人员外，有关法律、行政法规可能还会根据需要禁止一些不宜在证券公司中兼职的人员在证券公司兼任职务。比如，证券交易所总经理、副总经理、非会员理事及其他工作人员，担负着通过证券交易所进行的证券交易活动的组织、监管职责，了解并掌握大量有关证券交易的信息和上市公司的情况，这些信息和情况在依法公开前均属内幕信息，禁止泄露，禁止利用内幕信息进行证券交易。如果允许这些人员在证券公司兼职，无异于将内幕信息泄露出去，并可能出现内幕交易。这不仅会严重损害证券公司和投资者的利益，也会严重损害证券交易所的信誉。因此，证券交易所管理办法规定，证券交易所总经理、副总经理、非会员理事及其他工作人员不得在证券公司中兼职。

第一百三十四条　国家设立证券投资者保护基金。证券投资者保护基金由证券公司缴纳的资金及其他依法筹集的资金组成，其筹集、管理和使用的具体办法由国务院规定。

【释义】　本条是对证券投资者保护基金的规定。

证券投资者保护基金制度是资本市场发达国家和地区普遍建立的一种保护证券投资者的制度。战后西方发达国家证券市场得到了快速发展，但20世纪70年代初期出现了券商破产倒闭造成投资者现金和股票损失的问题，证券投资者对证券市场的信心受到打击。为了维护投资者信心，保证证券市场稳定发展，各地开始建立保护中小投资者利益的投资者保护基金制度。例如，美国于1970年制定的《证券投资保护法》中规定，设立证券投资者保护协会（简称SIPC），要求所有在证券交易所注册的投资银行都必须成为该协会的会员，并按照经营毛利的5‰缴纳会费，以建立保险基金，用于投资银行财务困难或破产时的债务清偿。香港1970年的证券条例规定，在证券事务监察委员会下设赔偿专门委员会，要求各证券经纪商缴纳规定数额的现金，建立赔偿基金，以备破产或无力偿还债务时的债务清偿。此外，爱尔兰1988年颁布的《投资者赔偿法》、澳大利亚1987年颁布的《国家担保基金法》、英国于2000年颁布的《金融服务和市场法》、德国于1988年颁布的《存款保护和投资者赔偿法案》等均以立法形式，对设立证券投资者赔偿计划作出了规定，并据此设立了证券投资者保护基金。

证券公司作为证券市场最重要的中介机构，其规范发展直接关系到资本市场改革开放和稳定发展的大局。十几年来，我国证券公司在探索中成长，对证券市场的培育和发展发挥了十分重要的作用，但也积累了若干问题。近年来，随着市场的结构性调整和持续低迷，证券公司存在的问题充分暴露，风险集中爆发，一批公司的状况十分严峻。为从根本上解决证券公司存在的问题，国家对证券公司进行了综合治理，化解现有风险，同时有效防范新的风险，为证券公司规范、持续、稳定发展奠定基础。作为综合治理配套措施之一，我国从2004年开始研究设立证券投资保护基金。作为投资者保护体系的重要组成部分，保护基金的设立，一是可以在证券公司出现关闭、破产等重大风险时弥补投资者的损失，通过简捷的渠道快速地对投资者特别是中小投资者予以保护；二是有助于稳定和增强投资者对我国金融体系的信心，有助于防止证券公司个案风险的传递和扩散；三是对现有的国家行政监管部门、证券业协会和证券交易所等行业自律组织、市场中介机构等组成的全方位、多层次监管体系的一个重要补充，将在监测证券公司风险、推动证券公司积极稳妥地解决遗留问题和处置证券公司风险方面发挥重要作用；四是有助于我国建立国际成熟市场通行的证券投资者保护机制。

2005年9月29日，经国务院批准，中国证监会、财政部、人民银行联合发布了《证券投资者保护基金管理办法》，中国证券投资者保护基金有限责任公司也开始运作。但由于证券投资者保护基金制度才开始实施，仍需要认真研究、探索，积累经验，因此本法对证券投资者保护基金的筹集、管理和使用只作了原则规定，同时授权国务院规定具体办法。根据《证券投资者保护基金管理办法》的规定:1. 证券投资者保护基金的来源主要有以下几个方面:(1)上海、深圳证券交易所在风险基金分别达到规定的上限后,交易经手费的20%纳入基金;(2)境内注册证券公司,按其营业收入的0.5% ~5%缴纳基金;(3)发行股票、可转债等证券时,申购冻结资金的利息收入;(4)依法向有关责任方追偿所得和从证券公司破产清算中受偿收入;(5)国内外机构、组织及个人的捐赠;(6)其他合法收入。2. 基金的用途为:(1)证券公司被撤销、关闭和破产或被证监会实施行政接管、托管经营等强制性监管措施时,按照有关规定对债权人予以偿付;(2)国务院批准的其他用途。3. 基金的资金运用限于银行存款、购买国债、中央银行债券和中央级金融机构发行的金融债券以及国务院批准的其他资金运用形式。

第一百三十五条　证券公司从每年的税后利润中提取交易风险准备金,用于弥补证券交易的损失,其提取的具体比例由国务院证券监督管理机构规定。

【释义】　本条是对证券公司交易风险准备金的提取和使用的规定。

证券市场是一个高风险的市场,这种风险主要来自证券价格的不确定性、证券市场运作的复杂性和投机性。从本质上说,证券是一种价值符号,其价格是市场对资本未来收益的货币折现,其预期收益受利率、汇率、通货膨胀率、所属行业前景、经营者能力、社会心理等多种因素影响,难以准确估计。证券的这种本质属性,决定了以它为交易对象的证券市场从一开始就具有高风险性。此外,证券市场运作的复杂性和投机性也必然导致证券市场价格的不断波动。客观上,证券市场涉及面广,敏感度高,社会生活中的许多变化都会对市场风险的集聚产生影响,任何重大政治、经济事件都可能触发危机,因此,对市场中的所有风险因素难以全面把握和控制。主观上，受监管能力和市场自律程度的局限，各类不规范行为难以杜绝，对违法、违规行为的发现和纠正也需要时间。面对这样一个高风险的市场，证券公司作为主要的参与者和重要的中介组织，其抗风险能力如何，不仅事关自身的交易安全，同时还牵连广大投资者的利益。为了防范和化解市场风险，巩固证券公司自身的财产基础和保护投资者的利益，本条规定，证券公司从每年的税后利润中提取交易风险准备金，用于弥补证券交易的损失，其提取的具体比例由国务院证券监督管理机构规定。

本条规定的交易风险准备金有以下特征：(1)交易风险准备金是法定风险准备金，而非任意准备金，证券公司必须依法提取。(2)交易风险准备金必须从公司每年的税后利润中提取，不得在税前提留。(3)交易风险准备金只能用于弥补证券交易的损失，不得挪作他用，以确保证券公司遇到意外交易损失时能够及时得到资金补充。(4)交易风险准备金的提取比例由国务院证券监督管理机构根据我国证券市场发育程度和证券公司抗风险能力具体规定，证券公司必须执行。

第一百三十六条　证券公司应当建立健全内部控制制度，采取有效隔离措施，防范公司与客户之间、不同客户之间的利益冲突。

证券公司必须将其证券经纪业务、证券承销业务、证券自营业务和证券资产管理业务分开办理，不得混合操作。

【释义】　本条是对证券公司内部控制制度的规定。

证券公司内部控制是指证券公司为实现经营目标，根据经营环境变化，对证券公司经营与管理过程中的风险进行识别、评价和管理的制度安排、组织体系和控制措施。完善的内部控制制度有利于保证证券公司经营的合法合规，防范经营风险和道德风险，保障客户及证券公司资产的安全、完整，提高证券公司经营效率和效果。完善的内部控制制度应当符合健全、合理、制衡、独立的原则，确保内部控制有效。健全性是指风险管理与内部控制应当覆盖证券公司的所有业务、部门和人员，渗透到决策、执行、监督、反馈等各个环节。合理性是指风险管理与内部控制应当与证券公司经营规模、业务范围、风险状况及经营环境相适应。制衡性是指证券公司部门和岗位的设置应当权责分明、相互制约。独立性是指承担内部控制职能的专门部门应当独立于证券公司其他部门。证券公司应当按照本法的要求和证券业务的内在需要，建立健全内部控制制度，采取有效隔离措施，主要包括证券公司经营与管理中的授权与审批、复核与查证、业务规程与操作程序、岗位权限与职责分工、相互独立与制衡、应急与预防等措施，以防范公司与客户之间、不同客户之间的利益冲突。

证券公司的相关业务必须分开办理。证券公司依法经国务院证券监督管理机构批准，可以同时经营证券经纪业务、证券自营业务、证券承销业务、证券资产管理业务。证券公司经营上述业务，其利益归属于自己或者不同的客户，这些利益或者获利机会可能会发生冲突。比如在证券市场行情不利时，利用兼营证券经纪业务和证券自营业务的条件，在接受客户的委托后，先于客户的委托抛出所持有的证券，反之，则先于客户的委托买进看涨的证券，其自营业务将会获利或者可以减少损失。为了防止有的证券公司利用兼业条件，将应当属于某个客户的利益或者获利机会转给自己或者其他客户，本条规定，证券公司必须将上述业务分开办理，不得混合操作，这是证券公司建立健全内部控制制度的最重要的要求。这里所说的分开办理，指的是证券公司应当分别开立自有资金账户、客户资金账户和证券账户，分别存储其自有资金、客户的交易结算资金和证券，同时，从事某项业务的人员不得办理其他业务。

第一百三十七条　证券公司的自营业务必须以自己的名义进行，不得假借他人名义或者以个人名义进行。

证券公司的自营业务必须使用自有资金和依法筹集的资金。

证券公司不得将其自营账户借给他人使用。

【释义】　本条是对证券公司自营业务管理的规定。

证券公司自营业务必须以自己的名义进行，是指证券公司从事自营业务必须使用自己的真实名称。证券公司的名称是该公司区别于其他公司的标志，证券公司从事经营活动必须以自己的真实名称，行使民事权利，承担民事责任。为了防止证券公司违反有关交易规则进行自营业务，逃避责任和监管，本条要求，证券公司从事自营业务必须以自己的名义进行，不得假借他人名义或者以个人名义进行。

证券公司的自营业务必须使用自有资金和依法筹集的资金，这一规定明确了证券公司自营业务的资金来源。证券公司的自有资金主要是指证券公司的资本金以及由使用该资本金而产生的收益。证券公司依法筹集的资金，包括证券公司通过发行公司债券募集的资金、通过同业拆借市场拆借的资金及其他依法筹集的资金。证券公司不得挪用客户交易结算资金从事证券自营业务，也不得以客户的交易结算资金和证券作抵押贷款从事证券自营业务。

证券公司经营证券业务，应当符合本法规定的条件，并取得国务院证券监督管理机构的许可，证券公司不得将其自营账户借给他人使用，以防止不符合法律规定的条件的企业甚至个人以证券公司的名义从事证券自营买卖，逃避证券监督管理机构的监管，增加证券市场风险，扰乱证券市场秩序。

第一百三十八条　证券公司依法享有自主经营的权利，其合法经营不受干涉。

【释义】 本条是对证券公司自主经营权的规定。

一、证券公司依法享有自主经营的权利

证券公司是依法设立的,以盈利为目的的企业法人,依法享有自主经营的权利:(1)名称权。即确定公司名称和使用公司名称的权利。公司的名称是本公司与其他公司相区别的标志,依法经注册登记,即取得专用权,是公司的无形资产,任何单位和个人不得冒用。(2)人事权。即公司的用人权。证券公司根据业务发展和经营管理的需要,有权自行决定公司内部机构的设置和人员编制,有权决定员工的工资、任免和奖惩事项。(3)财产权。即公司法人财产的占有、使用、处分的权利。证券公司作为企业法人,有自己的独立财产,并对其财产享有法人财产权,有权自行决定财产的使用、管理和资处分。(4)决策权。即决定公司经营管理重大问题权。证券公司作为独立法人,有权根据参与市场竞争和自身发展的需要,就公司经营管理中的重大问题,如公司的发展方向、经营管理目标、业务范围、增减注册资本、变更公司形式以及公司合并、分立、解散等,自行作出决定,自主经营,自负盈亏。但是证券公司行使决策权,不得违反法律、行政法规的规定。(5)收益权。即公司依法获取经营收益的权利。证券公司依法从事证券经纪业务、证券自营业务、证券承销业务及其他证券业务,有权就其提供的服务获取佣金、报酬和其他合法收入。(6)其他自主经营的权利。如依法设立或者撤销分支机构的权利等。

二、证券公司依法自主经营受法律保护

市场经济是法制经济,证券市场是法制市场,“法制、监管、自律、规范”是发展我国证券市场的指导方针。证券公司依法自主经营受法律保护。本条规定,证券公司依法享有的自主经营的权利,其合法经营不受干涉。法律为证券公司依法维护自身的合法权益提供了依据。证券公司要学会和运用法律武器维护自身的合法权益。各级政府部门、监督管理机构、证券业协会应当维护证券公司的合法权益。证券公司的合法权益受到侵害时,证券公司可以通过申请行政复议或者诉讼等方式保护自身的合法权益。

第一百三十九条　证券公司客户的交易结算资金应当存放在商业银行,以每个客户的名义单独立户管理。具体办法和实施步骤由国务院规定。

证券公司不得将客户的交易结算资金和证券归入其自有财产。禁止任何单位或者个人以任何形式挪用客户的交易结算资金和证券。证券公司破产或者清算时,客户的交易结算资金和证券不属于其破产财产或者清算财产。非因客户本身的债务或者法律规定的其他情形,不得查封、冻结、扣划或者强制执行客户的交易结算资金和证券。

【释义】　本条是对证券公司客户资产管理的规定。

原证券法对客户交易结算资金规定了严格的管理制度,要求证券公司必须将其客户的交易结算资金全额存入于指定的商业银行,单独立户管理,严禁挪用。但是由于我国证券市场起步晚,证券公司内控制度不完善,风险防范意识不够,实践中存在比较严重的挪用客户交易结算资金现象。近年来,证券公司挪用客户交易结算资金导致的风险不断暴露,严重危及投资者利益,影响了证券市场的稳定。为此,国务院和国务院证券监督管理机构出台了一些完善证券公司客户交易结算资金监管的措施。此次修改证券法进一步要求证券公司客户的交易结算资金应当存放在商业银行,以每个客户的名义单独立户管理,即在商业银行独立存管,以利于从制度上防止证券公司挪用客户交易结算资金。所谓存放在商业银行,以每个客户的名义单独立户管理,是指证券公司客户的交易结算资金应当以客户的名义,而不是证券公司的名义存放于商业银行,每个客户账户中的交易结算资金的收付,由该商业银行根据证券公司向其发出的指令以及向其提供的该指令确为按客户要求办理的文件进行管理。由于目前证券公司客户交易结算资金独立存管制度实施时间不长，有些证券公司由于挪用客户结算资金数额较大，有些证券公司原有客户账户的清理需要一定时间，有的办理证券公司客户交易结算资金存管业务的商业银行实施这一制度还需要完善相应的存管、结算系统，因此，本条授权国务院规定证券公司客户交易结算资金独立存管的具体办法和实施步骤。

由于证券公司客户的交易结算资金和证券是客户委托证券公司进行证券买卖的，其中的交易结算资金按照本法规定独立存管于商业银行，其证券资产则存管于证券登记结算机构，独立于证券公司的自有财产。这种独立性体现在：

（1）证券公司客户的交易结算资金和证券与证券公司的自有财产相区别，证券公司不得将其归入自有财产。所谓不得归入其自有财产，是指证券公司不得将其客户的交易结算资金和证券由客户的账户划入自己的账户，作为自己的财产。

（2）任何单位或者个人不得以任何形式挪用客户的交易结算资金和证券。所谓挪用客户的交易结算资金，是指接受客户委托的证券公司或者其他单位、个人将客户的交易结算资金或者证券用于为客户买卖证券以外的其他用途，实践中主要包括：用于证券公司的自营业务；用于其他客户的证券买卖；用作证券公司或者其他客户借款的担保物等。客户的交易结算资金和证券的用途应当由客户自行决定，禁止任何单位或者个人以任何形式挪用。

（3）证券公司破产或者清算时，客户的交易结算资金和证券不属于其破产财产或者清算财产，应当从其破产财产或者清算财产中去除，并将该财产返还给客户，证券公司的债权人不得对客户的交易结算资金和证券主张权利。

（4）非因客户本身的债务或者法律规定的其他情形，不得查封、冻结、扣划或者强制执行客户的交易结算资金和证券。客户本身的债务包括客户委托证券公司进行证券买卖而产生的债务，也包括与客户证券委托买卖无关的合同债务及侵权债务。法律规定的其他情形包括客户拖欠税款，受到没收财产、没收违法所得、罚款、罚金处罚及法律规定的其他情形。因证券公司、证券交易所、证券登记结算机构、证券公司其他客户的债务或者其他人的债务，不得查封、冻结、扣划或者强制执行证券公司客户的交易结算资金和证券。

第一百四十条　证券公司办理经纪业务，应当置备统一制定的证券买卖委托书，供委托人使用。采取其他委托方式的，必须作出委托记录。

客户的证券买卖委托，不论是否成交，其委托记录应当按照规定的期限，保存于证券公司。

【释义】　本条是对证券买卖委托管理的规定。

证券公司办理经纪业务，首先要与客户订立委托契约，明确双方的权利义务，然后，才能按照客户的委托要求代客户进行证券买卖，这是证券公司办理经纪业务的必经程序。为了方便客户办理委托，证券公司有义务备置证券买卖委托书供客户使用。证券买卖委托书是统一制定的具有固定格式和内容的合同书，目的在于规范客户与证券公司之间的委托与受托行为。证券买卖委托书按照客户买进与卖出证券的不同可以分为两种，即购买委托书和出售委托书。证券买卖委托应当记载以下主要内容：(1)委托人的姓名(名称)、居民身份号码和住所；(2)委托人的账号；(3)委托的日期和时间；(4)证券的种类和名称；(5)买进或者卖出证券的数量；(6)买卖限价；(7)委托的有效期限；(8)委托人和证券公司经办人员的签章；(9)其他事项。

客户委托证券公司代其买卖证券的方式很多，当前使用最多的委托方式主要有三种：(1)当面委托，即柜台委托，是指投资者到证券公司的营业柜台，亲自填写证券买卖委托书，委托证券公司代其买卖证券;(2)电话委托,是指投资者通过电话向证券公司计算机系统输入委托指令,以完成证券买卖委托和有关信息查询的委托方式。进行电话委托,证券公司首先应当与投资者签订电话委托协议,置备专门的电话委托交易系统,在客户接通上述系统发出交易指令,由该系统确认后,客户的交易指令生效,并进入证券交易所电脑系统自动撮合成交;(3)电脑委托,是指投资者通过与证券公司自动委托交易系统联结的电脑终端,按照系统发出的指示输入买卖委托指令,以完成买卖委托和有关信息查询的一种委托方式。上述三种委托方式,可以由客户根据自己的实际情况进行选择,其中电话委托和电脑委托完全由客户自己操作,委托指令在输入证券交易所自动交易电脑系统之前,首先应当在证券公司作出记录。证券公司应当置备电话录音或者其他能够记录并保存客户交易委托的设备,对客户的电话委托和电脑委托进行同步记录,并予以保存,以备查询。

客户的证券买卖委托记录是证明客户与证券公司权利义务的法律文件,是证券公司代客户买卖证券的凭据。不论根据客户的委托进行的交易是否成交,证券买卖委托记录无论是柜台委托保存的书面委托书,还是电话委托、电脑委托保存的录音及其他委托记录,都必须按照国务院证券监督管理机构规定的期限,保存于证券公司,以备日后查询。要求证券买卖委托记录按照国务院证券监督管理机构规定的期限予以保存,有利于保证证券公司按照客户的真实指令,代客户进行证券买卖和结算,防止证券公司借用客户的名义为自己进行证券买卖,也可以防止证券公司挪用客户资金或者证券,减少证券公司与客户之间的纠纷,并为处理证券公司与客户之间可能发生的纠纷提供可靠的证据。

第一百四十一条　证券公司接受证券买卖的委托,应当根据委托书载明的证券名称、买卖数量、出价方式、价格幅度等,按照交

易规则代理买卖证券，如实进行交易记录；买卖成交后，应当按照规定制作买卖成交报告单交付客户。

证券交易中确认交易行为及其交易结果的对账单必须真实，并由交易经办人员以外的审核人员逐笔审核，保证账面证券余额与实际持有的证券相一致。

【释义】　本条是对证券买卖委托执行的规定。

客户的证券买卖委托是证明客户与证券公司权利义务的法律文件，是证券公司代客户买卖证券的凭据。客户的证券买卖委托对所买卖的证券名称、买卖数量、出价方式、价格幅度等作出了明确的指示。证券公司执行客户的委托指令应当及时、准确，如有错漏或者其他违背客户意思表示的行为，给客户造成损失的，证券公司应当对客户的损失承担赔偿责任。

证券交易规则是法律、行政法规规定的或者国务院证券监督管理机构以及证券交易所制定的进行证券交易应当遵守的规范。证券公司接受客户委托后，应当严格按照交易规则和委托书载明的客户的委托要求，通知其在证券交易所的出市代表，将客户指令输入交易所的自动交易系统，或者通过与证券交易所自动交易系统联网的计算机终端直接将客户指令输入证券交易所自动交易系统进行撮合。当客户委托的交易成交后，证券公司必须按照证券交易、结算规则的规定办理证券交易的清算、交收，为客户办理资金的收付和证券的过户，并对证券交易的所有环节作出交易记录。证券公司作出的交易记录必须真实、准确、完整，不得有虚假记载。

证券公司接受客户委托买卖证券成交后，应当制作买卖成交报告单交付客户。买卖成交报告单是证券公司按照本法和国务院证券监督管理机构以及证券交易规则的规定制作的，记载证券交易成交情况的文件。证券买卖成交报告单一般应当包括以下主要内容：(1)客户的姓名(名称)和代码；(2)客户的账号；(3)进行证券交易的场所；(4)买进或者卖出证券的种类、名称、数量、价格；

(5)委托的日期、时间和序号;(6)成交的日期、时间和成交的情况;(7)应收和应付的款项及金额;(8)证券公司经办人员的签章或者代号。证券买卖成交报告单应于买卖成交后在证券交易所交易规则规定的时间交付客户。

证券买卖对账单是证券公司编制的在一定期间内,客户在该证券公司的交易行为及其交易结果的情况记录。证券买卖对账单应当按照本法和国务院证券监督管理机构以及证券交易规则的规定编制,正本交客户存查,副本保存于证券公司备查。证券买卖对账单一般包括以下内容:(1)客户姓名或者名称;(2)客户代码;(3)资金账号;(4)委托日期、时间和序号;(5)交易场所;(6)成交时间;(7)成交的证券名称、数量、价格;(8)交易费用;(9)其他事项。证券买卖对账单必须真实、准确、完整,即与实际交易情况完全一致,不得作虚假记载。同时,对账单还应当由交易经办人员以外的审核人员逐笔审核,保证账面证券余额与实际持有的证券相一致。

第一百四十二条　证券公司为客户买卖证券提供融资融券服务,应当按照国务院的规定并经国务院证券监督管理机构批准。

【释义】 本条是对融资融券必须依法进行的规定。

融资融券交易,又称保证金交易或者信用交易,是指客户按照法律规定,在买卖证券时只向证券公司支付一定数额的保证金或交付部分证券,其应当支付的价款和应交付的证券不足时,由证券公司垫付的一种交易方式。其中融资买入证券为买空,融券卖出证券为卖空。

1998 年制定证券法时,考虑到当时的实际情况,为了抑制和防止证券交易中的过度投机,防范金融风险,证券法在证券交易一章的一般规定中,规定证券公司不得从事向客户融资或者融券的证券交易活动,并在证券公司一章中规定,证券公司接受委托卖出证券必须是客户证券账户上实有的证券,不得为客户融券交易。证券公司接受委托买入证券必须以客户资金账户上实有的资金支付,不得为客户融资交易。随着我国证券市场上投资者和证券公司的逐步成熟,交易活动的日渐规范,监管机构监管能力的不断提高,现在已有必要和可能进行融资融券交易。为此,本次修改证券法,将原来禁止融资融券交易的规定,修改为允许融资融券交易。

本条虽然允许融资融券交易,但由于融资融券交易引发风险的可能性依然存在,所以,本条规定融资融券应当按照国务院的规定并经国务院证券监督管理机构批准,以对融资融券的证券交易活动进行严格的监管。

1. 融资融券应当按照国务院的规定进行。

考虑到融资融券可能带来的较大风险,本条要求证券公司从事融资融券的交易活动,应当按照国务院的规定进行。也就是说,有关融资融券的规定,应当由国务院制定,而不得由国务院下属的部门或者机构制定。

2. 证券公司从事融资融券应当经国务院证券监督管理机构批准。

我国的证券市场虽然正在逐步走向成熟,但与国外发达的证券市场相比,我国的证券市场仍有许多地方需要完善,目前还不能将融资融券完全放开。因此,只有经过国务院证券监督管理机构批准的证券公司,才能为客户买卖证券提供融资融券的服务,凡未经国务院证券监督管理批准的公司,都不能为客户买卖证券提供融资融券的服务。

第一百四十三条　证券公司办理经纪业务,不得接受客户的全权委托而决定证券买卖、选择证券种类、决定买卖数量或者买卖价格。

【释义】　本条是对禁止全权委托买卖证券的规定。

全权委托，又称授权委托，是指客户出于投资获利的愿望，在委托证券公司代其买卖证券时，对证券的买进或者卖出，或者买卖证券的种类、数量、价格不加任何限制，完全由证券公司代为决定。全权委托的基础是客户对证券公司的充分信任。因为客户委托证券公司代其买卖证券的目的是要获取收益，但买卖证券风险很大，特别是对众多的中小投资者来说，由于缺乏专门的证券知识和投资技巧，往往是输的多、赢的少，而对于证券公司来说，则无论在资金、技术、人才和信息方面都比一般的投资者具有更多的优势。因此，有不少客户为了减少投资风险，希望全权委托证券公司代其买卖证券。但是由于证券市场受社会政治、经济等各个方面因素的影响很大，行市变幻莫测，即使具有丰富投资经验的证券公司也难免失误，况且不是所有的证券公司及其从业人员都能忠实地履行诚信义务，有些甚至利用客户的授权为自己谋取私利，如利用客户的账户和资金翻炒证券，或者为证券公司牟利而损害客户利益等。证券公司客户全权委托买卖后没有使客户获利，就会使客户与证券公司之间产生纠纷；证券公司借全权委托的名义去进行证券的投机和炒作，就可能严重损害客户的利益。而证券公司利用全权委托来集中资金买卖证券，就会造成证券市场的价格波动。为了防止过度投机和保护中小投资者的利益，本条禁止全权委托买卖证券，即证券公司在代理客户买卖证券时，不得接受客户的全权委托，自行决定是否买卖证券、买卖何种证券、买卖多少数量的证券或者以何种价格买卖证券。

第一百四十四条　证券公司不得以任何方式对客户证券买卖的收益或者赔偿证券买卖的损失作出承诺。

【释义】　本条是对禁止证券公司承诺证券交易后果的规定。

对客户证券买卖的收益作出承诺，是指向客户保证其进行证券买卖将会获得一定数额的收入。对赔偿证券买卖的损失作出承诺，是指向客户保证其进行证券买卖，在受到损失时将会由证券公司赔偿其一定数额的损失或者全部的损失。有些证券公司为了招揽客户，以多种方式，预先对客户证券买卖的收益或者赔偿证券买卖的损失作出承诺。这种行为不仅是一种不正当竞争行为，而且也是对证券市场有严重危害的欺诈客户的行为，必须予以禁止。因为投资者与证券公司的关系是委托人与被委托人的代理关系，而代理人在代理权限内，以被代理人的名义实施民事法律行为，其后果应当由被代理人承担。同时，买卖证券是一项投资风险很大的金融活动，再高明的证券公司也难以保证在证券市场上永远获利。如果证券公司对客户证券买卖的收益或者赔偿证券买卖的损失作出承诺，那么，一旦出现损失或者没有获得承诺的收益，就需要证券公司兑现。但证券公司接受客户的委托代客户买卖证券所取得的佣金收入，依照公司法的规定，依法弥补亏损和提取公积金后的余额属于股东的权益，应当按照股东的出资比例、持股比例或者有限责任公司全体股东约定的方式、股份有限公司章程规定的方式分配给股东。而提取的公积金只能用于弥补公司的亏损、扩大公司的经营或者转为增加公司的资本。因此，公司没有任何资金可用于增加客户的收益或者赔偿客户的损失。也就是说，证券公司既没有保证客户买卖收益的能力，也没有赔偿客户买卖损失的可能。如果有证券公司对客户的买卖收益或者赔偿客户买卖的损失作出承诺，该承诺根本不可能兑现，只能是对客户的一种诱骗，而且容易引发证券公司之间的恶性竞争。为了保护客户利益，创造公平的竞争环境，本条规定，证券公司接受客户委托买卖证券不得以任何方式对客户买卖证券的收益或者赔偿买卖证券的损失作出承诺。

第一百四十五条　证券公司及其从业人员不得未经过其依法设立的营业场所私下接受客户委托买卖证券。

【释义】 本条是禁止证券公司在依法设立的营业场所之外接受委托的规定。

证券公司的营业场所,是指证券公司依法设立的直接受理客户证券买卖委托、经办委托事项的证券公司的营业柜台,包括记录、存储、传输客户证券买卖委托指令的电脑系统。私下接受客户的委托,是指证券公司及其从业人员,不经过其依法设立的营业场所,直接接受客户委托买卖证券的行为。证券公司及其从业人员,私下接受客户委托买卖证券,经常伴有行贿受贿、内幕交易等违法犯罪行为,弊端很多,危害很大。有效地规范证券公司及其从业人员的经纪行为,对避免买卖纠纷、预防违法犯罪、维护公平竞争具有重要的作用。为此,本条禁止证券公司及其从业人员不经过其依法设立的营业场所,私下接受客户委托买卖证券。

第一百四十六条　证券公司的从业人员在证券交易活动中,执行所属的证券公司的指令或者利用职务违反交易规则的,由所属的证券公司承担全部责任。

【释义】 本条是对证券公司应当依法对其从业人员违反交易规则的行为承担责任的规定。

证券公司的从业人员是指在证券公司中担任职务并负责、承办证券公司各项证券业务的人员。承担全部责任是指对证券公司从业人员的行为依法承担所有的民事责任、行政责任和刑事责任。证券公司的从业人员从事职务或者授权行为,是以证券公司的名义进行的,代表了证券公司的意志,因此他们的行为就是证券公司的行为。如果他们在履行职务的过程中违反了交易规则,就应当由所属的证券公司承担全部责任。

一、证券公司应当对因执行其指令违反交易规则的所属从业人员的行为承担责任

证券公司的从业人员不是独立的证券经纪人,他们代表其所

属的证券公司,并按照其所属证券公司的指令,进行证券交易活动。在其所属公司的指令违反了交易规则时,由于他们执行该指令所进行的行为,并不是他们个人的行为,而是其所属证券公司的行为,所以,因违反交易规则而导致的全部责任,就应当由其所属的证券公司承担。

二、证券公司应当对利用职务违反交易规则的所属从业人员的行为承担责任

利用职务违反交易规则,是指证券公司从业人员利用其所担任的职务进行违反交易规则的行为,如证券公司从业人员在代理客户买卖证券时,擅自挪用客户的资金、证券炒股等。证券公司从业人员在进行其职务行为时,代表了证券公司,其行为就是证券公司的行为,因此,即使他们是在证券公司未知悉的情况下利用职务擅自违反交易规则,他们的行为也是证券公司的行为,应当由所属的证券公司承担全部责任。

本条的规定,既有利于对客户利益的保护,又有利于促使证券公司严格公司纪律,加强对其从业人员的教育和监管。

第一百四十七条　证券公司应当妥善保存客户开户资料、委托记录、交易记录和与内部管理、业务经营有关的各项资料,任何人不得隐匿、伪造、篡改或者毁损。上述资料的保存期限不得少于二十年。

【释义】　本条是对证券公司负有依法保存有关资料的义务的规定。

开户资料是指投资者是否在证券公司开户以及开户时所提供的各种信息,如姓名或者名称、公民身份证明的号码、法人合法证件的有关情况等。委托记录是指客户委托证券公司买卖证券时所填写的证券买卖委托书,以及以电话委托、电脑委托时保存的录音、电子数据等委托记录。交易记录是指记载客户所进行的证券

交易活动的资料，如交易的时间、买卖证券的种类、交易的数额等。客户开户资料、委托记录、交易记录和与内部管理、业务经营有关的各项资料是记录和反映证券交易活动、证券公司运行状况和业务状况的重要史料和证据。通过这些资料，不但可以了解证券交易的有关情况以及证券公司的管理、业务情况，而且还可以了解证券公司遵守国家的法律、法规和金融政策的情况。为了真实了解有关情况，减少和防止客户与证券公司之间的纠纷，并为处理纠纷时提供可靠的证据，本条规定证券公司负有依法保存有关资料的义务。

一、证券公司应当妥善保存有关资料

客户开户资料、委托记录、交易记录和与证券公司内部管理、业务经营有关的各项资料，都形成于证券公司，处于证券公司的控制之中，因此，保存这些资料的义务应当由证券公司承担，证券公司应当真实、准确、完整地将这些资料予以保存。

二、任何人不得隐匿、伪造、篡改或者毁损有关资料

隐匿是指将这些资料隐藏起来。伪造是指有意制作虚假的资料的行为。篡改是指将原始的真实资料用各种方式予以改动，以改变这些资料的真实记录。毁损指把真实的资料予以毁灭或者损坏。由于客户开户资料、委托记录、交易记录和与证券公司内部管理、业务经营有关的各项资料是记录和反映证券交易活动、证券公司运行状况和业务状况的重要史料和证据，所以，本条规定任何人不得隐匿、伪造、篡改或者毁损。

三、有关资料的保存期限不得少于二十年

客户开户资料、委托记录、交易记录和与内部管理、业务经营有关的各项资料，保存时间过短，就难以了解有关的历史情况，也难以查清有关的事实；保存时间过长，查阅这些资料的可能性很小，又会给证券公司造成不必要的负担。考虑到证券市场的实际情况，本条规定有关资料的保存期限不得少于二十年。

第一百四十八条　证券公司应当按照规定向国务院证券监督管理机构报送业务、财务等经营管理信息和资料。国务院证券监督管理机构有权要求证券公司及其股东、实际控制人在指定的期限内提供有关信息、资料。

证券公司及其股东、实际控制人向国务院证券监督管理机构报送或者提供的信息、资料，必须真实、准确、完整。

【释义】　本条是对证券公司及其股东、实际控制人负有依法报送和提供有关信息和资料义务的规定。

一、证券公司应当按照规定报送有关信息和资料

业务、财务等经营管理信息和资料是指反映证券公司的业务情况、财务状况、经营成果及客户资产状况等的信息和资料。由于通过证券公司的业务、财务等经营管理信息和资料，可以了解证券公司的经营管理的真实情况，所以，本条规定证券公司应当按照规定向国务院证券监督管理机构报送，以便于国务院证券监督管理机构分析问题并发现问题，及时采取相关对策纠正、处理有关的问题，也便于国务院证券监督管理机构根据证券公司的整体状况，制定有关政策，促使证券业和经济的健康发展。

证券公司应当报送的业务、财务等经营管理信息和资料的范围，分别规定在有关的法律、行政法规、规章和规范性文件中。例如，证券公司管理办法规定，证券公司应当按照中国证监会的要求报送财务报表、业务报表和年度报告。金融企业会计制度规定，金融企业制定的固定资产目录、分类方法、每类或每项固定资产的预计使用年限、预计净残值、折旧方法等，应当编制成册，并按照管理权限，经股东大会、董事会或类似机构批准，按照法律、行政法规的规定报送有关各方备案。金融企业应当制定计提坏账准备的政策，明确计提坏账准备的范围、提取方法、账龄的划分和提取比例，按照法律、行政法规的规定报有关各方备案。客户交易结算资金管理办法规定，证券公司与其确定的存管银行、主办存管银行应当

签订有关资金存管的合同,明确双方的权利和义务,并报证监会备案。证券公司应当按照该办法制定客户交易结算资金操作办法和规程,报证监会备案。证券公司及其证券营业部开立的客户交易结算资金专用存款账户,证券公司开立的自有资金专用存款账户,应当在开立后三个工作日内向证监会报备。证券公司自营证券账户应当向证监会备案。证券公司应当按照该办法制定客户交易结算资金操作办法和规程,报证监会备案。证券公司客户资产管理业务试行办法规定,证券公司应当在集合资产管理计划设立工作完成后五个工作日内,将集合资产管理计划的设立情况报中国证监会及注册地中国证监会派出机构备案。证券公司进行年度审计,应当同时对客户资产管理业务的运营情况进行审计,并应当将审计结果报送中国证监会及注册地中国证监会派出机构备案。证券公司应当按季编制客户资产管理业务的报告,报中国证监会及注册地中国证监会派出机构备案,等等。

二、国务院证券监督管理机构有权要求证券公司及其股东、实际控制人在指定的期限内提供有关信息和资料

证券公司对其业务、财务等经营管理信息和资料,应当按照规定主动将其报送国务院证券监督管理机构。同时,国务院证券监督管理机构也有权要求证券公司及其股东、实际控制人在国务院证券监督管理机构指定的期限内提供有关信息、资料,如证券公司检查办法规定,证监会及其派出机构进行检查时,可要求被检查的公司向检查人员提供以下文件:公司的会计报表、相关账簿和凭证以及其他涉及会计报表的资料;公司的自营、代理、资产管理等业务开展的交易记录、电脑数据、合同文本、公司有关管理制度文件等。公司的股东大会、董事会、监事会的会议记录,决议文本,公司经理办公会议文件等。

应当注意的是,国务院证券监督管理机构有权要求提供有关信息、资料的人,不仅是证券公司,而且包括其股东和实际控制人,

即持有证券公司的股权或者股份的人，以及虽然不是公司的股东，但通过投资关系、协议或者其他安排，能够实际支配公司行为的人。

三、提供或者报送的信息、资料必须真实、准确、完整

真实是指有关的信息、资料是客观事实的反映，没有虚假的成分。准确是指有关的信息、资料完全与客观事实相一致，没有偏差。完整是指有关的信息、资料反映了客观事实的全貌，没有缺少的部分。有关信息、资料的真实、准确、完整，是对证券市场进行正确分析，从而得出正确结论、采取正确措施的前提，为此，本条要求证券公司及其股东、实际控制人向国务院证券监督管理机构提供或者报送的信息，必须真实、准确、完整。

第一百四十九条　国务院证券监督管理机构认为有必要时，可以委托会计师事务所、资产评估机构对证券公司的财务状况、内部控制状况、资产价值进行审计或者评估。具体办法由国务院证券监督管理机构会同有关主管部门制定。

【释义】　本条是对国务院证券监督管理机构可以依法委托有关证券服务机构对证券公司进行审计或者评估的规定。

一、国务院证券监督管理机构可以委托有关证券服务机构对证券公司进行审计或者评估

本法规定证券公司应当按照规定向国务院证券监督管理机构报送业务、财务等经营管理信息和资料，证券公司及其股东、实际控制人在国务院证券监督管理机构要求时，应当向国务院证券监督管理机构提供有关信息、资料，并要求提供或者报送的信息、资料，必须真实、准确完整。证券公司报送、提供的信息、资料是否反映了证券公司的真实状况，还需要国务院证券监督管理机构进行具体的分析。由于国务院证券监督管理机构对证券公司财务和经营状况的准确掌握，直接影响到监督管理的质量，但证券公司的财

务和经营状况如何,不能完全按照证券公司的表述来确定,而国务院证券监督管理机构又没有足够的具有专业知识的人员来对众多的证券公司进行审计、评估,因此,本条规定,国务院证券监督管理机构认为有必要时,可以委托会计师事务所、资产评估机构对证券公司的财务状况、内部控制状况、资产价值进行审计或者评估。

二、国务院证券监督管理机构委托有关证券服务机构对证券公司进行审计或者评估的具体办法由国务院证券监督管理机构会同有关主管部门制定

国务院证券监督管理机构委托有关证券服务机构对证券公司进行审计或者评估,涉及证券公司的权益,审计、评估结果也涉及到国务院证券监督管理机构对证券公司及证券市场的监管。因此,国务院证券监督管理机构具体在什么情况下、怎样委托会计师事务所或者资产评估机构对证券公司进行审计或者评估等,需要进行规范,规定具体办法。该具体办法应当由国务院证券监督管理机构会同有关主管部门制定。

第一百五十条　证券公司的净资本或者其他风险控制指标不符合规定的,国务院证券监督管理机构应当责令其限期改正;逾期未改正,或者其行为严重危及该证券公司的稳健运行、损害客户合法权益的,国务院证券监督管理机构可以区别情形,对其采取下列措施:

(一)限制业务活动,责令暂停部分业务,停止批准新业务;

(二)停止批准增设、收购营业性分支机构;

(三)限制分配红利,限制向董事、监事、高级管理人员支付报酬、提供福利;

(四)限制转让财产或者在财产上设定其他权利;

(五)责令更换董事、监事、高级管理人员或者限制其权利;

(六)责令控股股东转让股权或者限制有关股东行使股东权

利；

（七）撤销有关业务许可。

证券公司整改后，应当向国务院证券监督管理机构提交报告。国务院证券监督管理机构经验收，符合有关风险控制指标的，应当自验收完毕之日起三日内解除对其采取的前款规定的有关措施。

【释义】　本条是对国务院证券监督管理机构对不符合净资本或其他风险控制指标规定的证券公司的处理程序和有关措施的规定。

证券公司的净资本是表现证券公司资本充足状况的一种风险监控指标，它是根据证券公司资产流动性情况对其净资产进行调整后的资产价值，是证券公司净资产中流动性较高的部分，是随时可以变现以满足支付需要的资金数额。本法规定，国务院证券监督管理机构应当对证券公司的净资本，净资本与负债的比例，净资本与净资产的比例，净资本与自营、承销、资产管理等业务规模的比例，负债与净资产的比例，以及流动资产与流动负债的比例等风险控制指标作出规定。由于证券公司的净资本或其他风险控制指标是衡量证券公司是否有风险以及风险大小的一个重要标准，一旦不符合规定，就有可能影响证券公司的运营，给投资者造成损害，并引起证券市场的动荡。为此，本条对不符合净资本或其他风险控制指标规定的证券公司，规定由国务院证券监督管理机构依法处理。

一、责令证券公司限期改正

对不符合净资本或者其他风险控制指标规定的证券公司，国务院证券监督管理机构一旦发现，就应当责令该证券公司在一定的期限内予以改正，使该证券公司主动在限定的时间内，采取有效的措施，达到规定的净资本或者其他风险控制指标。

二、对逾期未改或者有法定情形的证券公司依法采取有关措施不符合净资本或者其他风险控制指标规定的证券公司，国务院证券监督管理机构责令其限期改正，但超过国务院证券监督管理机构限定的时间却仍未改正，或者该证券公司的行为严重危及证券公司的稳健运行、损害客户合法权益的，国务院证券监督管理机构可以区别不同的情形，例如不符合净资本或其他风险控制指标规定的数额的大小、比例的多少，严重危及证券公司的稳健运行、损害客户合法权益的程度大小等，对该证券公司采取下列措施：

1. 限制业务活动，责令暂停部分业务，停止批准新业务。

限制业务活动是指将证券公司正在进行的业务活动予以限制。责令暂停部分业务是指将证券公司经批准可以经营的业务，如证券经纪业务、证券投资咨询业务、与证券交易及证券投资活动有关的财务顾问业务、证券承销与保荐业务、证券自营业务、证券资产管理业务等，责令其暂时停止其中的某些部分。停止批准新业务是指对证券公司要求在现有的业务以外增加某种新业务的申请，不予批准。净资本或者其他风险控制指标与证券公司的业务密切相关，所以，国务院证券监督管理机构可以根据情形，对证券公司采取限制业务活动、责令暂停部分业务以及停止批准新业务的措施。

2. 停止批准增设、收购营业性分支机构。

停止批准增设分支机构，是指对证券公司要求在现有的营业性分支机构以外增加设立新的营业性分支机构的申请，不予批准。停止批准收购营业性分支机构是指对证券公司要求收购其他证券公司的营业性分支机构的申请，不予批准。增设、收购营业性分支机构，目的是为了扩大经营活动规模，但如果证券公司的净资本或其他风险控制指标不符合规定，该证券公司的扩张就可能带来极大的风险。为此，对不符合净资本或其他风险控制指标规定的证券公司，国务院证券监督管理机构可以根据情形，对证券公司采取停止批准增设、收购营业性分支机构的措施。

3. 限制分配红利，限制向董事、监事、高级管理人员支付报酬、提供福利。

分取红利是股东的一项权利，董事、监事、高级管理人员获得报酬和有关福利也是董事、监事、高级管理人员的一项权利。但在证券公司的净资本或其他风险控制指标不符合规定的情形时，在一定的情形下，有必要对他们的权利予以限制，以促使证券公司的净资本或其他风险控制指标尽快达到规定。

4. 限制转让财产或者在财产上设定其他权利。

证券公司的净资本或其他风险控制指标不符合规定时，其转让财产的行为，或者在财产上设定其他权利，如设定担保权的行为，可能会使其净资本更少或者更加低于规定的其他风险控制指标，给证券公司的运营和客户带来极大的风险。为了防范风险，本条规定国务院证券监督管理机构可以根据情形，采取限制转让财产或者在财产上设定其他权利的措施。

5. 责令更换董事、监事、高级管理人员或者限制其权利。

高级管理人员是指公司的经理、副经理、财务负责人，上市公司董事会秘书和公司章程规定的其他人员。责令更换董事、监事、高级管理人员是指责令证券公司解除其现任的部分或者全部董事、监事、高级管理人员的职务，并重新任命新的人员来担任这些职务。限制董事、监事、高级管理人员的权利是指要求这些人员不得行使法律或者公司章程规定的某些权利。为了促使董事、监事和高级管理人员认真履行职责，本条规定国务院证券监督管理机构可以根据情形，采取责令调整这些人员或者限制其权利的措施。

6. 责令控股股东转让股权或者限制有关股东行使股东权利。

控股股东是指持有证券公司较大比例股权或者股份而对公司具有控制权的股东。有关股东是指与证券公司的净资本或其他风险控制指标不符合规定有着关系的股东。责令控股股东转让股权是指责令控股股东将其股权部分或者全部转让给他人。控股股东在公司中处于特殊的地位，有时能直接掌握公司运营，证券公司的净资本或其他风险控制指标不符合规定，可能与他们的控制行为有关；有关股东与证券公司的净资本或其他风险控制指标不符合规定有着关系，负有一定的责任，因此，本条规定国务院证券监督管理机构可以根据情形，采取责令控股股东转让股权或者限制有关股东行使股东权利的措施。

7. 撤销有关业务许可。

撤销有关业务许可是指将原来对证券公司从事有关业务的批准撤销，证券公司不得再从事原批准的有关业务。证券公司的净资本或其他风险控制指标不符合规定，达到一定的程度，就可能严重损害投资者的利益，并给证券市场带来极大的风险。为了防范风险的发生，保护投资者的合法权益，本条规定国务院证券监督管理机构可以根据情形，对证券公司采取撤销有关业务许可的措施。

三、证券公司的整改情况应当向国务院证券监督管理机构报告

无论是责令限期改正的证券公司，还是国务院证券监督管理机构依法采取了措施的证券公司，该证券公司在自己整顿并改正以后，应当向国务院证券监督管理机构提交报告，说明有关的整改情况。

四、国务院证券监督管理机构对符合有关风险控制指标的证券公司应当在法定的期限内解除有关的措施

国务院证券监督管理机构采取的上述各项措施，将极大地影响证券公司或者有关人员的利益和权利。为了在加强监管的同时，确保当事人的合法权益，防止对权力的滥用，国务院证券监督管理机构在收到证券公司的报告以后，应当及时对该证券公司进行验收。国务院证券监督管理机构经验收，对已经符合有关风险控制指标的证券公司，应当自验收完毕之日起三日内解除对其采取的有关措施。

第一百五十一条　证券公司的股东有虚假出资、抽逃出资行为的，国务院证券监督管理机构应当责令其限期改正，并可责令其转让所持证券公司的股权。

在前款规定的股东按照要求改正违法行为、转让所持证券公司的股权前，国务院证券监督管理机构可以限制其股东权利。

【释义】　本条是对虚假出资、抽逃出资的股东采取的措施的规定。

一、对虚假出资、抽逃出资的股东应当责令其限期改正

虚假出资是指股东采取各种方式，不向公司交付其作为出资的货币，或者不依法办理向公司转移其作为出资的实物、知识产权、土地使用权等非货币财产出资的财产权的行为。抽逃出资是指公司登记成立后，股东采取各种方式，将其在公司中的出资无偿转移出公司的行为。

股东的出资，是公司设立并从事生产经营活动的物质基础，股东出资形成的全部法人财产，是公司对外承担债务的保证。所以，确保股东出资到位，防止股东抽逃出资而使公司财产减少，是维护公司的正常经营与发展，保证公司必要的偿债能力，维护债权人利益的必要条件。为此，公司法规定，有限责任公司的股东在公司登记后，不得抽回出资。股份有限公司的发起人、认股人缴纳股款或者交付抵作股款的出资后，除未按期募足股份、发起人未按期召开创立大会或者创立大会决议不设立公司的情形外，不得抽回其股本。

证券公司是依照公司法和本法规定设立的从事证券经营业务的有限责任公司或者股份有限公司，因此，证券有限公司的股东也不得虚假出资、抽逃出资。对虚假出资、抽逃出资的股东，国务院证券监督管理机构应当责令其在一定的期限内改正，要求其在限定的时间内，将未交付的作为出资的货币或者非货币财产，向证券公司交付，将抽逃的出资归还证券公司。

二、对虚假出资、抽逃出资的股东可以责令其转让所持证券公

司的股权

股东转让所持证券公司的股权是指证券公司的股东将其所持有的证券公司的股权部分或者全部转让给他人。对虚假出资、抽逃出资的股东，国务院证券监督管理机构在责令其限期改正的同时，根据该股东虚假出资、抽逃出资的情节、所造成的后果等，还可以责令其转让所持证券公司的股权，使其持有的证券公司的股权减少，或者不再成为证券公司的股东。

三、对虚假出资、抽逃出资的股东可以依法限制其股东权利

限制股东权利是指限制股东行使其某些权利，如分红的权利，股东会或者股东大会决定公司的经营方针和投资计划时的表决权，股东会或者股东大会选举和更换董事、监事时的表决权，等等。股东的出资是股东行使权利的基础。股东虚假出资、抽逃出资时，由于其出资已经减少或者完全丧失，其行使现有权利的基础也就丧失了。只有当其改正了虚假出资、抽逃出资的行为，将未交付的作为出资的货币或者非货币财产，向公司交付，将抽逃的出资归还公司时，才重新有了行使现有权利的基础。为此，本条赋予了国务院证券监督管理机构依法限制虚假出资、抽逃出资的股东行使其股东权利的权力。即虚假出资、抽逃出资的证券公司的股东，被国务院证券监督管理机构责令限期改正，但并未被责令转让其所持证券公司的股权的，在按照要求改正其虚假出资、抽逃出资的行为之前，国务院证券监督管理机构可以限制其行使股东权利；被国务院证券监督管理机构责令限期改正，同时被责令转让所持证券公司的部分股权的，在按照要求改正其虚假出资、抽逃出资的行为，并且转让所持证券公司的股权之前，国务院证券监督管理机构可以限制其行使股东权利。

第一百五十二条　证券公司的董事、监事、高级管理人员未能勤勉尽责，致使证券公司存在重大违法违规行为或者重大风险的，

国务院证券监督管理机构可以撤销其任职资格，并责令公司予以更换。

【释义】 本条是对国务院证券监督管理机构在法定情形下可以对证券公司的董事、监事、高级管理人员采取的措施的规定。

高级管理人员是指公司的经理、副经理、财务负责人，上市公司董事会秘书和公司章程规定的其他人员。董事、监事和高级管理人员在证券公司中执行公司的各项业务活动，或者监督公司董事、高级管理人员履行职责，证券公司的行为和经营管理状况，与他们的行为密切相关。鉴于董事、监事、高级管理人员在公司中所处的地位和对公司的重要作用，许多国家的法律都规定了他们对公司负有的忠实义务和勤勉义务。我国公司法也规定，董事、监事、高级管理人员应当遵守法律、行政法规和公司章程，对公司负有忠实和勤勉义务。为了保证证券公司的董事、监事、高级管理人员能够切实履行其职责，本法还规定，证券公司的董事、监事、高级管理人员应当正直诚实，品行良好，熟悉证券法律、行政法规，具有履行职责所需的经营管理能力，并在任职前取得国务院证券监督管理机构核准的任职资格。

对证券公司负有忠实和勤勉义务的董事、监事、高级管理人员，在履行自己的职责时，没有能够勤勉尽责，而导致证券公司存在重大的违反法律、行政法规或者有关规定的行为，或者导致证券公司存在重大风险的，国务院证券监督管理机构根据证券公司的董事、监事、高级管理人员未能勤勉尽责的具体情形，可以撤销其任职资格，同时责令公司将该董事、监事、高级管理人员予以更换，使其不再担任董事、监事、高级管理人员。

第一百五十三条　证券公司违法经营或者出现重大风险，严重危害证券市场秩序、损害投资者利益的，国务院证券监督管理机构可以对该证券公司采取责令停业整顿、指定其他机构托管、接管

或者撤销等监管措施。

【释义】　本条是对在证券公司违法经营或者出现重大风险并造成严重后果的情形下国务院证券监督管理机构可以采取的监管措施的规定。

证券公司成立以后，依法享有自主经营的权利，也承担守法经营的义务。如果证券公司违反了其义务，在经营活动中违反法律、行政法规以及有关规定，或者出现了重大风险，严重危害了证券市场秩序、损害了的投资者利益，国务院证券监督管理机构就可以对该证券公司采取以下监管措施：

一、责令停业整顿

责令停业整顿是指国务院证券监督管理机构责令证券公司停止营业，要求其查找存在的违法违规行为或者存在的重大风险，并主动采取措施予以改正。在证券公司违法经营或者出现重大风险，严重危害证券市场秩序、投资者利益的情形下，如果让其继续经营，其对证券市场秩序、损害投资者利益的严重危害就会继续下去，并给国家经济秩序和社会秩序的稳定，造成极大的隐患。因此，本条规定国务院证券监督管理机构在这种情形下，可以采取责令停业整顿的监管措施。

二、指定其他机构托管

指定其他机构托管是指国务院证券监督管理机构为处置证券公司风险、保证证券公司业务正常开展，委托其他机构经营证券公司业务的监管措施。当证券公司违法经营或者出现重大风险，严重危害证券市场秩序、损害投资者利益时，国务院证券监督管理机构可以指定其他机构托管。被指定的托管机构一般都是具有专业知识、熟悉证券公司经营管理和有关法律法规规定的机构，能够较好、有效地处理有关的问题，因而托管是化解证券公司金融风险的一种有效方式。

三、接管

接管是指当金融机构出现财务危机时，由监管当局以及政府强制性接管其经营管理的监管措施。在接管期间，由接管机构派出的人员全面负责证券公司的经营管理，行使公司权力，证券公司的股东大会、董事会、监事会暂停履行职责，董事、监事和高级管理人员暂停履行职务。同时，证券公司的业务正常经营，但机构债务暂缓偿付。

由于国务院证券监督管理机构是依法对全国证券市场实行集中统一监督管理的机构，所以，国务院证券监督管理机构采取接管的监督措施，能够迅速控制和有效化解风险，最大限度减少风险处置成本和市场波动。

四、撤销

撤销是指国务院证券监督管理机构对经其批准设立的证券公司，依法终止其经营活动，并予以解散的监管措施。当证券公司违法经营或者出现重大风险，严重危害证券市场秩序、损害投资者利益时，如果不予撤销将严重危害证券市场的正常秩序、损害社会公众利益，国务院证券监管管理机构就可以对该证券公司采取撤销的监管措施。

除上述监管措施以外，当证券公司违法经营或者出现重大风险，严重危害证券市场秩序、损害投资者利益时，国务院证券监督管理机构还可以依法采取其他监管措施，以有效监管市场，维护证券市场的正常秩序，保护国家利益和社会公众利益。

第一百五十四条　在证券公司被责令停业整顿、被依法指定托管、接管或者清算期间，或者出现重大风险时，经国务院证券监督管理机构批准，可以对该证券公司直接负责的董事、监事、高级管理人员和其他直接责任人员采取以下措施：

（一）通知出境管理机关依法阻止其出境；

（二）申请司法机关禁止其转移、转让或者以其他方式处分财产，或者在财产上设定其他权利。

【释义】 本条是对可以依法对证券公司直接负责的董事、监事、高级管理人员和其他直接责任人员采取有关措施的规定。

一、可以依法采取本条所规定措施的条件

对证券公司直接负责的董事、监事、高级管理人员和其他直接责任人员采取本条所规定的措施，必须符合本条所规定的条件，即证券公司正处于被依法接管、指定托管、停业整顿或者清算期间，或者证券公司出现了重大风险。

二、可以依法采取本条所规定措施的程序

对证券公司直接负责的董事、监事、高级管理人员和其他直接责任人员采取本条所规定的措施，必须符合本条所规定的程序，即必须经国务院证券监督管理机构批准。否则，不得采取本条所规定的措施，以防止权力滥用。

三、可以依法采取本条所规定措施的对象

本条所规定的措施，仅适用于证券公司直接负责的董事、监事、高级管理人员和其他直接责任人员，即对证券公司违法经营或者出现重大风险，严重危害证券市场秩序、损害投资者利益，而被国务院证券监督管理机构采取责令停业整顿、指定其他机构托管、接管或者撤销的监管措施，或者对证券公司出现重大风险，直接负有责任的董事、监事、经理、副经理、财务负责人，上市公司董事会秘书和公司章程规定的其他人员，以及其他直接负责、承办该项具体事务的人员。对除此之外的其他人，不得采取本条所规定的措施。

四、可以依法采取的措施

本条规定可以依法采取的措施有两种：

1. 通知出境管理机关依法阻止其出境。

证券公司直接负责的董事、监事、高级管理人员和其他直接责任人员，对于证券公司违法经营或者出现重大风险，负有直接的责任。如果他们在证券公司被依法接管、指定托管、停业整顿或者清算期间，或者出现重大风险时，离开中国国境，到其他国家或者地区，那么，由于他们在中国的行政和司法管辖权之外，就会使有关机构和司法机关在对证券公司进行调查处理时，因无法对他们进行询问、调查而难以查清有关事实和问题，而且在应当依法追究他们的法律责任时，也难以使其真正承担相应的责任。为此，本条规定在法定的情形下，经国务院证券监督管理机构批准，可以通知出境管理机关，对企图出境的证券公司直接负责的董事、监事、高级管理人员或者其他直接责任人员，依法不允许其出境。

2. 申请司法机关禁止其转移、转让或者以其他方式处分财产，或者在财产上设定其他权利。

证券公司直接负责的董事、监事、高级管理人员和其他直接责任人员，在依法应当承担责任时，可能需要以其财产来承担责任，如进行民事赔偿、支付罚款和罚金时，需要以自己的财产来赔偿、支付。为了保证证券公司直接负责的董事、监事、高级管理人员和其他直接责任人员在需要时能够真正承担责任，本条规定在法定的情形下，经国务院证券监督管理机构批准，可以申请司法机关禁止证券公司直接负责的董事、监事、高级管理人员或者其他直接责任人员将财产转移至他处、将财产转让给他人或者以其他方式处分财产，如将财产赠与他人等，或者在财产上设定其他权利，如在财产上设定担保权，将财产作为债权的担保，等等。

第七章 证券登记结算机构

第一百五十五条　证券登记结算机构是为证券交易提供集中登记、存管与结算服务，不以营利为目的的法人。

设立证券登记结算机构必须经国务院证券监督管理机构批准。

【释义】　本条是对证券登记结算机构的性质、法律地位、设立审批的规定。

第一，在证券法中规定证券登记结算机构为证券交易提供集中的登记、存管与结算服务，这就清楚地表明，这是一个在证券交易中为买卖双方履行交易责任提供服务的机构，它自己不参加交易，不是交易的任何一方当事人，既不是证券的买入者，也不是卖出者，而是同时为买卖双方的交易提供服务，并且这种服务是连续的，贯穿于交易的整个过程，通过这种服务来保证证券交易顺利地、有秩序地完成。

第二，证券登记结算机构提供服务，它不以营利为目的，这是从法律上为这个机构确定了性质，它的服务是有偿提供的，但又不是借此追求利润。

第三，证券登记结算机构在法律上具有法人地位，这说明它是一个独立存在的组织，有独立的财产，能够独立享有权利和承担责任。

第四，证券登记结算机构在证券交易中虽然是提供服务的，但却是处于关键的环节，承担重要的责任，关系到买卖双方的利益关系，必须由国家实施严格的监督管理，因此它的设立需要由国务院证券监督管理机构批准，不得擅自设立，其他部门也不得越权审批。

第一百五十六条　设立证券登记结算机构，应当具备下列条件：

（一）自有资金不少于人民币二亿元；

（二）具有证券登记、存管和结算服务所必须的场所和设施；

（三）主要管理人员和从业人员必须具有证券从业资格；

（四）国务院证券监督管理机构规定的其他条件。

证券登记结算机构的名称中应当标明证券登记结算字样。

【释义】　本条是对证券登记结算机构的设立条件和名称标示的规定。

（一）证券登记结算机构是具有法定职责的机构，必须具有与之相适应的设立条件，因此本法第一款规定：

1. 自有资金不少于人民币两亿元。这是由于提供服务需要有相当水平的物质基础，也就是要有雄厚的资金条件，设置服务场所和购置设施，用于日常使用。

2. 具有证券登记、存管和结算服务所必须的场所和设施，因为提供这三方面的服务都要求有与之相适应的场所和设施，也就是要有必备的物质条件，没有这种必备的条件就不能设立这种服务机构。

3. 关于人员的条件。在一个提供特定服务的机构中，管理人员和从业人员的条件尤其重要，因此本条规定必须具有证券从业资格，这个资格的认定是由国务院证券监督管理机构制定办法并监督实施的。按照现行的规定有基本条件和必备条件两方面的要求。

4. 对于证券登记结算机构的设立，除了上述三项条件之外，国务院证券监督管理机构还可以规定其他的条件。因为上述三项条件仅是主要条件,还有必要规定其他条件,所以在法律上作出授权的规定。

(二)关于证券登记结算机构的名称标示,本条第二款作出专门规定,即需要在名称中显示出这个机构的特征,标明证券登记结算字样。究其立法目的:一是便于辨认;二是防止其他机构使用同样或类似名称造成混乱,更要防止利用这个名称进行欺诈或误导社会公众。

第一百五十七条　证券登记结算机构履行下列职能:

(一)证券账户、结算账户的设立;

(二)证券的存管和过户;

(三)证券持有人名册登记;

(四)证券交易所上市证券交易的清算和交收;

(五)受发行人的委托派发证券权益;

(六)办理与上述业务有关的查询;

(七)国务院证券监督管理机构批准的其他业务。

【释义】 本条是对证券登记结算机构职能的规定。

对于证券登记结算机构,不但在法律中确定它具有提供登记、存管与结算服务的性质,而且在法律中还明确规定了相应的职能,也可以说是法定的服务职能,共有七项,下面分项解释:

1. 设立证券账户与结算账户。这是专门为投资者买卖证券而设立的,证券账户用于记录投资者的买卖证券情况,结算账户的作用在于证券交易中为买卖双方清算交收服务。交易结算人在证券登记结算机构设立账户,实际上就是证券公司与证券登记结算机构建立了一种服务的关系,登记结算机构为证券公司提供证券交易的有关服务。

2. 证券存管和过户。存管就是证券登记结算机构受托集中保管证券持有人持有的上市交易的证券,这样便于交易结算,也比较安全;过户就是根据证券交易清算交收的结果,将证券持有人持有证券的事实记录下来,所用的形式是将一个所有者账户上的证券转移到另一个所有者账户上,这种转移是证券所有权的转移,它由证券登记结算机构经办。

3. 证券持有人名册登记。它是根据证券交易中结算、交收、过户的结果进行的,这种登记是确定了投资者的权利,并形成了证券持有人名册。

4. 证券交易的清算与交收。这就是在实际履行交易双方的责任,完成一方交付证券,另一方支付价款的过程,这样证券交易才能完成,下一步的交易才能开始并继续。

5. 受发行人委托派发证券权益。一般来说,证券在发行后并上市交易,在投资者之间流动,发行人再难以掌握哪些人持有证券,但是要向股东派发权益,或者向债权人支付利息,那最好的办法就是委托证券登记结算机构依据证券持有人登记名册派发,可以做到准确、便捷,有利于保护投资者利益。

6. 办理查询。它有一个限定,就是与上述业务有关的事项,这是合理的,也可以说是相关业务的延伸,这是又一项法定的职能。

7. 除了上述六项业务外,还会有一些是证券登记结算机构可以提供的服务,但它需要经过国务院证券监督管理机构的批准。

第一百五十八条　证券登记结算采取全国集中统一的运营方式。

证券登记结算机构章程、业务规则应当依法制定,并经国务院证券监督管理机构批准。

【释义】　本条是对证券登记结算的运营方式及其章程、业务规则制定的规定。

证券登记结算的运营方式是由我国证券市场是一个统一的市

场,实行统一的交易规则,由统一的法律规范进行调整,实行集中统一的监督管理体制的情况所决定的。只有这样,证券登记结算的运营与它所服务的对象才是相适应的,更有效率,更能保证服务质量,也更有利于防范风险。

证券登记结算机构是一个有法人资格的组织,应当制定章程,但该章程要体现法律对它的要求,需依法制定,并要接受国务院证券监督管理机构的监督,经过批准才能生效。

证券登记结算机构从事服务,需要有适应自身特点的业务规则,以保证提供的各项服务符合证券交易的要求。本条第二款对证券登记结算机构的业务规则作了限制性规定,即一是需要依法制定;二是须经国务院证券监督管理机构批准。

第一百五十九条　证券持有人持有的证券,在上市交易时,应当全部存管在证券登记结算机构。

证券登记结算机构不得挪用客户的证券。

【释义】　本条是对上市交易的证券存管与保护客户证券应有权益的规定。

本条主要明确了四项规则,前两项是对证券持有人的要求,后两项是对证券登记结算机构的限制。

第一,证券持有人应将所持证券在上市交易时交由证券登记结算机构存管。所谓依法存管的证券,主要有两点:一是存管的证券为上市交易的证券,或者说是确定要在证券交易所挂牌交易的证券,因上市交易的证券是买卖双方履行交易责任的对象,如果未能确定上市交易,就无须这种集中存管;二是存管的时间限在上市交易时,因为一开始上市交易就会立即需要进行清算交收,要实际履行交易责任,就要有已在证券登记结算机构存管的证券,所以要求在上市交易时已在证券登记结算机构存管。

第二,证券如果确定上市交易的,则在上市交易时全部集中存管。在现实生活中，会出现证券已被确定上市交易，但其持有人不愿卖出所持证券，即自己继续持有，但该证券已作为交易对象却是确定的，持有人不得通过其他方式转让所持有的证券，因此在这种情况也应集中存管，

第三，证券登记结算机构不得挪用客户的证券。所谓挪用客户的证券，是指证券登记结算机构未经客户同意，将客户存管的证券用于为客户证券交易结算以外的其他用途，主要包括以下情形：据为己有；用于其他客户的证券交易结算；出借给他人；用作自己或者他人借款的担保物等。客户的证券的用途应当由客户自行决定，禁止证券登记结算结构以任何形式挪用。

第一百六十条　证券登记结算机构应当向证券发行人提供证券持有人名册及其有关资料。

证券登记结算机构应当根据证券登记结算的结果，确认证券持有人持有证券的事实，提供证券持有人登记资料。

证券登记结算机构应当保证证券持有人名册和登记过户记录真实、准确、完整，不得隐匿、伪造、篡改或者毁损。

【释义】　本条是对证券持有人名册及有关登记资料的形成和使用的规定。

证券登记结算机构的重要职能之一是确认证券持有人的权利，并有责任提供有关文件加以证实，因此本法规定：

1. 证券登记结算机构有责任向证券发行人提供证券持有人名册及其有关资料。发行人首次销售证券之后，这种证券又上市交易，因为证券流通速度快，范围广，具有不特定性，因此发行人自身无法掌握该种证券的情况，这时只有登记结算机构才有记录，因此，必须由这个机构提供这方面的情况，它的法定形式如证券持有人登记名册，这种名册对发行股票的上市公司来说，就等于是股东名册。

2. 证券登记结算机构确认证券持有人持有证券的事实，所根据的应当是证券登记结算的结果，因为这种结果是反映交易的实际后果，是经过既定程序之后形成的，应当作为确认投资者权利的一种可靠的依据。

3. 对于证券持有人名册和登记过户资料，证券登记结算机构应保证其真实、准确、完整，这是最基本的要求，也是证券登记结算机构的法定责任。证券持有人名册和登记过户资料都记载了投资者合法权益，关系到投资者的直接利益，所以必须完全真实，否则就会侵害投资者或者其他合法权利人的权益。证券持有人名册及登记资料的准确，就是如实记载，数量准确，权属明确，无差错。关于完整，则是要求全面地反映持有人的权利和义务，不应是片面的有重大遗漏的。

对于证券持有人名册和登记资料，由于它关系到投资者的切身利益，关系到证券登记结算机构的责任，因此对于在业务中形成的各种资料必须保存好，不得有隐匿、伪造、篡改或者毁损行为。

第一百六十一条　证券登记结算机构应当采取下列措施保证业务的正常进行：

（一）具有必备的服务设备和完善的数据安全保护措施；

（二）建立完善的业务、财务和安全防范等管理制度；

（三）建立完善的风险管理系统。

【释义】 本条是对证券登记结算机构的正常运行及其保证措施的规定。

证券登记结算机构是证券市场的必不可少的组成部分，为了保证证券市场持续不断的正常运转，就要求证券登记结算机构正常地提供服务，因此必须具有一系列的保证条件，并以法律形式加以肯定，以求得到更有效的实施。本法具体要求如下：

1. 要有必备的服务设备。这是从设备上保证证券登记结算机构的正常运行，也就是保证正常地提供登记、存管、结算服务。

2. 具有完善的数据安全保护措施。这是因为证券登记结算机构的业务要生成、储存、运算大量的数据，这些数据直接关系到证券市场参与者多方面利益，因而必须重视对其安全保护，所以确定为一种法律上的措施。

3. 从制度上进行保证。一是建立健全业务制度；二是建立健全财务制度，这两项是从日常管理制度方面考虑的；三是建立健全必要的安全防范制度，这是有特定要求的制度，除此以外还应建立健全一些有关的制度。这样，有利于保证证券登记结算机构的运行质量和管理水平，特别是增强其防范风险的能力。

4. 建立完善的风险管理系统。这是一项比较高的要求，证券登记结算机构在建立和发展的过程中，需要建立完善这个系统，目的在于防范和化解证券登记结算过程中可能出现的风险，增强承担风险的能力。

第一百六十二条　证券登记结算机构应当妥善保存登记、存管和结算的原始凭证及有关文件和资料。其保存期限不得少于二十年。

【释义】 本条是对证券登记、存管和结算原始凭证及有关文件和资料保存的规定。

证券登记结算机构为证券交易提供登记过户、存管、结算服务而形成的清算交收、登记过户记录等原始凭证以及会计账簿、财务会计报告等文件和资料，是记录和反映证券登记、存管、结算、过户业务活动的重要史料和证据，通过这些文件和资料，可以了解证券登记结算机构每项业务活动的真实情况，是检查证券登记结算机构是否遵守客户委托和法律、行政法规及登记结算规则的书面证明，有些文件和资料还是证券交易活动的权利证明，也是证券监督管理机构查处证券违法行为的重要线索和凭据。正是由于证券登记、存管、结算过程中形成的原始凭证及有关文件和资料的重要性，因此证券登记结算机构有责任对其妥善保存。同时本条还规定，重要的原始凭证及有关文件和资料的保存期限不得少于二十年，这是从法律上限定重要的原始凭证及有关文件和资料最短的保存期限。关于确定重要原始凭证及有关文件和资料的标准，由国务院证券监督管理机构具体加以规定并对此加以监督管理。

第一百六十三条　证券登记结算机构应当设立证券结算风险基金，用于垫付或者弥补因违约交收、技术故障、操作失误、不可抗力造成的证券登记结算机构的损失。

证券结算风险基金从证券登记结算机构的业务收入和收益中提取，并可以由结算参与人按照证券交易业务量的一定比例缴纳。

证券结算风险基金的筹集、管理办法，由国务院证券监督管理机构会同国务院财政部门规定。

【释义】　本条是对设立证券结算风险基金及有关事项的规定。

第一，从法律上规定了证券风险基金的设立，确立了它的法律地位。这项基金的设立表明，在证券结算中存在着风险，并需要有必要的财力来对这种风险造成的经济损失进行补偿。

第二，证券结算风险基金的用途是由法律来规定的，不是自行决定的，更不是任意决定的。本法所规定的用途为，用于垫付或者弥补因技术故障、操作失误、不可抗力造成的证券登记结算机构的损失。这些用途限定在与证券结算直接有关，并且有造成损失这样的后果。

第三，证券结算风险基金的来源法定化，以使之有稳定、合理的来源和维持一定的资金数额。法定的基金来源有三项：一是从证券登记结算机构的业务收入中提取；二是从证券登记结算机构的收益中提取；三是由结算参与人缴纳，就是按其证券交易业务量的一定比例确定缴纳数额。本法之所以确定证券结算风险基金的这三项来源，所根据的原则是风险从哪里出现就要从哪里筹集。

第四，由国务院证券监督管理机构会同国务院财政部门规定证券结算风险基金的筹集、管理办法。该规定使基金的筹集可以具体操作，如有关的缴纳单位、缴纳的具体比例、时间上的限制等，都属于这方面的内容；对于证券结算风险基金的管理办法也要求是具体的可操作的，比如确定管理的机构、使用的权限、使用的程序、监督检查等。这些都是有效地筹集基金，管好、用好基金的制度上的保证。

第一百六十四条　证券结算风险基金应当存入指定银行的专门账户，实行专项管理。

证券登记结算机构以证券结算风险基金赔偿后，应当向有关责任人追偿。

【释义】　本条是对证券结算风险基金专项管理和代位求偿的规定。

本条第一款的规定，其目的在于专项管理、专项存放证券结算风险基金，因此规定要存入指定银行的专门账户，以便保证它的使用方向与正确地发挥作用。避免与其他资金混合管理，交叉使用带来的弊端，特别是防止影响或者改变证券结算风险基金的真正作用。

证券结算风险基金是作为一项经济补偿制度来设立的，但是用这项基金赔偿损失后，并不是就此结束，这样对控制风险和合理承担风险责任是不利的，所以在法律上确立了代位求偿的制度，它的具体要求是，一旦由于出现证券结算风险而造成损失，即由证券结算风险基金先行赔偿，然后由证券登记结算机构向有关责任人提出承担赔偿责任的要求，追回应由有关责任人承担的那一部分。

第一百六十五条　证券登记结算机构申请解散，应当经国务院证券监督管理机构批准。

【释义】 本条是对证券登记结算机构的解散的规定。

证券登记结算机构的解散应当与其设立联系起来规定审批机构与办理程序。因为对这样一个关系到证券市场多方参与者利益，与证券市场正常运行有密切联系的机构，其设立与解散都必须慎重而严密，保护投资者以及有关当事人的合法权益。所以，证券登记结算机构的解散须经国务院证券监督管理机构的批准，而不能擅自解散，也就是其进入证券交易服务领域需要经过法定程序，退出也要经过法定的程序。

第一百六十六条　投资者委托证券公司进行证券交易，应当申请开立证券账户。证券登记结算机构应当按照规定以投资者本人的名义为投资者开立证券账户。

投资者申请开立账户，必须持有证明中国公民身份或者中国法人资格的合法证件。国家另有规定的除外。

【释义】 本条是对投资者开立证券账户的规定。

根据本法规定，上市交易的证券在上市交易时，应当全部存管在证券登记结算机构。在证券交易所的交易由证券登记结算机构统一进行清算交收、登记过户，这就要求投资者在委托证券公司进行证券交易时必须开立证券账户。证券登记结算机构应当根据申请，以投资者本人名义为投资开立证券账户。这是因为在我国，上市交易的证券全部集中存管在证券登记结算机构，证券的登记过户也是由证券登记结算机构完成的，而不是由证券公司完成的，因此，投资者的证券账户使用的是其本人名义，而不是将证券公司的客户的所有证券登记在证券公司的名下。

本条第二款规定了开立账户的条件，即投资者申请开立账户，必须持有合法的身份证明。投资者买卖证券，需要开立证券账户和资金账户。个人开户必须持有公安机关制发的证明中国公民身份的有效居民身份证,法人开户必须持有工商行政管理部门颁发的证明其具有中国法人资格的合法文件。其目的在于在证券行业实施证券交易实名制。近年来,我国已实行存款实名制,证券行业作为金融体系的重要一环也应当实行这一制度,通过确保开户资料的真实性,保证证券交易当事人使用本人账户,便于加强对证券市场的监管,维护证券市场正常秩序。鉴于我国证券市场已经有条件地部分对外资开放(从 2002 年 12 月 1 日起批准了所谓 QFII,即合格境外机构投资者),因此,本条还作了例外规定,即“国家另有规定的除外”。

第一百六十七条　证券登记结算机构为证券交易提供净额结算服务时,应当要求结算参与人按照货银对付的原则,足额交付证券和资金,并提供交收担保。

在交收完成之前,任何人不得动用用于交收的证券、资金和担保物。

结算参与人未按时履行交收义务的,证券登记结算机构有权按照业务规则处理前款所述财产。

【释义】 本条是对证券登记结算机构在进行结算时的基本原则的规定。

根据本条第一款的规定,证券登记结算机构为证券交易提供净额结算服务、并且实行货银对付的原则。我国证券市场目前采取的是所谓“二级结算体系”,即结算机构与结算参与人进行一级结算,结算参与人与投资者进行二级结算。截至 2005 年 4 月,结算机构连接了 533 家结算参与人,而在这些结算参与人背后则是 7200 多万名的投资者,因此结算机构是整个证券结算体系的枢纽,其安全运转关系到证券市场乃至整个金融体系的稳定。在结算过程中,结算机构将自己作为买卖双方的“共同对手方”,将原先的合同拆分为买方与结算机构、结算机构与卖方两个合同，并对同一结算参与人负责的所有交易进行互相抵销，再计算出该结算参与人应收应付证券和资金净额，最后根据净额来组织结算参与人进行证券和资金的收付。而货银对付的原则，通俗地说就是"一手交钱、一手交货"。在此严格的风险管理机制下，一旦结算参与人发生资金或者证券交收违约，则结算机构就可以暂时不向其交付其买入的证券或应收的资金，从而保障结算机构在结算参与人违约时不会发生本金的损失。本款还要求结算机构要求结算参与人足额交付证券和资金，并提供交收担保，以便保障货银对付原则的落实。

第二款和第三款规定的目的在于维护结算秩序的稳定。在结算环节中，很多证券和资金都是用于履行已成交交易的交收义务的。而结算机构对结算参与人支付证券或者资金也都是以收到对价为前提条件而实施的。而结算参与人一旦不能向结算机构支付证券或者资金、不能履行已成交交易的交收责任，或者结算参与人的证券或资金被冻结、扣划等，则必将影响结算机构对其他守约的结算参与人的支付、导致结算秩序受到严重影响并最终损害广大投资者的合法权益。

第一百六十八条　证券登记结算机构按照业务规则收取的各类结算资金和证券，必须存放于专门的清算交收账户，只能按业务规则用于已成交的证券交易的清算交收，不得被强制执行。

【释义】　本条是对登记结算机构收取的结算资金和证券的存放及用途的规定。

本条明确了各类结算资金和证券的存放方式以及用途，即必须存放在专门的清算交收账户内，并且仅限用于按业务规则已成交的证券交易的清算交收。通过法定该类资金和证券的存放方式和用途、并且排除强制执行的可能性后，可以避免与其他资金混合管理、交叉使用所引起的各种弊端，确保该类资金和证券的安全、使用方向与正确地发挥作用，从而保证结算机构的正常运转和结算秩序的稳定。

第八章 证券服务机构

第一百六十九条 投资咨询机构、财务顾问机构、资信评级机构、资产评估机构、会计师事务所从事证券服务业务,必须经国务院证券监督管理机构和有关主管部门批准。

投资咨询机构、财务顾问机构、资信评级机构、资产评估机构、会计师事务所从事证券服务业务的审批管理办法,由国务院证券监督管理机构和关主管部门制定。

【释义】 本条是对投资咨询机构、财务顾问机构、资信评级机构、资产评估机构、会计师事务所从事证券服务业务审批的规定。

投资咨询机构、财务顾问机构、资信评级机构、资产评估机构、会计师事务所为证券发行、上市、交易提供服务质量的高低,在一定程度上影响着广大投资者的权益的保护状况和证券市场的运行秩序。从保护广大投资者和维护证券市场正常运行出发,不能让投资咨询机构、财务顾问机构、资信评级机构、资产评估机构、会计师事务所随便进入证券服务市场。为此,投资咨询机构、财务顾问机构、资信评级机构、资产评估机构、会计师事务所从事证券服务业务必须经过审批。国务院证券监督管理机构作为对全国证券市场进行统一集中监管的机构,投资咨询机构、财务顾问机构、资信评级机构、资产评估机构、会计师事务所从事证券服务业务的审批理所当然应当由其进行。但是,由于投资咨询机构、财务顾问机构、资信评级机构、资产评估机构、会计师事务所从事的不是单一业务,还要受其他部门监督管理,为了便于监管,投资咨询机构、财务顾问机构、资信评级机构、资产评估机构、会计师事务所从事证券服务业务应当经国务院证券监督管理机构和有关部门审批。没有获得国务院证券监督管理机构会同有关部门的批准,投资咨询机构、财务顾问机构、资信评级机构、资产评估机构、会计师事务所不得从事证券服务业务。证券服务机构不仅仅包括投资咨询机构、财务顾问机构、资信评级机构、资产评估机构、会计师事务所,还包括律师事务所等其他机构,投资咨询机构、财务顾问机构、资信评级机构、资产评估机构、会计师事务所以外的机构从事证券服务业务,是否需要经过国务院证券监督管理机构的批准,本条没有作出规定,应当依据相关的法律、行政法规规定的办理。

由于投资咨询机构、财务顾问机构、资信评级机构、资产评估机构、会计师事务所从事证券服务业务的审批管理太过于具体,本法难以对其做出具体规定,所以授权国务院证券监督管理机构和有关部门制定审批管理办法。国务院证券监督管理机构和有关部门制定的审批管理办法应当符合本法所规定的基本原则和相关的规定。例如,根据本法的规定,投资咨询、资信评估机构的证券服务从业人员,必须具备证券专业知识和从事证券业务或者证券服务业务二年以上经验等。

第一百七十条 投资咨询机构、财务顾问机构、资信评级机构从事证券服务业务的人员,必须具备证券专业知识和从事证券业务或者证券服务业务二年以上经验。认定其证券从业资格的标准和管理办法,由国务院证券监督管理机构制定。

【释义】 本条是对投资咨询机构、财务顾问机构、资信评级机构工作人员从事证券服务业务条件的规定。

一、投资咨询机构、财务顾问机构、资信评级机构从事证券服务业务人员的从业资格

1. 具备证券专业知识。投资咨询业务、财务咨询业务、资信

评估业务都是专业性很强的工作,不具备证券专业知识不可能胜任此类工作。因此,必须将具备证券专业知识作为投资咨询机构、财务顾问机构、资信评级机构从事证券服务业务人员的条件。

2. 从事证券业务或者证券服务业务二年以上经验。投资咨询机构、财务顾问机构、资信评级机构从事证券服务业务人员仅仅具备证券专业知识,还不能适应投资咨询业务、财务咨询业务、资信评估业务这些专业性很强的工作,他们必须积累一定的经验才能适应投资咨询业务、财务咨询业务、资信评估业务和完成相应的工作。因此,必须将从事证券业务或者证券服务业务二年以上经验作为投资咨询机构、财务顾问机构、资信评级机构从事证券服务业务人员的条件。

二、证券服务从业的资格必须经过认定

具备证券专业知识和从事证券业务或者证券服务业务二年以上经验,并不必然成为投资咨询机构、财务顾问机构、资信评级机构从事证券服务的人员。要成为投资咨询机构、财务顾问机构、资信评级机构从事证券服务的人员,还需要通过证券监督管理机构的证券服务从业资格认定。如果没有经过证券监督管理机构认定,任何人即使具备证券专业知识和从事证券业务或者证券服务业务二年以上经验,也不能成为资咨询机构、财务顾问机构、资信评级机构从事证券服务的人员。

三、认定证券服务从业资格的标准和管理办法的制定

本法对认定证券服务从业资格的标准和管理办法没有作出具体规定,授权给国务院证券监督管理机构制定。国务院证券监督管理机构应当及时制定证券服务从业资格的标准和管理办法。

第一百七十一条　投资咨询机构及其从业人员从事证券服务业务不得有下列行为:

(一)代理委托人从事证券投资;

（二）与委托人约定分享证券投资收益或者分担证券投资损失；

（三）买卖本咨询机构提供服务的上市公司股票；

（四）利用传播媒介或者通过其他方式提供、传播虚假或者误导投资者的信息；

（五）法律、行政法规禁止的其他行为。

有前款所列行为之一，给投资者造成损失的，依法承担赔偿责任。

【释义】　本条是对投资咨询机构及其从业人员从事证券服务业务的禁止行为的规定。

一、投资咨询机构及其从业人员从事证券服务业务的禁止行为

所谓投资咨询机构，是指向投资者或者客户提供投资分析、预测或者建议等咨询服务并收取一定费用的机构。为了稳定证券市场、保护投资者利益、规范证券投资咨询机构及其从业人员从事证券服务的行为，证券投资咨询机构及其从事证券服务业务的人员不得从事下列行为：

1. 不得代理委托人从事证券投资。证券投资咨询机构的职能和证券投资咨询机构从业人员的职业就是为投资者、交易者和筹资者提供证券市场信息和咨询服务，代理委托人从事证券投资已经超出了其的业务范围，应当禁止。另外，允许证券投资咨询机构及其从业人员代理委托人从事证券投资，容易导致其和委托人联手操纵证券交易市场，扰乱证券市场秩序和难以尽职从事证券服务业务。禁止投资咨询机构及其从业人员代理委托人从事证券投资，能防止这些问题的出现。

2. 不得与委托人约定分享证券投资收益或者分担证券投资损失。禁止证券投资咨询机构及其从业人员与委托人达成约定分享证券投资收益或者分担证券投资损失的协议，就明确限制了证

券投资咨询机构及其从业人员与委托人之间的利益关系,从而确保了委托人和被委托人之间的正常委托与被委托之间的关系。

3. 不得买卖本咨询机构提供服务的上市公司股票。禁止证券投资咨询机构及其从业人员买卖本咨询机构提供服务的上市公司股票,是为了防止其利用所掌握的内幕信息牟取不正当利益,给其他投资者带来不必要的损失,保证证券市场的公平性。

4. 不得利用传播媒介或者通过其他方式提供、传播虚假或者误导投资者的信息。有的投资咨询机构及其从业人员通过举办投资咨询的讲座、报告会、分析会,在报刊、电台、电视台等公众传播媒体上发表文章、评论、报告等方式提供、传播虚假或者误导投资者的信息。禁止投资咨询机构及其从业人员利用传播媒介或者通过其他方式提供、传播虚假或者误导投资者的信息,是为了防止其操纵证券市场,维护证券市场的正常运行。

5. 其他禁止行为。这是指法律、行政法规所规定的其他禁止事项。之所以这样做出概括性的规定,主要是因为证券市场具有特殊性和专业性,很难一一列举。作出概括性规定,可以防止挂一漏万,确保投资咨询机构及其从业人员公正、客观、诚实地为委托人服务。因此,只要法律、行政法规有具体的规定,投资咨询机构及其从业人员就必须严格遵守。

二、投资咨询机构及其从业人员从事禁止行为的法律责任

投资咨询机构及其从业务人员代理委托人从事证券投资,与委托人约定分享证券投资收益或者分担证券投资损失,买卖本咨询机构提供服务的上市公司股票,利用传播媒介或者通过其他方式提供、传播虚假或者误导投资者的信息及法律、行政法规禁止的其他行为,给他人造成损失的,应当依法赔偿损失。

第一百七十二条　从事证券服务业务的投资咨询机构和资信评级机构,应当按照国务院有关主管部门规定的标准或者收费办

法收取服务费用。

【释义】 本条是对投资咨询机构和资信评级机构从事证券服务业务收取服务费用的规定。

一、投资咨询机构和资信评级机构从事证券服务业务有权收取服务费用

投资者咨询机构和资信评级机构是以营利为目的的经济组织，其最大的目的就是使其利益最大化。投资咨询机构和资信评级机构为投资者提供服务，理应收取服务费用。

二、投资咨询机构和资信评级机构从事证券服务业务收取服务费用应当合法

证券投资咨询机构、证券资信评估机构从事证券服务业务收取服务费用应当按照国务院有关主管部门规定的标准或者收费办法收取服务费用。这一规定的目的既是为了防止上述机构在证券服务过程中乱收费，增加投资者的投资成本，也是为了防止上述机构在服务过程中的恶性竞争，确保证券市场的稳定运行。国务院有关主管部门制定收费标准或者收费办法时应当充分考虑证券市场的基本情况，确保证券市场的稳定发展。

第一百七十三条　证券服务机构为证券的发行、上市、交易等证券业务活动制作、出具审计报告、资产评估报告、财务顾问报告、资信评级报告或者法律意见书等文件，应当勤勉尽责，对所依据的文件资料内容的真实性、准确性、完整性进行核查和验证。其制作、出具的文件有虚假记载、误导性陈述或者重大遗漏，给他人造成损失的，应当与发行人、上市公司承担连带赔偿责任，但是能够证明自己没有过错的除外。

【释义】 本条是对证券服务机构的义务和责任的规定。

一、证券服务机构为证券的发行、上市、交易等证券业务活动制作、出具审计报告、资产评估报告、财务顾问报告、资信评级报告

或者法律意见书等文件应履行的义务

1. 勤勉义务。证券服务机构在提供证券服务业务时应当忠实地履行自己的职责,不得有违法和违规行为。

2. 核查和验证义务。证券服务机构在提供证券服务时,应当建立核查和验证制度,对其制作、出具文件所依据的文件资料内容的真实性、准确性、完整性进行核查和验证,防止和避免其制作、出具的文件有虚假记载、误导性陈述或者重大遗漏。

二、证券服务机构制作、出具有虚假记载、误导性陈述或者重大遗漏的文件的法律责任

证券服务机构制作和出具的证券服务性文件有虚假记载、误导性陈述或者重大遗漏,给买卖接受服务的证券的人造成损失,应当与证券发行人、上市公司共同承担连带赔偿责任。如果证券服务机构能够证明自己没有过错的,不与证券发行人、上市公司共同承担连带赔偿责任。在证券服务机构应当对提供的证券服务承担连带责任时,受害人可以向证券服务机构提出请求赔偿损失的要求,也可以直接向发行人、上市公司提出赔偿的请求,也可以同时向二者提出赔偿请求。

第九章　证券业协会

第一百七十四条　证券业协会是证券业的自律性组织，是社会团体法人。

证券公司应当加入证券业协会。

证券业协会的权力机构为全体会员组成的会员大会。

【释义】　本条是对证券业协会的特点和权力机构的规定。

根据本条第一款的规定，证券业协会具有下述特点：

(1)证券业协会是社会团体法人。所谓法人，根据民法通则的规定，是指具有民事权利能力和民事行为能力，依法独立享有民事权利和承担民事义务的组织。根据民法通则的规定，法人分为：企业法人；机关、事业单位法人；社会团体法人。证券业协会属于社会团体法人。所谓社会团体法人，是指由市场主体自愿组织成立的从事社会公益、学术研究、文学艺术等活动的一种法人。这种法人一般具有下述特点：一是市场主体自愿成立；二是自愿成立的成员自愿出资成立自己的团体财产或者基金，该财产或者基金属于团体所有；三是成员共同制定团体的章程；四是以自己所有的财产承担民事责任；五是不以营利为目的。

这里需要特别指出的有两点：第一，社会团体法人成立必须具备一定的条件，不具备条件的不得成立。根据民法通则的规定，法人应当具备下述条件：一是依法成立；二是有必要的财产或者经费；三是有自己的名称、组织机构和场所；四是能够独立承担民事责任。社会团体法人的成立须符合上述条件，证券业协会的成立也不例外，必须符合上述条件。第二，社会团体法人成立除符合民法通则的规定以外，还必须符合有关法律、行政法规及规章制度的规定。

(2)证券业协会是自律性组织。所谓自律，是指由协会会员通过订立章程对协会进行自我管理自我约束。但是，这种自我管理并不否定有关部门依法对其进行的行政上的监督管理。根据证券法的规定，证券业协会的自我管理主要包括下述内容：教育和组织会员遵守证券法律、行政法规；收集整理证券信息，为会员提供服务；制定会员应遵守的规则，组织会员单位的从业人员的业务培训，开展会员间的业务交流；对会员之间、会员与客户之间发生的纠纷进行调解；依法维护会员的合法权益，向主管部门反映会员的建议和要求；组织会员就证券业的发展、运作及有关内容进行研究；监督、检查会员行为，对违反法律、行政法规或者协会章程的按规定给予纪律处分等等。

(3)证券业协会必须有会员，其中证券公司必须是参加的会员，其他会员是否参加由自己决定。其他会员可以是证券登记结算机构、证券服务机构、有关的社会中介组织，也可以是这些机构与组织的从业人员等。

本条第二款规定，证券公司必须加入证券业协会，即对证券公司实行强制入会制度。关于证券业协会会员，通行作法有两种：一种是自愿入会，即是否加入证券业协会由会员自己决定。美国采取这种作法。另一种是强制入会，即不论会员是否同意，法律规定必须入会。我国证券法采取的是自愿入会与强制入会相结合的办法。证券公司入会属于强制入会，证券公司以外的其他会员属于自愿入会。

本条第三款规定，证券业协会的权力机构为由全体会员组成的会员大会。所谓权力机构，是指证券业协会是有权决定协会的重大问题的机构。这些重大问题一般是：制定、修改章程；选举会长、副会长及理事会理事；审查理事会的工作报告；确定会费的收取标准;其他重大问题。这里需要指出的是,证券业协会的会员大会的权力有多大,应当通过章程的形式表现出来。

第一百七十五条 证券业协会章程由会员大会制定,并报国务院证券监督管理机构备案。

【释义】 本条是对证券业协会章程的规定。

所谓证券业协会章程,是指由证券业协会的会员大会制定的对所有会员具有约束力的会员之间的一个协议。可以将该协议称之为会员的守则、规则等。章程一般应载明下列事项:

(一)协会的名称和住所。所谓名称,是指一个市场主体区别其他市场主体的符号。所谓住所,是指协会的主要办事机构所在地。

(二)协会的宗旨和职责。所谓协会的宗旨,是指成立协会的基本目的。所谓协会的职责,是指协会的对内对外的职权和责任。根据证券法规定,证券业协会具有下述职责:教育和组织会员遵守证券法律、行政法规;收集整理证券信息,为会员提供服务;制定会员应遵守的规则,组织会员单位的从业人员的业务培训,开展会员间的业务交流;对会员之间、会员与客户之间发生的纠纷进行调解;依法维护会员的合法权益,向证券监督管理机构反映会员的建议和要求;组织会员就证券业的发展、运作及有关内容进行研究;监督、检查会员行为,对违反法律、行政法规或者协会章程的按规定给予纪律处分。

(三)协会的领导机构及其产生办法、任期。协会的领导机构是指高级管理机构,比如理事会、监事或者监事会等;产生办法是指理事会、监事或者监事会是如何成立的,其人员是如何产生的,比如理事会员应有几个人,理事长如何产生等。任期是指领导机构的成员的任职期间。

(四)协会的活动规则。比如何时召开会员大会、大会由谁召集、会员大会如何作出决议等。

（五）协会会员的权利和义务，对协会会员的纪律处分。比如，中国证券业协会章程规定：

会员享有下列权利：有选举权和被选举权，对协会的决议事项有表决权；有对协会工作提出批评和建议的权利；有参加协会举办的各种活动的优先权；享有协会提供的各种服务；有向协会提出维护其合法权益不受损害的权利；有请求退会的权利。但应提前三个月提出书面申请，经常务理事会批准履行退会手续；协会议定的其他权利。

会员承担下列义务：遵守协会章程和协会规章制度及各项决议；按协会规定缴纳会费；按协会规定提供经济、金融证券信息及统计资料；积极参加协会组织的各项活动，承办协会交办的事宜；服从协会的协调；协会规定的其他义务。

（六）协会的经费及管理。一般应包括：经费的来源、开支，由什么机构进行管理等。比如，中国证券业协会章程规定：

协会经费来源：会员缴纳的会费；入会基金、会费等款项的利息收入及其他收入；接受政府有关部门的拨款资助；国内外团体、个人的捐赠和自筹款项；协会开展的有偿服务收入。

协会经费开支：组织各项活动、会议的经费；编辑、印刷有关资料、刊物的经费；常设办公机构的办公经费及其他经费开支；拨付协会下设机构经费；对本行业及协会工作做出特殊贡献的团体、个人的奖励；其他正当开支。

（七）其他事项。

根据本条规定，协会章程（包括制定和修改）应当报国务院证券监督管理机构备案。这一规定便于国务院证券监督管理机构的指导和监督。这里需要说明的是，本条规定的是备案，不是审批，说明协会章程是从会员大会通过后生效的。

第一百七十六条　证券业协会履行下列职责：

（一）教育和组织会员遵守证券法律、行政法规；

（二）依法维护会员的合法权益，向证券监督管理机构反映会员的建议和要求；

（三）收集整理证券信息，为会员提供服务；

（四）制定会员应遵守的规则，组织会员单位的从业人员的业务培训，开展会员间的业务交流；

（五）对会员之间、会员与客户之间发生的证券业务纠纷进行调解；

（六）组织会员就证券业的发展、运作及有关内容进行研究；

（七）监督、检查会员行为，对违反法律、行政法规或者协会章程的，按照规定给予纪律处分；

（八）证券业协会章程规定的其他职责。

【释义】　本条是对证券业协会职责的规定。

依本条规定，证券业协会共有八项职责。现分述如下：

（1）教育和组织会员遵守证券法律、行政法规。证券法律、行政法规是维护证券市场秩序，保障证券交易参与人的合法权益，促进证券市场健康发展的根本保证。证券业协会作为证券业的自律性组织，有义务、有责任组织会员学习、知悉证券法律、行政法规，并教育、督促会员贯彻、遵守证券法律、行政法规。

（2）维护会员权益。这是指当会员的合法权益受到侵害时，证券业协会应当根据法律、行政法规的规定来维护会员的合法权益，也可以向证券监督管理机构反映，或将会员提出的合法合理的有关证券业发展的建议和要求向证券监督管理机构反映。

（3）服务职责。这是指证券业协会收集整理证券信息，为会员提供服务。

（4）培训、交流职责。这是指证券业协会组织会员单位的从业人员进行业务培训，开展会员间的业务交流。业务培训应当包括政策法规的培训和专业技术知识的培训。会员的业务交流应当是法律、行政法规许可的业务交流。

(5)调解职责。这是指证券业协会会员之间、会员与客户之间发生纠纷后,协会对各方根据法律、行政法规的规定对纠纷各方所进行的民间性调解。该调解只是民间性的,如果对于调解不满意,可以依法提起诉讼或者仲裁。

(6)组织研究职责。这是指证券业协会组织自己的会员就证券业的发展、运作及有关内容进行讨论研究。

(7)监督、检查职责。这是指证券业协会监督、检查会员从事证券业务的行为,发现或者得知会员有违反法律、行政法规或者协会章程的行为按规定给予纪律处分。

(8)其他职责。除上述七项职责外,证券业协会会员可以根据证券业协会的任务与宗旨、会员的要求和决定以及证券市场发展的实际情况和需要,通过章程赋予协会其他自律管理、自我服务职责。

第一百七十七条 证券业协会设理事会。理事会成员依章程的规定由选举产生。

【释义】 本条是对证券业协会理事会的规定。

理事会是证券业协会的常设机构之一,该机构一般依章程的规定执行会员大会决议。理事会成员一般三人以上,具体数额由章程确定。

理事会成员依章程的规定由选举产生。这是一个授权性决定,章程中应对此作出具体的规定。章程应当包括理事会成员的人数、选举产生的程序(比如是多数同意产生,还是三分之二或者四分之三以上的会员同意产生等)等内容。

这里需要特别指出的是,章程中还应当对下述问题作出规定:一是会员的任期,是二年还是三年?连选能否连任?二是理事会如何召开会议,一年可以召开几次理事会?召开会议时由什么人主持?主持人因故不能履行职务时如何召开会议?理事会的职责是什么?等等。

第十章 证券监督管理机构

第一百七十八条 国务院证券监督管理机构依法对证券市场实行监督管理，维护证券市场秩序，保障其合法运行。

【释义】 本条是对国务院证券监督管理机构职能和基本任务的规定。

证券市场是商品经济、信用经济高度发展的产物，是市场经济的一种高级组织形态，证券价格具有很大的波动性、不确定性，因此，证券市场是一个高风险的市场，这种风险一旦发生，就会对社会、经济造成较大的冲击和破坏力。为了防范证券风险的发生，就需要加强对证券市场的监管。同时，证券市场中又存在着多个利益主体，筹资者与投资者、上市公司与股东、证券公司与客户等之间有着各自不同的利益，存在着种种矛盾和冲突，这就需要有一个权威、高效的机构来规范各个主体。从我国的实际情况出发，为了使我国的证券市场能够公平、公正、高效地运转，更好地保护投资者的合法权益，本法在总则中确立了集中统一监管的原则，规定国务院证券监督管理机构依法对全国证券市场实行集中统一监督管理，本条又概括地规定了国务院证券监督管理机构的职能和基本任务。

对证券市场强有力的监管需求，决定了我国应当设置专门的监管机构，来实现对证券市场的有效监管。为此，国家设置了国务院证券监督管理机构，其职能是依法对证券市场实行监管。国务院证券监督管理机构依照法律赋予的权力范围，履行法律规定的监督管理职责，对证券发行、交易的各个环节进行监督和管理。

目前,国务院证券监督管理机构指的是中国证券监督管理委员会,它是国务院直属事业单位,依法对证券市场实行监督管理。为了切实有效地对证券市场进行监督管理,中国证券监督管理委员会还在全国中心城市设立了三十六个证券监管局,作为中国证券监督管理委员会的派出机构,履行监管职责。

国务院证券监督管理机构对证券市场进行监督管理的基本任务,是维护证券发行、证券交易的正常秩序,保障证券发行、证券交易活动按照法律的规定进行,从而使我国的证券市场健康有序地发展。

第一百七十九条　国务院证券监督管理机构在对证券市场实施监督管理中履行下列职责:

(一)依法制定有关证券市场监督管理的规章、规则,并依法行使审批或者核准权;

(二)依法对证券的发行、上市、交易、登记、存管、结算,进行监督管理;

(三)依法对证券发行人、上市公司、证券公司、证券投资基金管理公司、证券服务机构、证券交易所、证券登记结算机构的证券业务活动,进行监督管理;

(四)依法制定从事证券业务人员的资格标准和行为准则,并监督实施;

(五)依法监督检查证券发行、上市和交易的信息公开情况;

(六)依法对证券业协会的活动进行指导和监督;

(七)依法对违反证券市场监督管理法律、行政法规的行为进行查处;

(八)法律、行政法规规定的其他职责。

国务院证券监督管理机构可以和其他国家或者地区的证券监督管理机构建立监督管理合作机制,实施跨境监督管理。

【释义】 本条是对国务院证券监督管理机构职责的规定。

一、国务院证券监督管理机构的职责

依据本条的规定,国务院证券监督管理机构履行下列职责:

1. 依法制定规章、规则,并依法行使审批或者核准权。

健全的法律制度,是建立健康有序的市场的基础,没有健全的法律制度,证券市场只能处于盲目无序状态,不可能健康发展。由于证券市场参与者多、投机性强、敏感度高,是一个高风险的市场,而且证券市场的风险又具有突发性强、影响面广、传导速度快的特点,因此,证券市场要求有关的规范能够对市场作出快速反应,以便证券监督管理机构能够依法对证券市场的各种行为进行监督管理。为了保证国家有健全的法律制度以规范证券市场,本条赋予国务院证券监督管理机构依照法律及行政法规的规定,制定有关证券市场监督管理的规章、规则的职责。本法规定的由国务院证券监督管理机构制定的规章、规则包括:保荐人的资格及其管理办法;发行人依法申请发行由国务院证券监督管理机构依法负责核准的证券,其所报送的申请文件的格式、报送方式;发行审核委员会的具体组成办法、组成人员任期、工作程序;上市公司收购的具体办法;证券交易所风险基金提取的具体比例和使用办法(会同国务院财政部门规定);国务院证券监督管理机构委托会计师事务所、资产评估机构对证券公司的财务状况、内部控制状况、资产价值进行审计或者评估的办法(会同有关主管部门制定);证券结算风险基金的筹集、管理办法(会同国务院财政部门规定);证券公司的净资本,净资本与负债的比例,净资本与净资产的比例,净资本与自营、承销、资产管理等业务规模的比例,负债与净资产的比例,流动资产管理与流动负债的比例等风险控制指标;证券公司从每年税后利润中提取交易风险准备金的具体比例;投资咨询机构、财务顾问机构、资信评级机构、资产评估机构、会计师事务所从事证券服务业务的审批管理办法(会同有关主管部门制定)等。

本法规定，公开发行证券，必须依法报经国务院证券监督管理机构或者国务院授权的部门核准；未经依法核准，任何单位和个人不得公开发行证券。上市公司采用非公开方式发行新股，应当报国务院证券监督管理机构核准。境内企业直接或者间接到境外发行证券或者将其证券在境外上市交易，必经国务院证券监督管理机构依照国务院的规定批准。证券交易所采用公开的集中交易方式以外的其他方式进行证券交易，必须经国务院证券监督管理机构批准。证券交易所规定高于本法规定的上市条件的，应当报国务院证券监督管理机构批准。已依法报送、公告收购要约的上市公司的收购人，需要变更收购要约的，必须事先经国务院证券监督管理机构批准。证券交易所依照证券法律、行政法规制定上市规则、交易规则、会员管理规则和其他有关规则，报国务院证券监督管理机构批准。设立证券公司，必须经国务院证券监督管理机构审查批准。证券公司设立、收购或者撤销分支机构、变更业务范围或者注册资本，变更持有百分之五以上股权的股东、实际控制人，变更公司章程中的重要条款，合并、分立、变更公司形式、停业、解散、破产，必须经国务院证券监督管理机构批准。证券公司在境外设立、收购或者参股证券经营机构，必须经国务院证券监督管理机构批准。证券公司的业务范围应当经国务院证券监督管理机构批准。证券公司为客户买卖证券提供融资融券服务，应当按照国务院的规定并经国务院证券监督管理机构批准。设立证券登记结算机构必须经国务院证券监督管理机构批准。证券登记结算机构章程、业务规则应当依法制定，并必须经国务院证券监督管理机构批准。证券登记结算机构申请解散，应当经国务院证券监督管理机构批准。投资咨询机构、财务顾问机构、资信评级机构、资产评估机构、会计师事务所从事证券服务业务，必须经国务院证券监督管理机构会同有关主管部门批准，等等。也就是说，法律赋予了国务院证券监督管理机构一系列的审批核准权。对于这些审批核准权，以及其他法律、行政法规等规定的审批或者核准权，国务院证券监督管理机构应当依照法律的规定去行使。

2. 依法对证券的发行、上市、交易、登记、存管、结算，进行监督管理。

国务院证券监督管理机构依法行使审批或者核准权的过程，就是依法对证券市场进行监督管理的过程。除此之外，国务院证券监督管理机构还通过各种法定的途径，依法对证券的发行、上市、交易、登记、存管、结算，进行监督管理。如本法规定，公开发行股票，代销、包销期限届满，发行人应当在规定的期限内将股票发行情况报国务院证券监督管理机构备案。上市公司和公司债券上市交易的公司，应当依法向国务院证券监督管理机构提交中期报告、年度报告、临时报告，国务院证券监督管理机构对上市公司年度报告、中期报告、临时报告以及公告的情况进行监督，对上市公司分派或者配售新股的情况进行监督，对上市公司控股股东和信息披露义务人的行为进行监督。证券交易所决定暂停或者终止证券上市交易的，应当及时公告，并报国务院证券监督管理机构备案。证券交易所、证券公司、证券登记结算机构、证券服务机构及其从业人员对证券交易中发现的禁止的交易行为，应当及时向证券监督管理机构报告。以要约方式收购上市公司的，在发出收购要约前，收购人必须向国务院证券监督管理机构报送上市公司收购报告书；在法定的期限内，国务院证券监督管理机构发现上市收购报告书不符合法律行政法规规定的，上市公司不得公告。以协议方式收购上市公司时，达成协议后，收购人必须依法向国务院证券监督管理机构作出书面报告。收购上市公司的行为结束后，收购人应当依法将收购情况报告国务院证券监督管理机构和证券交易所，并予公告。证券交易所采取技术性停牌或者决定临时停市，必须及时报告国务院证券监督管理机构。证券交易所对出现重大异常交易情况的证券账户限制交易的，应当报国务院证券监督管理机构备案。国务院证券监督管理机构认为有必要时，可以委托会计师事务所、资产评估机构对证券公司的财务状况、内部控制状况、资产价值进行审计或者评估。证券公司的净资本或其他风险控制指标不符合规定的，国务院证券监督管理机构应当责令其限期改正；逾期未改正，或者其行为严重危及该证券公司的稳健运行、损害客户合法权益的，国务院证券监督管理机构可以依法采取限制业务活动甚至撤销有关业务许可等措施。证券公司的股东有虚假出资、抽逃出资行为的，国务院证券监督管理机构应当责令其限期改正，并可责令其转让所持证券公司的股权。证券公司的董事、监事、高级管理人员未能勤勉尽责，致使证券公司存在重大违法违规行为或者重大风险的，国务院证券监督管理机构可以撤销其任职资格，并责令公司予以更换。证券公司违法经营或者出现重大风险，严重危害证券市场秩序、损害投资者利益的，国务院证券监督管理机构可以对该证券公司采取责令停业整顿、指定其他机构托管、接管或者撤销等监管措施，等等。

3. 依法对发行人、有关的公司和机构的证券业务活动进行监督管理。

国务院证券监督管理机构在依法对证券的发行、交易、登记、存管、结算进行监督管理的过程中，同时对有关主体，即证券发行人、上市公司、证券交易所、证券公司、证券登记结算机构、证券投资基金管理公司以及从事证券业务的投资咨询机构、财务顾问机构、资信评级机构、资产评估机构、律师事务所、会计师事务所等所进行的证券业务活动，进行监督管理。

4. 依法制定并监督实施从事证券业务人员的资格标准和行为准则。

证券交易所、证券公司、证券登记结算机构、证券投资基金管理公司和证券服务机构进行证券业务活动，其业务人员应当达到一定的业务水准，具有相应的业务资格，并遵守一定的行为准则，以使证券市场能够高效有序地运行。国务院证券监督管理机构的职责之一即是依法制定从事证券业务人员的资格标准和行为准则，并监督其实施。

5. 依法监督检查证券发行、上市和交易的信息公开情况。

保护投资者利益是证券市场监督管理的核心任务。保护投资者的利益，关键是要建立起公平合理的市场环境，为投资者提供平等的交易机会和获取信息的机会，使投资者能够在公平的基础上，自主地决定交易行为。因此，建立和维护证券市场的公开、公平、公正原则，是保护投资者合法利益不受侵犯的基本原则，也是保护投资者利益的基础。而公开原则的核心要求是实现市场信息的公开化，即要求市场具有充分的透明度。公开原则既要求在证券发行、上市时依法公开有关的信息，又要求在证券发行、上市后依法持续披露有关的信息。为保证证券发行、上市和交易的信息公开做到及时、真实、准确，国务院证券监督管理机构负有依法监督检查证券发行、上市和交易的信息公开情况的职责。

6. 依法对证券业协会的活动进行指导和监督。

证券业协会是证券业的自律性组织，依法履行自我管理、自我教育以及为会员服务的各种法定的职责。证券市场的健康发展，不仅离不开国务院证券监督管理机构的监督管理，同时也离不开证券业协会的自律作用。为了更好地发挥证券业协会的自律作用，促使其合法、有效地履行其职责，本条规定国务院证券监督管理机构依法对证券业协会的活动进行指导和监督。

7. 依法查处证券违法行为。

任何人违反证券市场监督管理的法律、行政法规，都应当承担相应的法律责任，包括民事责任、行政责任和刑事责任。在实践中，对于当事人是否违反证券市场监督管理的法律、行政法规，是否应当承担相应的法律责任等，需要有法定的机构去调查处理。国务院证券监督管理机构作为依法对全国证券市场进行集中统一监督管理的机构，有能力和条件对证券违法行为进行查处。为此，本条赋予国务院证券监督管理机构依法对违反证券市场监督管理法律、行政法规的行为进行查处的职责。当证券市场中发生了违反有关法律、行政法规的行为时，国务院证券监督管理机构不得视而不见或者故意推诿，而应当依照法定的权限和程序，及时地进行调查，在查明事实真相的基础上，及时地依法作出处理，以维护证券交易的正常秩序。

8. 法律、行政法规规定的其他职责。

证券市场是一个变化十分迅速的市场，而证券市场的变化又会对社会的经济、社会秩序造成很大的影响。为了有效地维护社会经济秩序和社会公共利益，保障证券市场的正常运行，本条规定，除上述职责以外，国务院证券监督管理机构还应当履行法律、行政法规规定的其他职责。

二、国务院证券监督管理机构可以和其他国家或者地区的证券监督管理机构建立监督管理合作机制

在经济全球化的今天，国家和地区间的经济联系日益紧密，投资者跨境投资的行为也越来越多。投资者在跨境投资时，投资的范围不仅有工业、农业、贸易等行业，而且还有证券业。为了适应这种发展变化，加强对跨境投资者在证券市场上所进行的各种行为的监督管理，就需要不同国家和地区的证券监督管理机构进行合作。为此，本条规定国务院证券监督管理机构可以和其他国家或者地区的证券监督管理机构建立监督管理合作机制，实施跨境监督管理。

第一百八十条　国务院证券监督管理机构依法履行职责，有权采取下列措施：

（一）对证券发行人、上市公司、证券公司、证券投资基金管理公司、证券服务机构、证券交易所、证券登记结算机构进行现场

检查；

（二）进入涉嫌违法行为发生场所调查取证；

（三）询问当事人和与被调查事件有关的单位和个人，要求其对与被调查事件有关的事项作出说明；

（四）查阅、复制与被调查事件有关的财产权登记、通讯记录等资料；

（五）查阅、复制当事人和与被调查事件有关的单位和个人的证券交易记录、登记过户记录、财务会计资料及其他相关文件和资料；对可能被转移、隐匿或者毁损的文件和资料，可以予以封存；

（六）查询当事人和与被调查事件有关的单位和个人的资金账户、证券账户和银行账户；对有证据证明已经或者可能转移或者隐匿违法资金、证券等涉案财产或者隐匿、伪造、毁损重要证据的，经国务院证券监督管理机构主要负责人批准，可以冻结或者查封；

（七）在调查操纵证券市场、内幕交易等重大证券违法行为时，经国务院证券监督管理机构主要负责人批准，可以限制被调查事件当事人的证券买卖，但限制的期限不得超过十五个交易日；案情复杂的，可以延长十五个交易日。

【释义】 本条是对国务院证券监督管理机构有权采取有关措施的规定。

国务院证券监督管理机构有权采取的措施包括下列几项：

一、对发行人、有关的公司和机构进行现场检查

现场检查指检查人员亲临发行人、有关的公司或者机构所在的场地，通过听取汇报、查验有关资料等方式进行实地检查。1998年制定证券法时，没有规定国务院证券监督管理机构有权进行现场检查。但证券市场是一个高风险的市场，要做到对证券市场的有效监管，不仅需要在发生违法行为时依法进行查处，而且需要加强对有关主体的日常监管。为此，本次修改在本条中增加了国务院证券监督管理机构进行现场检查的权力，即可以对发行人、有关

的公司和机构经营的合规性，如贯彻执行国家金融证券法律、法规、制度以及各项规定的情况进行检查；对发行人、有关的公司和机构经营的正常性进行检查；对发行人、有关的公司和机构经营的安全性进行检查等。

二、进入涉嫌违法行为发生场所调查取证

一旦有涉嫌违法的行为发生，国务院证券监督管理机构就需要在查明事实、了解事实真相的基础上确定该行为是否构成违法行为，并依法对违法行为进行处罚。由于查明事实的重要途径之一是到涉嫌违法行为发生的场所去进行调查，所以，本条规定国务院证券监督管理机构有权进入涉嫌违法行为发生的场所，对违法行为发生的情况、所造成的后果等进行调查，并获取有关的证据，以便为依法确认和处理有关的违法行为提供事实依据。

三、询问有关的单位和人员

国务院证券监督管理机构要了解事实真相，就应当从各个角度进行调查，其中包括询问当事人和与被调查事件有关的单位和个人，要求他们对与被调查事件有关的事项作出说明，然后去伪存真，真正做到处理决定以事实为依据。

四、查阅、复制有关的财产权登记、通讯记录等资料

在证券市场，证券违法行为具有资金转移快、调查取证难、社会危害性大等特点，如果证券监督管理机构没有必要的强制查处手段，就会对有效打击证券违法行为不利。为此，本次修改增加了国务院证券监督管理机构有权采取的措施，包括查阅、复制与被调查事件有关的财产权登记、通讯记录等资料。因为财产权登记资料能够反映有关人员和单位的财产状况，而通讯记录能够反映有关当事人与他人的联系情况，从而能够查知其有关的活动。应当注意的是，我国宪法规定，公民的通信自由和通信秘密受法律的保护。除因国家安全或者追查刑事犯罪的需要，由公安机关或者检察机关依照法律规定的程序对通信进行检查外，任何组织或者个

人不得以任何理由侵犯公民的通信自由和通信秘密。因此，这里规定的查阅、复制与被调查事件有关的通讯记录，应当仅限于通讯公司提供的通话时间、通话对象等资料，而不包括有关的通讯内容。

五、查阅、复制、封存有关的文件和资料

为了查明事实，保存证据，防止有关的人员隐匿、损毁有关的文件和资料，国务院证券监督管理机构有权查阅、复制当事人和与被调查事件有关的单位和个人的证券交易记录、登记过户记录、财务会计资料及其他相关文件和资料。对有可能被有关的单位和个人转移到他处、可能被隐匿起来或者可能被销毁、损坏，使今后查找有困难的文件和资料，国务院证券监督管理机构有权将其封存。

六、查询并冻结、查封有关的账户

人们进行资金的往来、证券的买卖，必然通过其资金账户、证券账户。所以，查询有关的资金账户、证券账户和银行账户，可以比较容易的了解当事人的证券交易情况，发现违法行为。为此，本法赋予国务院证券监督管理机构查询当事人和与被调查事件有关的单位和个人的资金账户、证券账户和银行账户的权力。

七、依法限制被调查事件当事人的证券买卖

当事人在操纵证券市场、进行内幕交易时，可能会引起证券市场价格的巨大波动，如果任其继续买卖，将会严重破坏证券交易秩序。为此，本次修改增加规定，在调查操纵证券市场、内幕交易等重大证券违法行为时，国务院证券监督管理机构可以依法限制被调查事件当事人的证券买卖。由于限制证券买卖是以行政权力干涉当事人的民事权利，会使当事人的利益受到较大的影响，本条对国务院证券监督管理机构限制被调查事件当事人证券买卖的权力，规定了严格的程序，即应当经国务院证券监督管理机构主要负责人批准，并规定限制的期限一般不得超过十五个交易日。如果案情复杂，在十五个交易日内无法查明事实，需要延长限制时间的,可以延长十五个交易日,即限制的期限可以达三十个交易日。

第一百八十一条　国务院证券监督管理机构依法履行职责,进行监督检查或者调查,其监督检查、调查的人员不得少于二人,并应当出示合法证件和监督检查、调查通知书。监督检查、调查的人员少于二人或者未出示合法证件和监督检查、调查通知书的,被检查、调查的单位有权拒绝。

【释义】　本条是对国务院证券监督管理机构监督检查、调查时应当遵守的程序的规定。

为了提高监管效能,本法赋予了国务院证券监督管理机构以较大的权力,包括准司法权。但是,权力如果不加以约束,就会导致滥用,严格的程序即是约束权力的一种有效的方法。为此,本条规定了国务院证券管理机构构监督检查、调查时应当遵守的程序。

一、监督检查、调查的人员不得少于二人

检查、调查的人员不得少于二人是指国务院证券监督管理机构在进行监督检查或者调查时,实际到场进行监督检查、调查的工作人员,至少应当为二人,或者在二人以上。本条规定监督检查、调查的人员不得少于二人,目的是为了使国务院证券监督管理机构工作人员互相监督制约,保证其依法履行职责,防止一个人在没有监督制约的情况下滥用权力甚至作出违法犯罪的行为。

二、监督检查、调查的人员应当依法出示合法证件和监督检查、调查通知书

合法证件是指证明国务院证券监督管理机构工作人员身份的文件,如工作证等。监督检查、调查通知书是指国务院证券监督管理机构出具的、告知当事人对其进行监督检查、调查的书面文件。国务院证券监督管理机构工作人员依法履行职责,进行监督检查或者调查时,向当事人出示合法证件就是表明该人是国务院证券监督管理机构的工作人员,同时也使有关的单位和人员明悉监督

检查、调查者的身份；向当事人出示监督检查、调查通知书就是表明该人是在依法履行职责，而不是个人随意的行为，他有权对有关的单位和人员、有关的场所、有关的行为等进行监督检查、调查。为了防止他人假冒国务院证券监督机构工作人员，以监督检查、调查的方式非法获取有关信息，或者进行其他侵害有关单位和个人权益的行为，也为了防止国务院证券监督管理机构工作人员擅自监督检查、调查，侵害有关单位和个人的合法权益，本条要求监督检查、调查的人员不仅应当出示合法证件，而且还应当出示监督检查、调查通知书。

三、未依法定程序进行监督检查或者调查时被检查、调查的单位有权拒绝

如果监督检查、调查的人员少于二人，或者监督检查、调查的人员不出示合法证件和监督检查、调查通知书，被检查、调查的单位就可以拒绝对其进行的检查、调查，并且不会为此承担任何法律后果。

第一百八十二条　国务院证券监督管理机构工作人员必须忠于职守，依法办事，公正廉洁，不得利用职务便利牟取不正当利益，不得泄露所知悉的有关单位和个人的商业秘密。

【释义】　本条是对国务院证券监督管理机构工作人员所负义务的规定。

证券市场是一个高风险的市场，证券市场风险对社会、经济的冲击力、破坏力都较大，而证券市场风险控制的难度又较大，所以，国务院证券监督管理机构对市场的监督直接影响着证券市场的运行，影响着社会经济的发展和社会秩序的稳定。由于国务院证券监督管理机构对市场的监督管理是通过其工作人员的行为来实现的，为了保证国务院证券监督管理机构对证券市场实行有效、公正的监督管理，本条规定了国务院证券监督管理机构工作人员所负

的义务。

一、国务院证券监督管理机构工作人员必须忠于职守

忠于职守是指在自己的工作岗位上认真履行职责。作为代表国务院证券监督管理机构行使国家监督管理权力的国务院证券监督管理人员，其首要义务就是忠于职守，在工作岗位上尽职尽责，不得不履行、不正确履行或者放弃履行其职责，也不得滥用职权。

二、国务院证券监督管理机构工作人员必须依法办事

依法办事是指严格依照国家法律、行政法规、规章及其他规范性文件规定的内容和程序，行使权力，履行职责。依法办事是对行使国家权力的人员的基本要求，国务院证券监督管理机构的工作人员也不例外。

三、国务院证券监督管理机构工作人员必须公正廉洁

公正廉洁是指公平正直、毫不偏私地履行职责，对一切证券市场参与者给予公正的待遇，不用手中的权力为自己谋取私利。公正廉洁也是对行使国家权力的人员的基本要求，国务院证券监督管理机构的工作人员也不例外。

四、国务院证券监督管理机构工作人员不得利用职务便利牟取不正当的利益

职务便利是指利用本人职务范围内的权力，即自己职务上主管、负责或者承办某种公共事务的职权所造成的便利条件。不正当的利益是指根据法律及有关政策不应当得到的利益。利用职务便利牟取不正当的利益是法律严格禁止的行为，本条也禁止国务院证券监督管理机构工作人员利用职务便利牟取不正当的利益。

五、国务院证券监督管理机构工作人员负有保密的义务

国务院证券监督管理机构工作人员在依法履行职责、进行监督检查或者调查的过程中，有可能涉及、了解被监督检查或者调查单位和个人以及有关的单位和个人的商业秘密，而商业秘密一旦被泄露，往往会给原拥有商业秘密的单位和个人的生产、经营活动

带来不利的影响,造成经济损失。为了避免国务院证券监督管理机构工作人员因依法履行职责而给被监督检查或者调查的单位和个人以及有关的单位和个人造成不必要的损失,本条规定国务院证券监督管理机构工作人员负有保密的义务,不得将其所知道、了解的有关单位和个人的商业秘密,让他人知晓。

第一百八十三条　国务院证券监督管理机构依法履行职责,被检查、调查的单位和个人应当配合,如实提供有关文件和资料,不得拒绝、阻碍和隐瞒。

【释义】 本条是对被检查和被调查的单位和个人负有配合检查、调查的义务的规定。

对当事人及有关的单位和个人进行检查和调查,是国务院证券监督管理机构在依法履行职责的过程中有权采取的措施。为了保证国务院证券监督管理机构检查和调查的顺利进行,本条规定被检查和被调查的单位和个人负有配合检查、调查的义务。

一、被检查、调查的单位和个人应当配合

对于国务院证券监督管理机构依法进行的检查和调查,被检查和被调查的单位和个人,应当主动进行配合,为国务院证券监督管理机构查明事实真相提供便利条件,提供真实的有关文件和资料,如证券交易记录、登记过户记录、财务会计资料等。

二、被检查、调查的单位和个人对国务院证券监督管理机构依法进行的检查、调查不得拒绝、阻碍和隐瞒

国务院证券监督管理机构依法进行检查、调查时,如果要求被检查、被调查的单位和个人予以配合,如实提供有关文件和资料,被检查、调查的单位和个人不得以任何借口拒绝,不予提供,也不得采用各种方法来妨碍国务院证券监督管理机构获得真实可靠的文件和资料,更不得对有关的文件和资料进行隐瞒,掩盖事实真相。被检查和被调查的单位和个人不配合国务院证券监督管理机

构履行职责的，应当依法承担相应的法律责任。

第一百八十四条　国务院证券监督管理机构依法制定的规章、规则和监督管理工作制度应当公开。

国务院证券监督管理机构依据调查结果，对证券违法行为作出的处罚决定，应当公开。

【释义】　本条是对行政公开的规定。

一、行为规则应当公开

公开、公平、公正原则是证券市场的基本原则，而公开原则是公平、公正原则的前提。公开原则既要求证券发行、证券交易的有关信息公开，也要求有关的行为规则公开，这样才能使证券市场的所有参与者都知晓并遵照执行，也才能使国务院证券监督管理机构的运行具有透明度，避免暗箱操作，防止各种违法行为的发生，保证证券市场能够健康、有效地运行。因此，本条规定，国务院证券监督管理机构依照宪法、法律、行政法规制定的规章、规则以及国务院证券监督管理机构本身的监督管理工作制度应当公开，不得秘而不宣。

二、处罚决定应当公开

国务院证券监督管理机构在对证券市场实施监督管理中，有依法对违反证券市场监督管理法律的行为进行查处的职责。国务院证券监督管理机构在履行其职责时，依据其调查结果，对证券违法行为依法作出处罚决定的，由于其处罚决定不仅会影响到被处罚的当事人，也可能会影响整个证券市场，使证券市场出现较大幅度的波动，所以，本条规定国务院证券监督管理机构依据调查结果，对证券违法行为作出的处罚决定，应当公开。

第一百八十五条　国务院证券监督管理机构应当与国务院其他金融监督管理机构建立监督管理信息共享机制。

国务院证券监督管理机构依法履行职责，进行监督检查或者调查时，有关部门应当予以配合。

【释义】 本条是对国务院证券监督管理机构与其他有关机构和部门的关系的规定。

一、国务院证券监督管理机构应当与国务院其他金融监督管理机构建立监督管理信息共享机制

证券市场是金融市场的组成部分。在金融市场上，各种金融活动之间紧密联系，相互影响。例如，当存款利率降低时，货币就会从银行账户上流向证券市场；当股市下跌时，资金就会从股市上转到货币市场。金融市场种种金融活动之间的紧密联系，也决定了金融市场上的各种违法活动不仅会损害违法活动所在的金融市场秩序，而且可能损害其他金融市场的正常秩序。这就需要各金融监督管理机构间互通信息，以防范和化解金融风险。此外，资金、证券有在各金融市场间流动性较大的特点，这也需要各金融监督管理机构在发生金融违法活动后互通信息，互相配合，以查明有关的违法活动，并有效执行对违法的单位和个人的判决、处罚决定。为了使各项金融监管政策之间进行协调，为金融机构创造公平竞争的环境，避免出现监管真空和重复监管，降低监管成本，提高监管效率，从而使所有金融机构及其从事的金融业务都能得到持续有效的监管，保障金融业稳健运行和健康发展，本条要求国务院证券监督管理机构与国务院其他金融监督管理机构，比如银行业监督管理委员会、人民银行、保险监督管理委员会等，建立监督管理信息共享机制，即各个金融监督管理机构相互交流和沟通有关信息，一个金融监督管理机构在履行监督管理中所获得的有关参加金融活动的主体、所进行的金融活动等信息，都可以被其他金融监督管理机构所获得的机制。

对建立监督管理信息共享机制，其他有关法律也有相关的要求。例如，人民银行法规定，中国人民银行应当和国务院银行业监

督管理机构、国务院其他金融监督管理机构建立监督管理信息共享机制。银行业监督管理法规定，国务院银行业监督管理机构应当和中国人民银行、国务院其他金融监督管理机构建立监督管理信息共享机制。与其他相关法相呼应，本条也对此作了规定。事实上，银监会、证监会、保监会已通过了《中国银行业监督管理委员会、中国证券监督管理委员会、中国保险监督管理委员会在金融监管方面分工合作的备忘录》，建立了监督管理信息共享机制。

二、有关部门应当配合国务院证券监督管理机构的监督检查、调查

本法虽然规定国务院证券监督管理机构有权依法进行监督检查和调查，但如果被检查、调查的当事人不予配合，国务院证券监督管理机构无权采取强制措施，此时就需要得到有关机关的协助和配合，才能使检查、调查工作顺利进行。为此，本条规定，国务院证券监督管理机构依法履行职责，进行监督检查或者调查时，有关部门如公安机关等，应当予以配合。

第一百八十六条　国务院证券监督管理机构依法履行职责，发现证券违法行为涉嫌犯罪的，应当将案件移送司法机关处理。

【释义】 本条是对涉嫌犯罪案件的移送的规定。

国务院证券监督管理机构在履行其职责的过程中，会了解证券市场的各种情况。如果国务院证券监督管理机构在查处某项证券违法行为时，发现其中有涉嫌犯罪的情节，就应当将该案件移送到有关的司法机关，由有关的司法机关进行处理。例如，涉嫌证券犯罪的案件，应当移送公安机关，由公安机关进行立案侦查。涉嫌贪污贿赂犯罪、国家工作人员渎职犯罪的案件，应当移送人民检察院，由人民检察院立案侦查。司法机关对移送的案件，依据法律的规定立案侦查，对提起公诉的，由人民法院依法进行审理，作出判决。

本条规定国务院证券监督管理机构应当依法移送涉嫌犯罪的

案件，其目的在于要求国务院证券监督管理机构在查处违法案件时，严格依法办案，对于涉嫌犯罪的案件，应当依法由有关的司法机关依照法律的规定来处理，构成犯罪的，由人民法院依法判处刑罚，而绝不能让国务院证券监督管理机构以罚代刑，以维护国家法律的尊严。

第一百八十七条　国务院证券监督管理机构的人员不得在被监管的机构中任职。

【释义】 本条是对禁止国务院证券监督管理机构的工作人员违法任职的规定。

被监管的机构，是指依法成为国务院证券监督管理机构监督管理对象的机构，包括公开发行股票的公司、证券投资基金管理公司、股票或者公司债券上市交易的公司、证券交易所、证券公司、证券登记结算机构以及从事证券服务业务的投资咨询机构、财务顾问机构、资信评估机构、资产评估机构、律师事务所、会计师事务所以及其他直接或者间接与证券的公开发行、上市、交易有关，属于国务院证券监督管理机构监督管理对象的机构。任职是指担任某种职务。国务院证券监督管理机构依法对全国证券市场实行集中统一监督管理，这些监督管理都是由其工作人员的行为来完成的，如果国务院证券监督管理机构的工作人员同时在被监管的机构中担任职务，那么，他们就既是监管者，又是被监管者，这样就违背了自己不能作为自己裁判的原则，他们在履行职责时，必然会发生利益冲突，导致减弱甚至丧失国务院证券监督管理机构监督管理的作用，失去国务院证券监督管理机构行为的公正性，而且很容易滋生以权谋私或者权钱交易的不正之风。为此，本条规定国务院证券监督管理机构的工作人员不得在上述被监管的机构中任职。

第十一章　法律责任

第一百八十八条　未经法定机关核准，擅自公开或者变相公开发行证券的，责令停止发行，退还所募资金并加算银行同期存款利息，处以非法所募资金金额百分之一以上百分之五以下的罚款；对擅自公开或者变相公开发行证券设立的公司，由依法履行监督管理职责的机构或者部门会同县级以上地方人民政府予以取缔。对直接负责的主管人员和其他直接责任人员给予警告，并处以三万元以上三十万元以下的罚款。

【释义】　本条是对未经法定机关核准擅自公开或者变相公开发行证券行为，以及擅自公开或者变相公开发行证券设立公司的行为应承担的法律责任的规定。

申请公开发行证券必须履行法定程序，这在世界各国证券市场都是通例。根据本法有关规定，公开发行证券，必须符合法律、行政法规规定的条件，并依法报经国务院证券监督管理机构或者国务院授权的部门核准；未经依法核准，任何单位和个人不得公开发行证券。具体来讲，设立股份有限公司公开发行股票，应当符合公司法规定的条件和经国务院批准的国务院证券监督管理机构规定的其他条件，向国务院证券监督管理机构报送募股申请和有关文件。公开发行公司债券，应当符合证券法规定的条件，向国务院授权的部门报送有关文件。发行人向国务院证券监督管理机构或者国务院授权的部门报送的证券发行申请文件，必须真实、准确、完整。国务院证券监督管理机构和国务院授权的部门依照法定条件负责核准股票发行申请和公司债券发行申请。

显然,未经法定机关即国务院证券监督管理机构或者国务院授权的部门的核准,擅自公开或者变相公开发行证券的行为,是一种严重的违法行为,依法应承担相应的法律责任。按照本条的规定,未经法定机关核准,擅自公开或者变相公开发行证券的,依法负有对违反证券市场监督管理行为进行查处职责的国务院证券监督管理机构或者国务院授权的部门,应当责令发行人停止证券发行,退还所募资金并加算银行同期存款利息,并处以非法所募资金金额百分之一以上百分之五以下的罚款;对擅自公开或者变相公开发行证券设立的公司,由依法履行监督管理职责的机构或者部门会同县级以上地方人民政府予以取缔。在处理有上述违法行为单位的同时,对其直接负责的主管人员和其他直接责任人员也应给予警告,并根据情节处以三万元以上三十万元以下的罚款。

第一百八十九条　发行人不符合发行条件,以欺骗手段骗取发行核准,尚未发行证券的,处以三十万元以上六十万元以下的罚款;已经发行证券的,处以非法所募资金金额百分之一以上百分之五以下的罚款。对直接负责的主管人员和其他直接责任人员处以三万元以上三十万元以下的罚款。

发行人的控股股东、实际控制人指使从事前款违法行为的,依照前款的规定处罚。

【释义】　本条是对发行人不符合发行条件以欺骗手段骗取发行核准应承担的法律责任的规定。

我国目前对证券发行实行核准制,根据本法有关规定,公开发行证券,必须符合法律、行政法规规定的条件,并依法报经国务院证券监督管理机构或者国务院授权的部门核准;未经依法核准,任何单位和个人不得公开发行证券。具体来讲,公司公开发行新股,应当符合下列条件:(1)具备健全且运行良好的组织机构;(2)具有持续盈利能力,财务状况良好;(3)最近三年财务会计文件无虚假记载,无其他重大违法行为;(4)经国务院批准的国务院证券监督管理机构规定的其他条件。公开发行公司债券,应当符合下列条件:(1)股份有限公司的净资产不低于人民币三千万元,有限责任公司的净资产不低于人民币六千万元;(2)累计债券余额不超过公司净资产的百分之四十;(3)最近三年平均可分配利润足以支付公司债券一年的利息;(4)筹集的资金投向符合国家产业政策;(5)债券的利率不超过国务院限定的利率水平;(6)国务院规定的其他条件。

核准制下发行证券需要满足两个条件:一是需要公开披露所有相关信息;二是还要符合法律规定的若干实质条件。所谓实质条件,是指发行人的财务状况、资产结构、盈利记录、公司独立性等一系列标准。核准机构有权否决不符合法定条件的发行证券的申请。正是由于核准制遵循的是实质管理原则,它是在信息公开的基础上,再把不符合条件的证券发行申请拒之门外,因此,那些质量差、风险高的证券发行申请自然就不会被核准,于是就有一些发行人为了达到"圈钱"目的,不顾自身条件,采取包装、伪装甚至欺骗等手段,虚构条件骗取发行核准,这是一种严重扰乱证券市场正常秩序的失信违法行为,依法必须给予严厉处罚。

对于不符合前述法定条件,发行人以欺骗手段骗取发行核准应承担的法律责任,按照本条第一款的规定,尚未发行证券的,证券监督管理机构应处以三十万元以上六十万元以下的罚款;已经发行证券的,应处以非法所募资金金额百分之一以上百分之五以下的罚款。对发行人直接负责的主管人员和其他直接责任人员,也应处以三万元以上三十万元以下的罚款。按照本条第二款的规定,发行人的控股股东、实际控制人指使从事前款违法行为的,同样依照前款的规定给予罚款的行政处罚。

第一百九十条　证券公司承销或者代理买卖未经核准擅自公

开发行的证券的，责令停止承销或者代理买卖，没收违法所得，并处以违法所得一倍以上五倍以下的罚款；没有违法所得或者违法所得不足三十万元的，处以三十万元以上六十万元以下的罚款。给投资者造成损失的，应当与发行人承担连带赔偿责任。对直接负责的主管人员和其他直接责任人员给予警告，撤销任职资格或者证券从业资格，并处以三万元以上三十万元以下的罚款。

【释义】 本条是对证券公司承销或代理买卖未经核准擅自公开发行的证券应承担的法律责任的规定。

我国目前对申请公开发行证券实行核准制，核准机构有权否决不符合法定条件的发行证券的申请，因此，未经核准擅自公开发行证券的行为是一种严重的违法行为，依法应当予以禁止。证券公司作为依法经批准从事证券经营业务的证券市场主要参与者和重要的中介组织，对于维护证券市场正常秩序、保障交易安全和投资者的合法权益负有重要责任，必须规范、守法经营，如果只顾追求利益最大化，见利忘法，对未经核准擅自公开发行的证券违法承销或者代理买卖，不仅会给投资者带来风险和损失，而且也会扰乱证券市场的正常秩序，所以必须给予惩处。

按照本条的规定，证券公司承销或者代理买卖未经核准擅自公开发行的证券的，由证券监督管理机构责令停止承销或者代理买卖，同时没收证券公司在承销或代理买卖非法证券行为中所获取的违法所得，并处以违法所得一倍以上五倍以下的罚款；对没有违法所得或者违法所得不足三十万元的，也应处以三十万元以上六十万元以下的罚款。规定如此重罚，目的是使违法的证券公司不仅从违法行为中得不到任何的好处，而且还要付出惨重的代价，真正起到惩戒教育的作用。对于承销或者代理买卖未经核准擅自公开发行的证券，给投资者造成损失的，证券公司还应当与发行人承担连带赔偿责任。另外，对证券公司直接负责的主管人员和其他直接责任人员也要给予警告，撤销任职资格或者证券从业资格，使其成为证券市场的禁入者，并处以三万元以上三十万元以下的罚款。

本条规定较重的行政责任和民事责任，主要是考虑证券公司依法享有自主经营的权利，其合法经营不受干涉，而其违反法律规定有上述非法经营行为、严重扰乱证券市场秩序、情节严重的，具有广泛社会危害性，必须给予严惩，同时也能够使受害者得到有效的法律救济，唯其如此，才能真正体现权利义务的对等，也才有可能制止这种违法行为，以从根本上保证证券的交易安全和证券市场的正常秩序。另外，根据本法其他有关规定，证券公司违法经营，严重危害证券市场秩序、损害投资者利益的，国务院证券监督管理机构还可以对该证券公司采取责令停业整顿、指定其他机构托管、接管或者撤销等监管措施。只有多管齐下，才能有利于证券公司的自身发展，也有利于风险防范。

第一百九十一条　证券公司承销证券，有下列行为之一的，责令改正，给予警告，没收违法所得，可以并处三十万元以上六十万元以下的罚款；情节严重的，暂停或者撤销相关业务许可。给其他证券承销机构或者投资者造成损失的，依法承担赔偿责任。对直接负责的主管人员和其他直接责任人员给予警告，可以并处三万元以上三十万元以下的罚款；情节严重的，撤销任职资格或者证券从业资格：

（一）进行虚假的或者误导投资者的广告或者其他宣传推介活动；

（二）以不正当竞争手段招揽承销业务；

（三）其他违反证券承销业务规定的行为。

【释义】　本条是对证券公司违反证券承销业务规定行为应承担的法律责任的规定。

根据本法有关规定，发行人向不特定对象发行的证券，法律、行政法规规定应当由证券公司承销的，发行人应当同证券公司签订承销协议。公开发行证券的发行人有权依法自主选择承销的证券公司。证券公司不得以不正当竞争手段招揽证券承销业务。我们知道，依法采用由证券公司承销的方式发行证券是一种商事活动，应当由发行人自主决定具体由哪家证券公司承销，从发行人角度来说，这直接关系到发行人的发行费用、发行风险等经济利益。同样的，承销证券是证券公司的一项重要业务，承销业务收入是证券公司经营收入的一项重要来源，能否取得承销业务，对证券公司的经济利益也有直接影响。目前在证券承销方面存在两方面的突出问题：一是有些政府部门和证券监督管理机构的工作人员利用职务随意干预发行人的证券发行活动，为发行人指定承销的证券公司；二是一些证券公司在开展代理发行业务、招揽承销项目过程中，采取各种不正当的手段进行虚假宣传、恶性竞争，其中后者的问题更为严重，这既违反了证券市场的公平原则，也影响了正常的证券发行秩序，必须依法予以处罚。

按照本条的规定，证券公司承销证券，进行虚假的或者误导投资者的广告或者其他宣传推介活动的，以不正当竞争手段招揽承销业务的，或者有其他违反证券承销业务规定行为的，证券监督管理机构应当责令改正，给予其警告，没收证券公司由于违法承销所获得的一切非法所得，可以并处三十万元以上六十万元以下的罚款；证券公司违法承销情节严重的，还要暂停或者撤销其相关业务许可。给其他证券承销机构或者投资者造成损失的，应当依法承担民事赔偿责任。对证券公司直接负责的主管人员和其他直接责任人员也要给予警告，可以并处三万元以上三十万元以下的罚款；情节严重的，还要撤销其任职资格或者证券从业资格。这样规定主要是考虑，证券市场是一个高度依赖有效信息的市场，通过真实有效的信息，社会资源才能得到合理配置，投资者才能做出正确的判断和选择，市场调节机制才能发挥作用，如果证券公司承销证券时进行虚假的或者误导投资者的广告或者其他宣传推介活动，就会造成市场信号失真，并会给投资者带来重大损失。而以不正当竞争手段招揽承销业务的行为，则会造成证券发行市场的混乱和证券公司经营风险的增大。因此，对于证券公司违反证券承销业务规定的行为给予严厉惩处，既有利于证券公司的自身发展和风险防范，也有利于加强对投资者合法权益的保护，所以是维护证券市场持续稳定健康发展的重要法律手段。

第一百九十二条 保荐人出具有虚假记载、误导性陈述或者重大遗漏的保荐书，或者不履行其他法定职责的，责令改正，给予警告，没收业务收入，并处以业务收入一倍以上五倍以下的罚款；情节严重的，暂停或者撤销相关业务许可。对直接负责的主管人员和其他直接责任人员给予警告，并处以三万元以上三十万元以下的罚款；情节严重的，撤销任职资格或者证券从业资格。

【释义】 本条是对保荐人出具有虚假记载、误导性陈述或者重大遗漏的保荐书，或者不履行其他法定职责行为应承担的法律责任的规定。

证券发行上市保荐制度，是指证券发行人申请其证券发行、上市交易，必须聘请依法取得保荐资格的保荐人为其出具保荐意见，确认其证券符合发行、上市交易的条件。建立保荐制度的目的是通过保荐人对发行人、上市公司进行质量控制，督导其规范运作。为了进一步完善我国股票发行管理体制，确保上市公司规范运作，2004 年我国开始实行“保荐制”，这次证券法修改增加了对保荐制度的规定，并规定了相应的法律责任。

根据本法有关规定，发行人申请公开发行股票、可转换为股票的公司债券，依法采取承销方式的，或者公开发行法律、行政法规规定实行保荐制度的其他证券的，应当聘请具有保荐资格的机构担任保荐人。保荐人应当遵守业务规则和行业规范，诚实守信，勤勉尽责,对发行人的申请文件和信息披露资料进行审慎核查,督导发行人规范运作。这是对保荐人法定职责和法定义务的规定,保荐人在出具发行保荐书、上市保荐书等文件时,必须严格履行法定职责,保证其所出具文件的真实性、准确性和完整性,不得有虚假记载、误导性陈述或者重大遗漏。如果保荐人出具有虚假记载、误导性陈述或者重大遗漏的保荐书,或者不履行其他法定职责,如未对发行人申请文件进行尽职调查,审慎核查,以及发行人证券上市后,未持续督导发行人履行规范运作、信守承诺、信息披露等义务,就是一种严重的违法行为,依法应承担相应的法律责任。

按照本条的规定,保荐人出具有虚假记载、误导性陈述或者重大遗漏的保荐书,或者不履行其他法定职责的,证券监督管理机构应责令其改正,给予警告,没收保荐业务收入,并处以业务收入一倍以上五倍以下的罚款;情节严重的,还要暂停或者撤销保荐人的相关业务许可。对保荐人直接负责的主管人员和其他直接责任人员也要给予警告,并处以三万元以上三十万元以下的罚款;情节严重的,还要采取证券市场禁入措施,撤销其任职资格或者证券从业资格。

第一百九十三条　发行人、上市公司或者其他信息披露义务人未按照规定披露信息,或者所披露的信息有虚假记载、误导性陈述或者重大遗漏的,责令改正,给予警告,并处以三十万元以上六十万元以下的罚款。对直接负责的主管人员和其他直接责任人员给予警告,并处以三万元以上三十万元以下的罚款。

发行人、上市公司或者其他信息披露义务人未按照规定报送有关报告,或者报送的报告有虚假记载、误导性陈述或者重大遗漏的,责令改正,给予警告,并处以三十万元以上六十万元以下的罚款。对直接负责的主管人员和其他直接责任人员给予警告,并处以三万元以上三十万元以下的罚款。

发行人、上市公司或者其他信息披露义务人的控股股东、实际控制人指使从事前两款违法行为的，依照前两款的规定处罚。

【释义】 本条是对发行人、上市公司或者其他信息披露义务人未按照规定披露信息和报送有关报告，或者所披露的信息和报送的报告有虚假记载、误导性陈述或者重大遗漏行为应承担的法律责任的规定。

为了对投资风险和收益做出合理的判断，进行正确的投资选择，投资者需要了解和掌握发行人、上市公司的经营状况和财务变化等有关信息，而发行人、上市公司则必须通过公开法定文件承担信息披露义务，并保证信息公开达到全面性、真实性、时效性、易得性、易解性和适法性等法律标准，这是各国法律对发行人、上市公司进行规范和管理的主要制度之一。信息披露一般是通过招股说明书、上市公告书、财务会计报告、定期报告、临时报告等进行的。根据本法有关规定，经国务院证券监督管理机构核准依法公开发行股票，或者经国务院授权的部门核准依法公开发行公司债券，应当公告招股说明书、公司债券募集办法。依法公开发行新股或者公司债券的，还应当公告财务会计报告。发行人、上市公司依法披露的信息，必须真实、准确、完整，不得有虚假记载、误导性陈述或者重大遗漏。为证券发行出具有关文件的证券服务机构和人员，必须严格履行法定职责，保证其所出具文件的真实性、准确性和完整性。这是对发行人、上市公司和其他信息披露义务人必须承担的最基本的信息披露义务的规定。

从我国目前情况看，发行人、上市公司或者其他信息披露义务人在信息披露方面主要存在以下问题：一是信息披露不真实，发布或散布虚假信息问题比较普遍；二是信息披露不及时；三是信息披露不规范。这些失信行为，造成了市场信号失真，影响了市场机制的发挥。信息披露是我国证券市场的薄弱环节，也是证券市场健康发展的当务之急，必须对不按有关规定披露信息或者披露虚假信息现象采取严格的监督和严厉的处罚措施。因此，本条第一款明确规定，发行人、上市公司或者其他信息披露义务人未按照规定披露信息，或者所披露的信息有虚假记载、误导性陈述或者重大遗漏的，证券监督管理机构应当责令发行人、上市公司或者其他信息披露义务人改正违法行为，给予警告，并处以三十万元以上六十万元以下的罚款。对直接负责的主管人员和其他直接责任人员还应给予警告，并处以三万元以上三十万元以下的罚款。

按照本条第二款的规定，发行人、上市公司或者其他信息披露义务人未按照规定报送有关报告，或者报送的报告有虚假记载、误导性陈述或者重大遗漏的，也是一种严重的违法行为。因为根据本法有关规定，股票或者公司债券上市交易的公司，应当分别在每一会计年度的上半年结束之日起二个月内、每一会计年度结束之日起四个月内，或者发生可能对上市公司股票交易价格产生较大影响，而投资者尚未得知的重大事件时，向国务院证券监督管理机构和证券交易所报送中期报告、年度报告或者临时报告，并予公告。这些规定是发行人、上市公司或者其他信息披露义务人应履行的法定报送报告义务，发行人、上市公司或者其他信息披露义务人必须严格遵守并且认真执行，对于不按期报送或者不报送有关报告的，证券监督管理机构应当责令其改正违法行为，给予警告，并处以三十万元以上六十万元以下的罚款。对直接负责的主管人员和其他直接责任人员也应给予警告，并处以三万元以上三十万元以下的罚款。

按照本条第三款的规定，发行人、上市公司或者其他信息披露义务人的控股股东、实际控制人指使从事前两款违法行为的，依照前两款的规定处罚。所谓控股股东，是指其持有的股份占股份有限公司股本总额百分之五十以上的股东；持有股份的比例虽然不足百分之五十，但依其持有的股份所享有的表决权已足以对股东大会的决议产生重大影响的股东。所谓实际控制人，是指虽不是公司的股东,但通过投资关系、协议或者其他安排,能够实际支配公司行为的人。由于控股股东、实际控制人能够对发行人、上市公司的行为产生重大影响或者实际支配公司行为,因此,如果他们指使发行人、上市公司或者其他信息披露义务人从事前两款的违法行为,对社会的危害极大,会严重影响投资者对证券市场的信心,必须给予严惩,使其承担相应的法律责任。具体来讲,就是依照前两款的规定处罚,由证券监督管理机构责令改正,处以三十万元以上六十万元以下的罚款。对直接负责的主管人员和其他直接责任人员给予警告,并处以三万元以上三十万元以下的罚款。

另外,按照本法有关规定,发行人、上市公司公告的招股说明书、公司债券募集办法、财务会计报告、上市报告文件、年度报告、中期报告、临时报告以及其他信息披露资料,有虚假记载、误导性陈述或者重大遗漏,除应承担上述行政法律责任外,致使投资者在证券交易中遭受损失的,发行人、上市公司还应当承担民事赔偿责任;发行人、上市公司的董事、监事、高级管理人员和其他直接责任人员以及保荐人、承销的证券公司,应当与发行人、上市公司承担连带赔偿责任,但是能够证明自己没有过错的除外;发行人、上市公司的控股股东、实际控制人有过错的,应当与发行人、上市公司承担连带赔偿责任。

第一百九十四条　发行人、上市公司擅自改变公开发行证券所募集资金的用途的,责令改正,对直接负责的主管人员和其他直接责任人员给予警告,并处以三万元以上三十万元以下的罚款。

发行人、上市公司的控股股东、实际控制人指使从事前款违法行为的,给予警告,并处以三十万元以上六十万元以下的罚款。对直接负责的主管人员和其他直接责任人员依照前款的规定处罚。

【释义】　本条是对发行人、上市公司擅自改变公开发行证券所募集资金的用途应承担的法律责任的规定。

根据本法有关规定,公司对公开发行股票所募集资金,必须按照招股说明书所列资金用途使用。改变招股说明书所列资金用途,必须经股东大会批准。擅自改变用途而未作纠正的,或者未经股东大会认可的,不得公开发行新股。公开发行公司债券筹集的资金,必须用于核准的用途,不得用于弥补亏损和非生产性支出。违反本法规定,改变公开发行公司债券募集资金用途的,不得再次公开发行公司债券。这是对发行人、上市公司公开发行证券所募集资金应当用于核准用途的规定,违反上述规定擅自改变公开发行证券所募集资金用途的行为就是一种严重的违法行为,依法应当给予惩处。

发行人、上市公司公开发行证券所募集资金的使用必须规范化,这是因为招股说明书和公司债券募集办法是经核准机构依法核准,由发行人、上市公司向投资者所作的具有法律约束力的承诺,对投资者来讲,其投资决定是依据招股说明书或公司债券募集办法的内容作出的,所以招股说明书或公司债券募集办法所列用途是募集资金使用的法定依据,发行人、上市公司不得随意改变。但现实中发行人、上市公司对公开发行证券所募集资金使用用途方面存在比较多的问题:一是因为自身生产经营情况或外部经营环境发生较大变化,资金原来的用途需要改变以适应变化了的情况;二是因为招股说明书所列的投资项目是为取得股票发行上市资格而刻意安排的,实际上并没有进行周密的可行性研究,或者根本就不打算真正投资于这些项目;三是招股说明书或公司债券募集办法中所列项目本身就是虚假的,其目的就是为了从证券市场“圈钱”,然后将所募集资金用于其他用途。这些问题的存在严重扰乱了证券市场的正常秩序,也给投资者带来很大危害,投资者对此反映强烈,因此,有必要从法律上加以规范。

按照本条的规定,发行人、上市公司擅自改变公开发行证券所募集资金的用途的,国务院证券监督管理机构或者国务院授权的部门应当责令发行人、上市公司改正违法行为，对其直接负责的主管人员和其他直接责任人员还要给予警告，并处以三万元以上三十万元以下的罚款。发行人、上市公司的控股股东、实际控制人指使发行人、上市公司从事前款违法行为的，也应追究其行政责任，给予警告，并处以三十万元以上六十万元以下的罚款。对其直接负责的主管人员和其他直接责任人员依照前款的规定给予相同的处罚，即给予警告，并处以三万元以上三十万元以下的罚款。

第一百九十五条　上市公司的董事、监事、高级管理人员、持有上市公司股份百分之五以上的股东，违反本法第四十七条的规定买卖本公司股票的，给予警告，可以并处三万元以上十万元以下的罚款。

【释义】　本条是对上市公司的董事、监事、高级管理人员、持有上市公司股份百分之五以上股东违反本法规定买卖本公司股票行为应承担的法律责任的规定。

根据本法第四十七条的规定，上市公司董事、监事、高级管理人员、持有上市公司股份百分之五以上的股东，将其持有的该公司的股票在买入后六个月内卖出，或者在卖出后六个月内又买入，由此所得收益归该公司所有，公司董事会应当收回其所得收益。但是，证券公司因包销购入售后剩余股票而持有百分之五以上股份的，卖出该股票时不受六个月时间限制。公司董事会不按照上述规定执行的，股东有权要求董事会在三十日内执行。公司董事会未在上述期限内执行的，股东有权为了公司的利益以自己的名义直接向人民法院提起诉讼。公司董事会不按照上述规定执行的，负有责任的董事依法承担连带责任。这是对上市公司董事、监事、高级管理人员以及大股东买卖本公司股票的限制性规定。

为了保护广大社会公众投资者的利益，对上市公司董事、监事、高级管理人员以及持有上市公司股份百分之五以上的股东在法定期限内买卖其持有的本公司股票的行为进行一定的限制是完全必要的。由于上市公司董事、监事、高级管理人员以及持有上市公司股份百分之五以上的股东，或是公司经营情况的内幕知情人，或是在决定公司重大问题上有较多的表决权，为了防止其利用职务便利或优势地位，不履行诚信义务，通过频繁地买卖本公司的股票来影响股票价格，或从中牟利，或转嫁风险，从而损害其他中小股东的合法权益，有必要依法规范上市公司董事、监事、高级管理人员以及大股东买卖本公司股票的行为，对违反法律规定买卖本公司股票的行为应认定是一种违法行为，依法要承担相应的法律责任。

按照本条的规定，上市公司的董事、监事、高级管理人员、持有上市公司股份百分之五以上的股东，违反本法第四十七条的规定买卖本公司股票的，证券监督管理机构应当给予违法行为人以警告，可以根据情节轻重并处三万元以上十万元以下的罚款。

第一百九十六条　非法开设证券交易场所的，由县级以上人民政府予以取缔，没收违法所得，并处以违法所得一倍以上五倍以下的罚款；没有违法所得或者违法所得不足十万元的，处以十万元以上五十万元以下的罚款。对直接负责的主管人员和其他直接责任人员给予警告，并处以三万元以上三十万元以下的罚款。

【释义】　本条是对非法开设证券交易场所行为应承担的法律责任的规定。

根据本法有关规定，依法公开发行的股票、公司债券及其他证券，应当在依法设立的证券交易所上市交易或者在国务院批准的其他证券交易场所转让。证券交易所是为证券集中交易提供场所和设施，组织和监督证券交易，实行自律管理的法人。证券交易所的设立和解散，由国务院决定。从上述规定中我们可以清楚地看出，我国证券交易必须在依法设立的证券交易场所进行。同时将设立证券交易所的决定权集中在国务院，充分说明国家对开设证券交易场所问题的重视。鉴于近年来一些地区未经国务院批准，擅自设立产权交易所、证券交易中心和证券交易自动报价系统等机构，从事非上市公司股票、股权证等证券的场外非法交易活动，扰乱了证券市场的正常秩序，隐藏着很大的金融风险，极易诱发影响社会稳定的事端。因此，本法明确规定，非法开设证券交易场所是一种严重的违法行为，依法要承担相应的法律责任。

按照本条的规定，对于非法开设证券交易场所的，县级以上人民政府一经发现，就应立即予以取缔，即加以禁止，同时没收非法开设证券交易场所违法活动的一切所得，并处以违法所得一倍以上五倍以下的罚款；对没有违法所得或者违法所得不足十万元的，也应处以十万元以上五十万元以下的罚款。对直接负责的主管人员和其他直接责任人员还应给予警告，并处以三万元以上三十万元以下的罚款。规定较重处罚，目的是使违法开设证券交易场所的行为不仅得不到任何好处，而且还要付出惨重的代价，真正起到惩戒震慑的作用。

第一百九十七条　未经批准，擅自设立证券公司或者非法经营证券业务的，由证券监督管理机构予以取缔，没收违法所得，并处以违法所得一倍以上五倍以下的罚款；没有违法所得或者违法所得不足三十万元的，处以三十万元以上六十万元以下的罚款。对直接负责的主管人员和其他直接责任人员给予警告，并处以三万元以上三十万元以下的罚款。

【释义】　本条是对未经批准擅自设立证券公司或者非法经营证券业务行为应承担的法律责任的规定。

为了规范从事证券业务的经营机构，将证券公司的经营活动纳入法制轨道，本法对证券公司的设立及经营业务许可等作出了一系列具体规定。根据本法有关规定，设立证券公司，必须经国务院证券监督管理机构审查批准。未经国务院证券监督管理机构批准,任何单位和个人不得经营证券业务。经国务院证券监督管理机构批准,证券公司可以经营下列部分或者全部业务:(1)证券经纪;(2)证券投资咨询;(3)与证券交易、证券投资活动有关的财务顾问;(4)证券承销与保荐;(5)证券自营;(6)证券资产管理;(7)其他证券业务。证券公司设立申请获得批准的,申请人应当在规定的期限内向公司登记机关申请设立登记,领取营业执照。证券公司应当自领取营业执照之日起十五日内,向国务院证券监督管理机构申请经营证券业务许可证。未取得经营证券业务许可证,证券公司不得经营证券业务。由此可见,我国对设立证券公司经营证券业务采取严格的审批许可制,未经批准并取得经营证券业务许可证,擅自设立证券公司或者非法经营证券业务是严重的违法行为,依法应承担相应的法律责任。

我们知道,证券公司作为在证券市场上经营证券业务的中介机构,是我国证券市场的主要参与者,对设立证券公司实行由国务院证券监督管理机构审批的制度,是国家对证券业实行宏观管理的重要手段之一。未经批准,擅自设立证券公司或者非法经营证券业务的行为,扰乱了证券市场的正常秩序,破坏了国家对证券市场的宏观管理,潜伏着巨大的金融风险。按照本条的规定,对擅自设立证券公司或者非法经营证券业务的,首先由证券监督管理机构予以取缔,严加禁止,然后还要没收由擅自设立证券公司或者非法经营证券业务所获的一切违法所得,依法收归国有,并处以违法所得一倍以上五倍以下的罚款;没有违法所得或者违法所得不足三十万元的,也要处以三十万元以上六十万元以下的罚款。对直接负责的主管人员和其他直接责任人员还应给予警告,并处以三万元以上三十万元以下的罚款。

第一百九十八条　违反本法规定,聘任不具有任职资格、证券

从业资格的人员的，由证券监督管理机构责令改正，给予警告，可以并处十万元以上三十万元以下的罚款；对直接负责的主管人员给予警告，可以并处三万元以上十万元以下的罚款。

【释义】 本条是对违反本法规定聘任不具有任职资格、证券从业资格的人员应承担的法律责任的规定。

根据本法有关规定，有公司法第一百四十七条规定的情形或者下列情形之一的，不得担任证券交易所的负责人：(1)因违法行为或者违纪行为被解除职务的证券交易所、证券登记结算机构的负责人或者证券公司的董事、监事、高级管理人员，自被解除职务之日起未逾五年；(2)因违法行为或者违纪行为被撤销资格的律师、注册会计师或者投资咨询机构、财务顾问机构、资信评级机构、资产评估机构、验证机构的专业人员，自被撤销资格之日起未逾五年。因违法行为或者违纪行为被开除的证券交易所、证券登记结算机构、证券服务机构、证券公司的从业人员和被开除的国家机关工作人员，不得招聘为证券交易所的从业人员。证券公司的董事、监事、高级管理人员，应当正直诚实，品行良好，熟悉证券法律、行政法规，具有履行职责所需的经营管理能力，并在任职前取得国务院证券监督管理机构核准的任职资格。因违法行为或者违纪行为被开除的证券交易所、证券登记结算机构、证券服务机构、证券公司的从业人员和被开除的国家机关工作人员，不得招聘为证券公司的从业人员。这是对证券交易所的负责人和证券公司的董事、监事、高级管理人员任职资格及证券交易所、证券公司的从业人员从业资格管理的规定。

我们知道，证券交易所是为证券集中交易提供场所和设施，组织和监督证券交易，实行自律管理的法人。证券交易所除负责组织市场交易和维护市场运行外，还依法承担着监管上市公司、证券公司及证券交易等监管职责，因此责任重大，需要高素质的负责人和从业人员，如果证券交易所的负责人和从业人员素质不高，就有可能影响整个证券市场，进而影响到国家经济的安全和社会的稳定，所以必须依法加强对证券交易所负责人任职资格和从业人员从业资格的管理。同样，证券公司作为从事证券经营业务的法人，是证券市场的主要参与者和重要的中介组织，其董事、监事、高级管理人员和从业人员素质如何，能否忠实履行自己的职责，不仅事关公司的命运，对证券市场的稳定与发展也具有重大影响，因此应当聘任具有履行职责所需的经营管理能力并且正直诚实品行良好的人员来担任，所以也必须依法加强对证券公司董事、监事、高级管理人员任职资格和从业人员从业资格的管理。

为了加强对证券交易所负责人和从业人员的管理，加强对证券公司董事、监事、高级管理人员和从业人员的管理，加强对证券服务机构人员的管理，从制度上保障上述人员的素质，本法明确规定对上述人员实行任职资格和从业资格管理制度，不具有任职资格、证券从业资格的人员不得被招聘到证券交易所或是证券公司，如果违反本法规定，聘任了不具有任职资格、证券从业资格的人员，就构成一种违法行为，依法要受到相应的处罚。具体来讲，按照本条规定所给予的处罚是，由证券监督管理机构责令证券交易所、证券公司改正违法行为，依法解聘已聘任的不符合法定条件的人员，还要给予证券交易所、证券公司以警告，可以并处十万元以上三十万元以下的罚款；对证券交易所、证券公司直接负责的主管人员也要给予警告，可以并处三万元以上十万元以下的罚款。

第一百九十九条　法律、行政法规规定禁止参与股票交易的人员，直接或者以化名、借他人名义持有、买卖股票的，责令依法处理非法持有的股票，没收违法所得，并处以买卖股票等值以下的罚款；属于国家工作人员的，还应当依法给予行政处分。

【释义】　本条是对禁止参与股票交易人员直接或者以化名、借他人名义持有、买卖股票行为应承担的法律责任的规定。

根据本法有关规定，证券交易所、证券公司、证券登记结算机构从业人员、证券监督管理机构工作人员和法律、行政法规禁止参与股票交易的其他人员，在任期或者法定限期内，不得直接或者以化名、借他人名义持有、买卖股票，也不得收受他人赠送的股票。任何人在成为前款所列人员时，其原已持有的股票，必须依法转让。这是对证券业从业人员、证券监督管理机构工作人员和法律、行政法规禁止参与股票交易的其他人员参与股票交易从中牟利行为的禁止性规定。

我们知道，证券市场上的各种信息，是投资者进行投资决策的依据，少数人利用其特殊地位或机会取得内部消息，先行一步对市场作出反应，就有更多的获利机会，从而增加了其他投资者蒙受损失的可能。由于法定职责而参与证券交易的社会中介机构或者证券登记结算机构、证券服务机构的从业人员，证券监督管理机构工作人员以及由于法定的职责对证券交易进行管理的其他人员属于法律规定的知悉证券交易内幕信息的知情人员，也就是法律、行政法规规定禁止参与股票交易的人员，不允许他们直接或者以化名、借他人名义持有、买卖股票，其目的是为了保护广大投资者的合法权益，维护证券市场公开、公正、公平的原则，也是防止内幕交易的重要措施之一。

按照本条的规定，法律、行政法规规定禁止参与股票交易的人员，直接或者以化名、借他人名义持有、买卖股票的，责令依法处理非法持有的股票，没收违法所得，依法收归国有，并处以买卖股票等值以下的罚款；违法行为人属于国家工作人员的，还应当依法给予行政处分，即按行政隶属关系给予有上述违法行为的国家工作人员以一定的行政制裁，行政处分的种类有警告、记过、记大过、降级、降职、撤职、留用察看、开除等，有处分权的单位可根据违法的国家工作人员所犯违法事实的情节轻重分别给予不同的处分，以达到教育惩戒的目的。

第二百条　证券交易所、证券公司、证券登记结算机构、证券服务机构的从业人员或者证券业协会的工作人员，故意提供虚假资料，隐匿、伪造、篡改或者毁损交易记录，诱骗投资者买卖证券的，撤销证券从业资格，并处以三万元以上十万元以下的罚款；属于国家工作人员的，还应当依法给予行政处分。

【释义】　本条是对证券交易所、证券公司、证券登记结算机构、证券服务机构的从业人员或者证券业协会的工作人员故意提供虚假资料，隐匿、伪造、篡改或者毁损交易记录，诱骗投资者买卖证券行为应承担的法律责任的规定。

在证券市场上最频繁、最活跃和风险最集中的是交易行为，在证券交易活动中采取故意提供虚假资料，隐匿、伪造、篡改或者毁损交易记录，诱骗投资者买卖证券的行为是欺诈投资者的重要表现形式。由于这种行为严重损害了广大投资者的利益，破坏了证券市场的正常秩序，因此在世界各国的证券立法中都是明令禁止并规定了严厉处罚的。本法也将之作为禁止的交易行为加以规定，凡是违反这项禁止性规定的，就是一种严重的违法行为，依法应承担相应的法律责任。

鉴于证券交易所、证券公司、证券登记结算机构、证券服务机构的从业人员或者证券业协会的工作人员在证券交易活动中的特殊地位和作用，使其有可能通过故意提供虚假资料，隐匿、伪造、篡改或者毁损交易记录来达到诱骗投资者买卖证券的目的，所以只有上述人员才构成欺诈投资者的主体，其他人不能成为本条规定所处罚的对象；而且上述人员在主观上要有故意，即有故意提供虚假资料，诈骗投资者买卖证券的企图，在客观上实施了提供虚假资料，隐匿、伪造、篡改或者毁损交易记录的行为。本条所称“虚假资料”，主要是指可能对证券交易价格产生较大影响的虚假信息和材料；本条所指“隐匿”，是指将真实的交易记录加以隐藏，并用虚假资料予以替代的行为；所指“伪造”，是指无权制作与证券交易有关记录的人，冒用名义，非法制作与证券交易有关的业务记录的行为；所指“篡改”，是指用涂改、擦消、拼接等作伪方法和手段，对真实的业务记录文件进行改动，变更其内容的行为；所指“毁损”，是指把真实的交易记录加以损坏、毁灭的行为。

按照本条的规定，证券交易所、证券公司、证券登记结算机构、证券服务机构的从业人员或者证券业协会的工作人员，故意提供虚假资料，隐匿、伪造、篡改或者毁损交易记录，诱骗投资者买卖证券的，由证券监督管理机构撤销证券从业资格，撤销证券从业资格是对违反法律、行政法规或者国务院证券监督管理机构的有关规定，情节严重者采取的一项证券市场禁入措施。使已经取得证券从业资格的严重违法行为人在一定期限内直至终身不得从事证券业务，可以起到震慑作用，因此是对违法行为人采取的一种有效的资格罚手段，同时对有违法行为的证券交易所、证券公司、证券登记结算机构、证券服务机构的从业人员或者证券业协会的工作人员，还要并处三万元以上十万元以下的罚款，这又是一种有效的经济罚手段；属于国家工作人员的，还应当依法给予行政处分，即有处分权的单位可根据上述国家工作人员所犯违法事实的情节轻重分别给予警告、记过、记大过、降级、降职、撤职、留用察看直至开除的处分。只有多管齐下，才能真正维护好证券市场的正常秩序。

第二百零一条　为股票的发行、上市、交易出具审计报告、资产评估报告或者法律意见书等文件的证券服务机构和人员，违反本法第四十五条的规定买卖股票的，责令依法处理非法持有的股票，没收违法所得，并处以买卖股票等值以下的罚款。

【释义】 本条是对为股票的发行、上市、交易出具审计报告、资产评估报告或者法律意见书等文件的证券服务机构和人员违反规定买卖股票行为应承担的法律责任的规定。

根据本法第四十五条的规定，为股票发行出具审计报告、资产评估报告或者法律意见书等文件的证券服务机构和人员，在该股票承销期内和期满后六个月内，不得买卖该种股票。除上述规定外，为上市公司出具审计报告、资产评估报告或者法律意见书等文件的证券服务机构和人员，自接受上市公司委托之日起至上述文件公开后五日内，不得买卖该种股票。这是对由于接受委托而为股票发行、上市、交易出具审计报告、资产评估报告或者法律意见书等文件的证券服务机构和人员在一定期限内不得买卖该种股票的禁止性规定。

随着我国证券市场的发展，从投资者角度看，对发行股票公司盈利能力的判断，需要以会计师事务所和注册会计师对发行人财务资料的审查和鉴证结论为必要前提；从发行人角度看，也希望通过审计报告来揭示公司财务报表的公信力，以便吸引更多的投资者和资金。因此，会计师事务所和注册会计师所出具的审计报告已不仅是对投资者和发行人负责，而且还要面向社会，发挥社会公证的作用。同样，在证券市场上为股票发行、上市、交易出具资产评估报告的资产评估事务所及其专职人员，其所出具的对资产价格进行评定估算后的结果报告常常是确定交易价格的关键。至于律师事务所和律师则担负着对其出具的法律意见书的真实性、准确性及完整性进行核查和验证的责任，在证券市场上也发挥着无可替代的作用。

正是由于为股票发行、上市、交易出具审计报告、资产评估报告或者法律意见书等文件的证券服务机构和人员在证券市场中的重要作用，以及因其业务活动可能接触或者获得内幕信息，因此上述人员均为知悉证券交易内幕信息的知情人员。如果他们滥用其特殊地位，违背职业道德，不遵守法律规定的期限，利用所掌握的内幕信息买卖接受委托提供服务公司的股票来牟取非法利益，就违反了他们所承担的法律义务，构成了一种违法行为，依法要受到相应的法律制裁。按照本条的规定，为股票的发行、上市、交易出具审计报告、资产评估报告或者法律意见书等文件的证券服务机构和人员，违反本法第四十五条的规定买卖股票的，证券监督管理机构应责令上述机构和人员依法处理非法持有的股票，没收其违法所得，依法收归国有，并处以买卖股票等值以下的罚款，从经济上给予制裁，使违法的证券服务机构和人员不仅得不到任何好处，而且还要付出惨重代价。

第二百零二条　证券交易内幕信息的知情人或者非法获取内幕信息的人，在涉及证券的发行、交易或者其他对证券的价格有重大影响的信息公开前，买卖该证券，或者泄露该信息，或者建议他人买卖该证券的，责令依法处理非法持有的证券，没收违法所得，并处以违法所得一倍以上五倍以下的罚款；没有违法所得或者违法所得不足三万元的，处以三万元以上六十万元以下的罚款。单位从事内幕交易的，还应当对直接负责的主管人员和其他直接责任人员给予警告，并处以三万元以上三十万元以下的罚款。证券监督管理机构工作人员进行内幕交易的，从重处罚。

【释义】　本条是对证券交易内幕信息的知情人或者非法获取内幕信息的人，在涉及证券的发行、交易或者其他对证券的价格有重大影响的信息公开前，买卖该证券，或者泄露该信息，或者建议他人买卖该证券行为应承担的法律责任的规定。

根据本法有关规定，禁止证券交易内幕信息的知情人和非法获取内幕信息的人利用内幕信息从事证券交易活动。这是对内幕交易行为的禁止性规定。所谓内幕交易，是指证券交易内幕信息的知情人员以及其他通过非法途径获取证券交易内幕信息的人员，利用该信息从事证券交易活动而获利的行为。本条的“知情人”，按照本法有关规定，具体包括：发行人的董事、监事、高级管理人员；持有公司百分之五以上股份的股东及其董事、监事、高级管理人员，公司的实际控制人及其董事、监事、高级管理人员；发行人控股的公司及其董事、监事、高级管理人员；由于所任公司职务可以获取公司有关内幕信息的人员；证券监督管理机构工作人员以及由于法定职责对证券的发行、交易进行管理的其他人员；保荐人、承销的证券公司、证券交易所、证券登记结算机构、证券服务机构的有关人员；国务院证券监督管理机构规定的其他人。本条的“内幕信息”，按照本法有关规定，是指在证券交易活动中，涉及公司的经营、财务或者对该公司证券的市场价格有重大影响的尚未公开的信息。

按照本条的规定，证券交易内幕信息的知情人或者非法获取内幕信息的人，在涉及证券的发行、交易或者其他对证券的价格有重大影响的信息公开前，买卖该证券，或者泄露该信息，或者建议他人买卖该证券的，证券监督管理机构应责令其依法处理非法持有的证券，没收违法所得，并处以违法所得一倍以上五倍以下的罚款；没有违法所得或者违法所得不足三万元的，也要处以三万元以上六十万元以下的罚款。单位从事内幕交易的，还应当对直接负责的主管人员和其他直接责任人员给予警告，并处以三万元以上三十万元以下的罚款。这里需要说明的是，本条中所称“非法获取内幕信息的人”，主要是指利用骗取、套取、偷听、监听或者私下交易等手段获取证券交易内幕信息的人员；所谓“泄露该信息”，主要是指以明示或者暗示的方式透露、提供给与公司没有关系的第三人。泄露者或者建议者本人虽然不一定有直接的证券买卖行为，但通过为他人提供内幕信息，间接地参与了证券交易，与直接买卖证券相比，泄露内幕信息或者建议他人买卖证券，对证券市场、投资者及相关公司所造成的损失，可能更为严重，因此与本人买卖证券一样都应当给予相应的处罚。

本条同时规定，证券监督管理机构工作人员进行内幕交易的，从重处罚。这是因为证券监督管理机构的工作人员在对证券市场实施监督管理中负有重要职责，所处的监督管理地位使其能够接触并且获得有关证券交易的内幕信息，如果他们利用自己的职务便利从事内幕交易牟取非法利益，知法犯法，将会给证券市场带来更为严重的危害，性质极为恶劣。因此，对证券监督管理机构工作人员进行内幕交易的，规定了更为严厉的处罚，即在前面规定处罚的法定幅度内，对其适用相对较重的处罚。

第二百零三条　违反本法规定，操纵证券市场的，责令依法处理非法持有的证券，没收违法所得，并处以违法所得一倍以上五倍以下的罚款；没有违法所得或者违法所得不足三十万元的，处以三十万元以上三百万元以下的罚款。单位操纵证券市场的，还应当对直接负责的主管人员和其他直接责任人员给予警告，并处以十万元以上六十万元以下的罚款。

【释义】　本条是对操纵市场行为应承担的法律责任的规定。

根据本法第七十七条的规定，禁止任何人以下列手段操纵证券市场：(1)单独或者通过合谋，集中资金优势、持股优势或者利用信息优势联合或者连续买卖，操纵证券交易价格或者证券交易量；(2)与他人串通，以事先约定的时间、价格和方式相互进行证券交易，影响证券交易价格或者证券交易量；(3)在自己实际控制的账户之间进行证券交易，影响证券交易价格或者证券交易量；(4)以其他手段操纵证券市场。这是对操纵市场行为的禁止性规定。所谓“操纵市场”，是指个人或者机构背离市场自由竞争和供求关系原则，人为地操纵证券交易价格，或者制造证券交易的虚假价格或者证券交易量，以引诱他人参与证券交易，为自己牟取不正当利益或者转嫁风险的行为。在证券市场上，由供求关系自然形成的价格是正常的，而操纵证券交易价格的行为却人为地扭曲了证券市场的正常价格，实质上是一种对不特定人的欺诈行为。操纵者利用非法手段，造成虚假供求，误导资金流向，并从中获取不正当利益或者转嫁风险，这种行为对证券市场的秩序造成极大危害，必须加以禁止。

各国法律对操纵市场行为都是明令禁止的，并均规定了严厉的制裁措施，我国也不例外。禁止操纵市场既是我国证券市场规范化建设的一个重要内容，也是我国证券市场健康发展的客观需要。依法从严惩处操纵市场行为，对于防止证券市场出现过度投机现象，保护广大投资者的合法利益，都具有十分重要的意义。按照本条的规定，任何人违反本法第七十七条规定，操纵证券市场的，证券监督管理机构应责令依法处理其非法持有的证券，没收违法所得，并处以违法所得一倍以上五倍以下的罚款；没有违法所得或者违法所得不足三十万元的，也应处以三十万元以上三百万元以下的罚款，这是一种非常严厉的经济处罚，其目的是对违法行为形成有效震慑，同时使违法成本高昂。对于单位操纵证券市场的，还应当对直接负责的主管人员和其他直接责任人员给予警告，并处以十万元以上六十万元以下的罚款。

第二百零四条　违反法律规定，在限制转让期限内买卖证券的，责令改正，给予警告，并处以买卖证券等值以下的罚款。对直接负责的主管人员和其他直接责任人员给予警告，并处以三万元以上三十万元以下的罚款。

【释义】　本条是对违反法律规定在限制转让期限内买卖证券行为应承担的法律责任的规定。

为了维护证券市场的正常秩序，保护社会公众投资者利益，防止操纵股市、转嫁风险等证券违法行为，本法和公司法对依法发行的证券在特定情况下规定有一定的转让期限的限制，比如根据本法的规定，依法发行的股票、公司债券及其他证券，法律对其转让期限有限制性规定的，在限定的期限内不得买卖。在上市公司收购中，收购人持有的被收购的上市公司的股票，在收购行为完成后的十二个月内不得转让。根据公司法的规定，发起人持有的本公司股份，自公司成立之日起一年内不得转让。公司股票在证券交易所上市交易的，公开发行股份前的股东持有的股份自上市交易之日起一年内不得转让。公司董事、监事、高级管理人员应当向公司申报所持有的本公司的股份及其变动情况，在任职期间每年转让的股份不得超过其所持有本公司股份总数的百分之二十五；所持本公司股份自公司股票上市交易之日起一年内不得转让。上述人员离职后半年内，不得转让其所持有的本公司股份。公司章程可以对公司董事、监事、高级管理人员转让其所持有的本公司股份作出其他限制性规定。这些都是对在法定限制转让期限内买卖证券行为的禁止性规定。对违反上述法律规定，在限制转让期限内买卖证券的行为应给予相应的处罚。

按照本条的规定，违反法律规定，在限制转让期限内买卖证券的，由证券监督管理机构责令改正，给予警告，并处以违法买卖证券等值以下的罚款。对直接负责的主管人员和其他直接责任人员也要给予警告，并处以三万元以上三十万元以下的罚款。

第二百零五条　证券公司违反本法规定，为客户买卖证券提供融资融券的，没收违法所得，暂停或者撤销相关业务许可，并处以非法融资融券等值以下的罚款。对直接负责的主管人员和其他直接责任人员给予警告，撤销任职资格或者证券从业资格，并处以三万元以上三十万元以下的罚款。

【释义】　本条是对证券公司违反本法规定为客户买卖证券提供融资融券行为应承担的法律责任的规定。

所谓“融资融券”，又称信用交易，是指客户在买卖证券时只向证券公司交付一定数额的保证金或部分证券，其应支付价款或应支付证券不足时，由证券公司垫付的交易方式，其中客户融资买进证券为买空，融券卖出证券为卖空，融资融券交易是存在一定风险的买空卖空行为。原证券法禁止证券公司从事向客户融资或者融券的证券交易活动,这是符合当年制定证券法时的实际情况的,对于促进证券市场稳定运行、防范金融风险、维护国家经济安全是必要的。近些年来,我国的情况发生了很大变化,需要在推动证券市场创新发展、完善市场功能方面有更宽松的运作空间。融资融券作为资本市场发展应具有的基本功能,建立证券融资融券交易制度,可增加市场流动性,提供风险回避手段,提高资金利用率。在严格监管条件下,国家可制定有关融资融券规定,分步组织实施。为此,这次修改证券法明确规定,证券公司为客户买卖证券提供融资融券服务,应当按照国务院的规定并经国务院证券监督管理机构批准。这一规定体现了有限度放开的精神,为证券市场发展预留了空间。

虽然本法的规定为择机适度开展融资融券业务预留了法律空间,但并不意味着现在就可以任意开展这项业务,还有待于按照国务院将来制定的具体规定有步骤地组织实施。因此,对于证券公司违反本法上述规定,为客户买卖证券提供融资融券的行为,依法还应给予一定的处罚。按照本条的规定,首先应由证券监督管理机构没收违法所得,依法收归国有,然后应当暂停或者撤销证券公司相关业务许可,最后并应处以证券公司非法融资融券等值以下的罚款。对直接负责的主管人员和其他直接责任人员还要由证券监督管理机构给予警告,撤销任职资格或者证券从业资格,并处以三万元以上三十万元以下的罚款。

第二百零六条　违反本法第七十八条第一款、第三款的规定,扰乱证券市场的,由证券监督管理机构责令改正,没收违法所得,并处以违法所得一倍以上五倍以下的罚款;没有违法所得或者违法所得不足三万元的,处以三万元以上二十万元以下的罚款。

【释义】 本条是对编造、传播扰乱证券市场虚假信息行为应承担的法律责任的规定。

根据本法第七十八条第一款、第三款的规定,禁止国家工作人员、传播媒介从业人员和有关人员编造、传播虚假信息,扰乱证券市场。各种传播媒介传播证券市场信息必须真实、客观,禁止误导。这是对编造、传播虚假信息扰乱证券市场的禁止性规定。虚假信息主要可分为三类:一是正式文告中的虚假信息,此类不实信息隐蔽深、危害大;二是传播媒介、证券咨询机构从业人员进行股评营销方面的虚假信息,目前各种股评活动比较混乱,误导投资者,其危害亦不容忽视;三是一些机构和人员为操纵股市蓄意散布的谣传。虚假信息在各国证券市场上都不同程度地存在,主要靠投资者提高自身素质去鉴别,但是法律必须规定严厉的处罚。因此,编造、传播影响证券交易虚假信息扰乱证券市场的,是一种严重的违法行为,依法应承担相应的法律责任。

本条中的"扰乱证券市场",通常是指虚假信息引起了股票价格重大波动,或在股民中引起了心理恐慌,大量抛售或者买进某种股票,给股民造成重大经济损失,或者造成恶劣社会影响等。至于如何认定编造、传播扰乱证券市场的虚假信息行为,主要看行为人主观上是否有故意,即有无编造、传播虚假信息扰乱证券市场的目的,客观上是否实施了编造、传播扰乱证券市场的虚假信息的行为。具体来讲,编造、传播扰乱证券市场的虚假信息,主要是指编造、传播可能误导投资者,对上市公司股票交易价格产生较大影响的虚假信息,如涉及公司分配股利或者增资的计划;公司债务担保的重大变更;公司发生重大亏损或遭受重大损失;公司减资、合并、分立、解散等虚假信息等。行为人必须有编造、传播扰乱证券市场的虚假信息的行为,至于行为人是否从中谋利,并不影响这一行为的成立。

按照本条的规定,国家工作人员、传播媒介从业人员和有关人员编造、传播虚假信息,扰乱证券市场应承担的行政责任是:由证券监督管理机构责令其改正违法行为,没收违法所得,依法收归国有,并处以违法所得一倍以上五倍以下的罚款;对没有违法所得或者违法所得不足三万元的,也要处以三万元以上二十万元以下的罚款。

第二百零七条　违反本法第七十八条第二款的规定,在证券交易活动中作出虚假陈述或者信息误导的,责令改正,处以三万元以上二十万元以下的罚款;属于国家工作人员的,还应当依法给予行政处分。

【释义】 本条是对在证券交易活动中作出虚假陈述或者信息误导行为应承担的法律责任的规定。

根据本法第七十八条第二款的规定,禁止证券交易所、证券公司、证券登记结算机构、证券服务机构及其从业人员,证券业协会、证券监督管理机构及其工作人员,在证券交易活动中作出虚假陈述或者信息误导。这是对在证券交易活动中作出虚假陈述或者信息误导行为的禁止性规定。所谓虚假陈述和信息误导,是指证券市场的参与者、管理者违反法律的规定,在从事证券的发行、交易、管理或者其他相关活动中,对证券发行、交易及其相关活动的事实、性质、前景、法律等事项作出不实、严重误导或者有重大遗漏的陈述或者诱导,致使投资者在不了解事实真相的情况下作出证券投资决定的行为。在证券交易活动中作出的虚假陈述或者信息误导主要有:证券交易所及其从业人员,证券业协会、证券监督管理机构及其工作人员作出的对证券市场产生影响的虚假陈述或误导信息;证券公司、证券登记结算机构、证券服务机构及其工作人员在向证券监督管理机构提交的各种文件、报告和说明中作出的虚假陈述或误导信息等。由于虚假陈述和信息误导扰乱了证券市场的正常秩序,侵害了投资者的合法权益,因此是一种严重的违法行为,依法应承担相应的法律责任。

按照本条的规定，证券交易所、证券公司、证券登记结算机构、证券服务机构及其从业人员，或者证券业协会、证券监督管理机构及其工作人员，在证券交易活动中作出虚假陈述或者信息误导的，首先应责令改正，这里需要指出责令改正不是一种行政处罚，但因对任何一种违法行为，均应当予以改正，故证券监督管理机构在对有上述违法行为的单位和个人处以三万元以上二十万元以下罚款行政处罚时，应当责令改正虚假陈述或者信息误导的违法行为；违法行为人属于国家工作人员的，还应当依法给予行政处分。

第二百零八条　违反本法规定，法人以他人名义设立账户或者利用他人账户买卖证券的，责令改正，没收违法所得，并处以违法所得一倍以上五倍以下的罚款；没有违法所得或者违法所得不足三万元的，处以三万元以上三十万元以下的罚款。对直接负责的主管人员和其他直接责任人员给予警告，并处以三万元以上十万元以下的罚款。

证券公司为前款规定的违法行为提供自己或者他人的证券交易账户的，除依照前款的规定处罚外，还应当撤销直接负责的主管人员和其他直接责任人员的任职资格或者证券从业资格。

【释义】　本条是对法人以他人名义设立账户或者利用他人账户买卖证券行为应承担的法律责任的规定。

根据本法有关规定，禁止法人非法利用他人账户从事证券交易；禁止法人出借自己或者他人的证券账户。这是对法人以他人名义设立账户或者利用他人账户买卖证券的禁止性规定。目前在我国证券市场上，一些法人企业为了逃避监管违法经营，以他人名义设立账户或者利用他人账户买卖证券，有的甚至把生产经营资金和从银行取得的信贷资金也用于炒作股票。这不仅破坏了国家的金融管理，干扰了正常的交易秩序，而且也损害了中小投资者的利益，不利于资产安全和交易安全，为防范风险应当加以禁止并给予一定的处罚。因此,本法明确规定这是一种违法行为,依法应承担相应的法律责任。

按照本条第一款的规定,违反本法规定,法人以他人名义设立账户或者利用他人账户买卖证券的,证券监督管理机构应责令改正违法行为,没收违法所得,依法收归国有,并处以违法所得一倍以上五倍以下的罚款;对于没有违法所得或者违法所得不足三万元的,也要处以三万元以上三十万元以下的罚款。对法人直接负责的主管人员和其他直接责任人员还要给予警告,并处以三万元以上十万元以下的罚款。

证券公司作为经营证券业务的中介机构,是证券市场的主要参与者,其行为是否规范、合法,对于维护证券市场秩序、保障交易安全和投资者的合法权益至关重要。如果其利用自身的便利条件为前款的违法行为提供自己或者他人的证券交易账户,显然属于知法犯法,性质极为恶劣,危害也会更大。因此,按照本条第二款的规定,对有第一款所禁止违法行为的证券公司,除依照前款的规定处罚外,还应当撤销其直接负责的主管人员和其他直接责任人员的任职资格或者证券从业资格,使他们不得再进行证券业务经营或者从业活动,成为证券市场的禁入者。

第二百零九条　证券公司违反本法规定,假借他人名义或者以个人名义从事证券自营业务的,责令改正,没收违法所得,并处以违法所得一倍以上五倍以下的罚款;没有违法所得或者违法所得不足三十万元的,处以三十万元以上六十万元以下的罚款;情节严重的,暂停或者撤销证券自营业务许可。对直接负责的主管人员和其他直接责任人员给予警告,撤销任职资格或者证券从业资格,并处以三万元以上十万元以下的罚款。

【释义】　本条是对证券公司假借他人名义或者以个人名义从事证券自营业务行为应承担的法律责任的规定。

根据本法有关规定，证券公司的自营业务必须以自己的名义进行，不得假借他人名义或者以个人名义进行。证券公司的自营业务必须使用自有资金和依法筹集的资金。证券公司不得将其自营账户借给他人使用。所谓证券自营业务，是指证券公司以自己的名义和资金买卖上市证券从而获取利润的证券业务，它强调的是以自己的名义和使用自己的资金来完成。但是在现实生活中，确有一些证券公司的交易行为不够规范，出于不可告人的目的，在证券交易中不是以自己的名义进行，而是假借他人的名义或者以个人的名义进行，这种行为不仅干扰了正常的交易秩序，不利于交易安全，而且也损害了广大投资者的合法权益，应当加以禁止。因此，为了规范证券公司自营业务行为，维护证券市场秩序，降低市场经营风险，保护投资者合法权益，本条明确规定证券公司假借他人名义或者以个人名义从事自营业务的是一种违法行为，依法应承担相应的法律责任。

按照本条的规定，证券公司违反本法规定，假借他人名义或者以个人名义从事证券自营业务的，证券监督管理机构应责令其改正违法行为，没收违法所得，依法收归国有，并处以违法所得一倍以上五倍以下的罚款；对于没有违法所得或者违法所得不足三十万元的，也要处以三十万元以上六十万元以下的罚款；情节严重的，由证券监督管理机构依法暂停或者撤销证券自营业务许可。对证券公司直接负责的主管人员和其他直接责任人员还要给予警告，撤销其任职资格或者证券从业资格，使他们不得再进行证券业务经营或者从业活动，并处以三万元以上十万元以下的罚款。鉴于在实际生活中发生的证券公司假借他人名义或者以个人名义从事自营业务的情况非常复杂多样，对于“情节严重”如何掌握，还有待于证券监督管理机构在执法实践中总结经验作出具体规定。

第二百一十条 证券公司违背客户的委托买卖证券、办理交

易事项，或者违背客户真实意思表示，办理交易以外的其他事项的，责令改正，处以一万元以上十万元以下的罚款。给客户造成损失的，依法承担赔偿责任。

【释义】 本条是对证券公司违背客户的委托买卖证券、办理交易事项，或者违背客户真实意思表示，办理交易以外的其他事项行为应承担的法律责任的规定。

根据本法有关规定，禁止证券公司及其从业人员从事下列损害客户利益的欺诈行为：(1)违背客户的委托为其买卖证券；(2)不在规定时间内向客户提供交易的书面确认文件；(3)挪用客户所委托买卖的证券或者客户账户上的资金；(4)未经客户的委托，擅自为客户买卖证券，或者假借客户的名义买卖证券；(5)为牟取佣金收入，诱使客户进行不必要的证券买卖；(6)利用传播媒介或者通过其他方式提供、传播虚假或者误导投资者的信息；(7)其他违背客户真实意思表示，损害客户利益的行为。这是对证券公司及其从业人员欺诈客户行为的禁止性规定。所谓欺诈客户，是指在证券交易活动中诱骗投资者买卖证券以及其他违背投资者真实意愿、损害其利益的行为。欺诈投资者与内幕交易、操纵市场并称为三大禁止的交易行为，在世界各国有关证券法律中都明令禁止并规定了严厉的处罚。在任何情况下，有欺诈行为者都应当赔偿对他人造成的损害。

我们知道，客户与证券公司就委托买卖证券事项签订了协议，双方就建立起一种民事法律关系，各自享有约定的权利并承担义务，其中本着诚实信用原则执行客户委托是证券公司的一项最主要义务。证券公司接受客户证券买卖的委托，应当根据委托书载明的证券名称、买卖数量、出价方式、价格幅度等，按照交易规则代理客户买卖证券，买卖成交后，还应当按规定制作买卖成交报告单交付客户。如果证券公司违背客户的委托为其买卖证券、办理交易事项，或者有其他违背客户真实意思表示，损害客户利益的行为,就构成了一种民事违约,依法应承担民事赔偿责任,同时也是一种违法行为,依法应承担相应的法律责任。

按照本条的规定,证券公司违背客户的委托买卖证券、办理交易事项,以及其他违背客户真实意思表示,办理交易以外的其他事项的,证券监督管理机构可根据证券公司违法行为的情节后果,对其处以一万元以上十万元以下的罚款。给客户造成损失的,依法承担赔偿责任,赔偿责任是民事责任的一种方式,它是以补救财产权利损害为目的而强制责任人承担财产上不利结果为内容的责任形式。因此,证券公司应当赔偿因其欺诈、违约行为给客户所造成的一切财产损失。

第二百一十一条　证券公司、证券登记结算机构挪用客户的资金或者证券,或者未经客户的委托,擅自为客户买卖证券的,责令改正,没收违法所得,并处以违法所得一倍以上五倍以下的罚款;没有违法所得或者违法所得不足十万元的,处以十万元以上六十万元以下的罚款;情节严重的,责令关闭或者撤销相关业务许可。对直接负责的主管人员和其他直接责任人员给予警告,撤销任职资格或者证券从业资格,并处以三万元以上三十万元以下的罚款。

【释义】　本条是对证券公司、证券登记结算机构挪用客户的资金或者证券,或者未经客户的委托,擅自为客户买卖证券行为应承担的法律责任的规定。

为了维护证券市场的正常秩序,规范证券交易行为,本法从保护投资者利益出发,对证券公司、证券登记结算机构的经营业务规则作出了一系列规定,其中主要包括:禁止证券公司挪用客户所委托买卖的证券或者客户账户上的资金;禁止证券公司未经客户的委托,擅自为客户买卖证券,或者假借客户的名义买卖证券。证券公司不得将客户的交易结算资金和证券归入其自有财产。禁止任何单位或者个人以任何形式挪用客户的交易结算资金和证券。证券登记结算机构不得挪用客户的证券,等等。所有这些规定的根本目的,是为了保护投资者利益,防止欺诈投资者行为的发生,从而保障证券市场健康、稳定的发展。

按照本条的规定,证券公司、证券登记结算机构挪用客户的资金或者证券,或者未经客户的委托,擅自为客户买卖证券的,证券监督管理机构应责令其改正违法行为,没收违法所得,依法收归国有,并处以违法所得一倍以上五倍以下的罚款;没有违法所得或者违法所得不足十万元的,也要处以十万元以上六十万元以下的罚款;情节严重的,还要责令关闭违法的证券公司、证券登记结算机构或者撤销其相关业务许可。对证券公司、证券登记结算机构直接负责的主管人员和其他直接责任人员给予警告,撤销任职资格或者证券从业资格,使他们不得再进行证券业务经营或者从业活动,并处以三万元以上三十万元以下的罚款。

第二百一十二条　证券公司办理经纪业务,接受客户的全权委托买卖证券的,或者证券公司对客户买卖证券的收益或者赔偿证券买卖的损失作出承诺的,责令改正,没收违法所得,并处以五万元以上二十万元以下的罚款,可以暂停或者撤销相关业务许可。对直接负责的主管人员和其他直接责任人员给予警告,并处以三万元以上十万元以下的罚款,可以撤销任职资格或者证券从业资格。

【释义】　本条是对证券公司接受客户的全权委托买卖证券、对客户买卖证券的收益或者赔偿证券买卖的损失作出承诺的行为应当承担的法律责任的规定。

本法第一百四十三条规定,证券公司办理经纪业务,不得接受客户的全权委托而决定证券买卖、选择证券种类、决定买卖数量或者买卖价格;本法第一百四十四条规定,证券公司不得以任何方式对客户证券买卖的收益或者赔偿证券买卖的损失作出承诺。上述规定，是根据我国证券市场的实际情况而作出的。我国证券市场建立的时间不长，属于新兴市场，市场的投资者大多是普通的公众投资者，他们往往因为自身对证券知识的缺乏和投资理念的不成熟而过分相信或者依赖专业的证券公司；而实际上我国很多证券公司的运营并不是很规范，如果允许其接受客户的全权委托买卖证券，极易产生证券公司利用掌握的客户资金，操纵股票价格，扰乱市场秩序的情况，也很容易损害投资者利益。同样，证券公司对客户买卖证券的收益作出承诺或者对赔偿客户证券买卖的损失作出承诺的行为，也是一种不规范的行为，违反了投资者盈亏自负的原则；证券市场是复杂多变的，没有人能保证在证券投资中只赚不赔，因此证券公司的承诺往往只是一种吸引客户的手段，实践中是不可能实现的，反而会产生不必要的纠纷，影响稳定。因此，本法对上述两种行为都明令禁止，违反者要依照本条规定承担相应的法律责任。

根据本条规定，证券公司接受客户的全权委托买卖证券、对客户买卖证券的收益或者赔偿证券买卖的损失作出承诺的，首先由证券监督管理机构责令其改正。责令改正并不是行政处罚法中规定的一种行政处罚，而是行政机关实施行政处罚时，必须采取的一种行政措施，即行政处罚法第二十三条规定的“行政机关实施行政处罚时，应当责令当事人改正或者限期改正违法行为。”根据这一规定，对违法行为不管是否处以行政处罚，执法机关都必须首先责令其改正。同时，违法的证券公司还要承担以下法律责任：

1. 没收违法所得。没收违法所得，是指行政机关根据法律、法规的规定，将当事人的非法所得强制无偿收归国有的一种行政处罚。此处所称违法所得，是指证券公司通过实施本条规定的违法行为而获得的金钱收入和其他财物。按照本条规定，这些非法所得应当予以没收。

2. 罚款。罚款是指行政机关依法强制违反行政管理秩序的公民、法人或者其他组织缴纳一定数量的货币的一种行政处罚,是一种财产罚。本条规定的罚款处罚,是一种"并处"的处罚,即只要证券公司有本条规定的违法行为,就要对其处以罚款的行政处罚。只是在具体的罚款数额上,可以由证券监督管理机构根据违法行为的形式及后果等实际情况,在本条规定的五万元以上二十万元以下的范围内决定。

3. 暂停或者撤销相关业务许可。暂停或者撤销许可,是指行政机关依法限制或者剥夺违法者原有的特许权利或者资格的一种行政处罚,属于行为罚。按照本法的规定,证券公司从事证券经纪业务或者其他证券业务,必须经国务院证券监督管理机构批准并取得经营证券业务许可证后方可进行;在证券公司有本条规定的违法行为时,处罚机关可以根据其违法行为的情节轻重等情况,决定暂停或者撤销相关业务许可,限制或者剥夺违法的证券公司从事相关业务的资格。这一处罚对证券公司的影响较大,因此本条规定的是"可以",由处罚机关根据实际情况决定是否适用这一处罚手段。

本条是关于证券公司的违法行为的规定,即关于法人违法行为的规定。法人违法,法律责任应由法人承担;但是,法人作为一个社会系统,它的主体是自然人,法人整体的活动是通过有意识、有目的的自然人的自觉活动实现的。法人只是一个人格化的社会关系主体,其违法行为的整体意志的形成和违法的整体行为的实施,都有赖于作为其构成要素的自然人。因此,为了有效地防止法人违法,除了必须追究法人的责任外,对负有重大责任的法人成员也必须追究其责任。为此本条规定,证券公司有本条规定的违法行为的,除了追究公司的责任外,对证券公司直接负责的主管人员和其他直接责任人员也要追究其责任,具体包括:(1)警告。给予警告。警告是行政处罚法第八条规定的行政处罚的一种。这里是指证券监督管理机构发现证券公司有本条规定的违法行为时,对其直接负责的主管人员和其他直接责任人员提出告诫,使其认识自己违法所在和如何改正的一种行政处罚,属于申诫罚。(2)罚款。具体数额是三万元以上十万以下。(3)撤销任职资格或者证券从业资格。按照本法有关条款的规定,证券公司的董事、监事、高级管理人员应当具备任职资格,从业人员应当具有证券从业资格。当证券公司有本条规定的违法行为时,证券监督管理机构撤销有关人员的任职资格或者从业资格,使其无法再在证券公司中任职或者从业。

此处"直接负责的主管人员"是指在公司违法行为中负有直接领导责任的人员,包括违法行为的决策人,事后对公司违法行为予以认可和支持的领导人员,以及由于疏于管理或放任,因而对公司违法行为负有不可推卸责任的领导人员;"其他直接责任人员"是指直接实施公司违法行为的人员。

第二百一十三条[①]　**收购人未按照本法规定履行上市公司收购的公告、发出收购要约、报送上市公司收购报告书等义务或者擅自变更收购要约的,责令改正,给予警告,并处以十万元以上三十万元以下的罚款;在改正前,收购人对其收购或者通过协议、其他安排与他人共同收购的股份不得行使表决权。对直接负责的主管人员和其他直接责任人员给予警告,并处以三万元以上三十万元以下的罚款。**

【释义】　本条是对收购人在进行上市公司收购活动时未履行有关法定义务而应承担的法律责任的规定。

通过证券市场收购上市公司的股权,是公司资产重组、优化资源配置、调整产业结构的有效途径,实践中为很多公司采用。同

---

① 2014年8月31日《全国人民代表大会常务委员会关于修改〈中华人民共和国保险法〉等五部法律的决定》删去本条中的"报送上市公司收购报告书"和"或者擅自变更收购要约"。

时,上市公司收购是一项极为复杂的股权运作活动,应当遵守一定的规则和程序,否则可能会导致信息垄断、大股东和实际控制人进行内幕交易和操纵市场,从而损害广大中小投资者的利益。因此,本法专设第四章对上市公司的收购方式、收购条件和程序、收购活动的监管等作出了具体规定。如规定投资者持有或者通过协议、其他安排与他人共同持有上市公司股份超过百分之五的,应将其持股情况和数量变化进行报告和公告;规定投资者持有或者通过协议、其他安排与他人共同持有一个上市公司股份达到百分之三十、继续进行收购的,应当向国务院证券监督管理机构报送上市公司收购报告书,发出收购要约并进行公告;规定在收购要约确定的期限内,收购人不得撤销该要约,如需变更收购要约的必须向国务院证券监督管理机构及证券交易所提出报告并经批准,等等。对于本法规定的上述义务,收购人在进行上市公司收购时,应当严格遵守,违反者要根据本条的规定承担相应的法律责任。

根据本条规定,收购人在进行上市公司收购活动时未履行有关法定义务的,首先应责令其改正:未履行报告和公告义务的应当依法进行报告和公告;未履行发出收购要约义务,应当依法发出收购要约;未履行报送收购报告书义务的,应当依法报送;擅自变更收购要约的,应当改正或在报请批准后变更。对于本法关于上市公司收购应履行的其他义务,收购人未履行的,也应在监督机关的命令下予以履行。同时,收购人有本条规定的违法行为的,还要承担以下法律责任:(1)给予警告,由监督机关对收购人提出告诫,使收购人认识到其行为的违法性和如何改正;(2)罚款,具体数额是十万元以上三十万元以下,具体处罚数额根据收购人违法行为及其造成的后果等情况确定。同时,对于收购人直接负责的主管人员和其他直接责任人员给予警告,并处以三万元以上三十万元以下的罚款。

收购人进行上市公司收购的主要目的,在于取得上市公司的相对多数股权,从而最终控制公司。收购人在进行上市公司收购时，违反有关法律程序，不履行法律规定的有关义务，往往也是为了更方便地达到控制公司的目的。对违法的收购人在公司中的股权进行限制，对收购人可以起到更好地约束作用，促使其在上市公司收购时严格遵守法律程序、履行法律义务。因此，本条专门规定，收购人有本法规定的违法行为的，在其改正前，其收购或者通过协议、其他安排与他人共同收购的被收购公司的股份不得行使表决权。按照这一规定，有本条规定的违法行为的收购人，在改正其违法行为之前，其通过收购所获得的利益是受到限制的，这必将促使收购人及时改正其违法行为，否则对其来说将是得不偿失。

第二百一十四条　收购人或者收购人的控股股东，利用上市公司收购，损害被收购公司及其股东的合法权益的，责令改正，给予警告；情节严重的，并处以十万元以上六十万元以下的罚款。给被收购公司及其股东造成损失的，依法承担赔偿责任。对直接负责的主管人员和其他直接责任人员给予警告，并处以三万元以上三十万元以下的罚款。

【释义】　本条是对收购人利用上市公司收购损害被收购公司及其股东合法权益的法律责任的规定。

在实践中，收购人利用上市公司收购，实施不正当交易，损害被收购人及其股东的合法权益的现象屡见不鲜，对此法律应该严格禁止。违反者要依据本条的规定承担相应的法律责任。

根据本条规定，收购人或者收购人的控股股东利用上市公司收购损害被收购公司及其股东的合法权益的，首先要责令其改正，并给予警告，收购人或者其控股股东要停止其违法行为并改正。同时，收购人或者其控股股东的违法行为已经严重损害了被收购公司及其股东的合法权益，造成了危害后果且情节严重的，根据本条规定还要对收购人或者收购人的控股股东给予十万元以上六十万元以下的罚款。此外，收购人或者收购人的控股股东的上述违法行为,是通过其直接负责的主管人员和其他直接责任人员具体实施的,对这部分人员,根据本条规定也要给予警告以及罚款的行政处罚。

收购人或者收购人的控股股东利用上市公司收购损害被收购公司及其股东的合法权益,已经构成了民法上的侵权行为。因此,本条规定,收购人或者收购人的控股股东还要依据民法的规定赔偿被收购公司及其股东因恶意收购行为而产生的损失。

第二百一十五条　证券公司及其从业人员违反本法规定,私下接受客户委托买卖证券的,责令改正,给予警告,没收违法所得,并处以违法所得一倍以上五倍以下的罚款;没有违法所得或者违法所得不足十万元的,处以十万元以上三十万元以下的罚款。

【释义】　本条是对证券公司及其从业人员私下接受客户委托买卖证券应当承担的法律责任的规定。

随着集中交易制度的实行,在证券交易所内交易的证券种类繁多,数额巨大,而交易厅席位有限,所以一般投资者不能直接进入证券交易所进行交易,只能通过特许的证券经纪人作中介来促成交易的完成。证券经纪人通常是代理投资者买卖证券,从事中介业务的具有法人资格的证券公司,它同时具有证券交易所的会员资格。在我国,证券公司从事证券经纪业务,都是通过下设的证券营业部来实施的。按照现行有关规定,证券公司设立证券交易营业部须具备下列条件:经营状况良好;有不少于人民币五百万元的证券营运资金;有合格的业务人员;有固定的交易场所和必要的交易设施。因此,本法第一百四十五条规定,证券公司及其从业人员不得未经过其依法设立的营业场所私下接受客户委托买卖证券。本法所称证券公司依法设立的营业场所就是指证券营业部,客户委托买卖证券应当到证券公司依法设立的证券营业部办理,证券公司也只能在依法设立的证券营业部接受客户的委托。

证券公司及其从业人员属于因其业务可能接触或者获得内幕

信息的知情人员，如果他们利用了所掌握的内幕信息，私下接受了客户证券买卖的委托，就有可能为客户牟取到不正当利益，从而损害了其他投资者的合法权益。即使他们不掌握内幕信息，私下接受了客户证券买卖的委托，也可能会因其所处地位和方便条件给客户带来更多的获利机会，从而增加了其他投资者蒙受损失的可能。所以，为了保障证券市场的公开、公平和公正性，防止证券公司及其从业人员与客户之间进行私下交易，必须对证券公司及其从业人员私下接受客户委托买卖证券行为加以限制。

根据本条规定，证券公司及其从业人员私下接受客户委托买卖证券的，首先应当改正，并应当承担以下法律责任：(1)警告，即由监督部门对违法的证券公司或者证券公司的从业人员予以告诫。(2)没收违法所得，即由监督部门将证券公司或者证券公司从业人员私下接受客户委托买卖证券所获得的佣金等收入予以没收。(3)罚款。罚款的数额分为两档：违法的证券公司或者证券公司从业人员没有通过私下接受客户委托买卖证券获得非法收入或者非法收入不足十万元的，罚款的数额为十万元以上三十万元以下；违法的证券公司或者证券公司的从业人员通过私下接受客户委托买卖证券所获得的非法收入超过十万元的，罚款的数额为违法所得的一倍以上五倍以下。

值得注意的是，实践中证券公司接受客户委托买卖证券，也是通过其工作人员进行的。在实践中，如何判断某一私下接受委托买卖证券的行为是证券公司的行为还是证券公司从业人员的行为，应当依据本法第一百四十六条的规定执行，即证券公司的从业人员在证券交易活动中，执行证券公司的指令或者利用职务违反交易规则的，由所属的证券公司承担全部责任；其他行为属于从业人员的个人行为，应由该从业人员承担责任。

第二百一十六条　证券公司违反规定，未经批准经营非上市

证券的交易的，责令改正，没收违法所得，并处以违法所得一倍以上五倍以下的罚款。

【释义】 本条是对证券公司违法经营非上市证券交易而应承担的法律责任的规定。

证券公司，依照本法的有关规定，是国务院证券监督管理机构审查批准设立的依法从事证券经营业务的有限责任公司或者股份有限公司；证券公司在经批准的业务范围内，接受客户委托经营证券交易。本法规定，依法公开发行的股票、公司债券及其他证券，应当在依法设立的证券交易所上市交易或者在国务院批准的其他证券交易场所转让；证券在证券交易所上市交易，应当采用公开的集中交易方式或者国务院证券监督管理机构批准的其他方式；进入证券交易所参与集中竞价交易的，必须是具有证券交易所会员资格的证券公司，证券公司根据投资者的委托，按照时间优先的规则提出交易申报，参与证券交易所场内的集中竞价交易。这一系列关于证券交易的规定表明，证券公司所经营的交易证券主要是经依法核准上市交易的证券。非上市交易的证券，应当在国务院批准的其他证券交易场所转让。

“场外交易”，是指在证券交易所场外进行的证券交易，又称柜台交易，即投资者通过证券公司的柜台或通过面谈、电话、电报、电传、电脑等方式直接进行的证券交易。场外交易的市场即场外交易市场，它通常是非集中交易的市场。正是由于证券交易所的上市条件较严格，而相当一部分证券不符合这些条件，所以才会存在场外交易市场。场外交易存在不少问题，主要是：场外交易没有统一的法律法规，缺乏有效的监管，投资者利益难以得到保障；场外交易往往没有固定的集中统一的场所，组织性较差，在流动性和稳定性方面都不如交易所内交易，比较容易发生不正当交易行为；场外交易市场一般采取议价方式个别成交，因而价格只反映单一证券供需双方的价格情况，不能反映整体市场状况；证券在场外市场交易的公司，难以遵守有关上市公司信息披露规定，实施公开、公正和及时的信息披露。因此，我国对非上市证券的场外交易是严格限制的。证券公司未经批准经营非上市证券交易，即非经批准从事场外交易的，属于违法行为，要依据本条规定承担相应的法律责任。

根据本条规定，证券公司未经批准经营非上市证券的交易的，由有关监督机构责令其改正，没收其通过经营非上市证券交易而获得的非法收入，并对其处以违法所得一倍以上五倍以下的罚款。

第二百一十七条　证券公司成立后，无正当理由超过三个月未开始营业的，或者开业后自行停业连续三个月以上的，由公司登记机关吊销其公司营业执照。

【释义】　本条是对证券公司成立后无正当理由未开业或者开业后自行停业行为应承担法律责任的规定。

根据本法的有关规定，证券公司是指由证券监督管理机构依法批准设立的从事证券经营业务的有限责任公司或股份有限公司。证券公司经营证券上市交易业务而成为证券交易所的会员。证券公司属于非银行金融机构，主要业务包括证券承销、证券经纪和证券自营等。作为证券市场主体之一的证券公司，在证券发行市场，它是资金需求者和资金供应者之间的"桥梁"；在证券交易市场，由于一般投资者不能直接进入证券交易所进行交易。因此它又是促成交易完成的"中介"，所以证券公司在证券市场上发挥着重要的不可替代的作用。

正是由于证券公司的业务与证券投资者的利益息息相关，因而对证券公司的监管应有严格的法律规范。按照本法的规定，设立证券公司，必须经国务院证券监督管理机构审查批准。经审查批准设立的证券公司，依照我国公司登记管理的法律规定，为了确认公司的企业法人资格，还必须办理公司登记手续。只有经公司登记机关依法核准设立登记，领取企业法人营业执照，证券公司才告正式成立并可以证券公司名义从事经营活动。证券公司成立后，即应按照国务院证券监督管理机构颁发的证券经营业务许可证所核定的业务范围经营证券业务和其他业务，如果证券公司成立后无正当理由不开展经营活动，或者开业后又擅自停业，那么就会直接影响到证券投资者的投资活动和利益，这样的证券公司就没有继续存在的必要，国家有关公司登记管理的规定也不允许这样的公司继续存在。

因此，本条规定，证券公司成立后，无正当理由超过三个月未开始营业的，或者开业后自行停业连续三个月以上的，由公司登记机关吊销其公司营业执照。这里所称“公司登记机关”，依照公司登记管理条例的规定，是指工商行政管理机关；所谓“吊销营业执照”，是指国家行政机关对违反行政管理秩序的公民、法人或者其他组织依法实行剥夺当事人从事某项生产和经营活动的一种行政处罚。是一种比较严厉的行为能力罚。证券公司有本条规定的违法行为的，公司登记机关应吊销其营业执照，依法取消其法人资格；证券公司被吊销营业执照后，必须终止一切经营活动。因此，吊销营业执照是公司登记机关给予证券公司的最为严厉的行政处罚。

第二百一十八条　证券公司违反本法第一百二十九条的规定，擅自设立、收购、撤销分支机构，或者合并、分立、停业、解散、破产，或者在境外设立、收购、参股证券经营机构的，责令改正，没收违法所得，并处以违法所得一倍以上五倍以下的罚款；没有违法所得或者违法所得不足十万元的，处以十万元以上六十万元以下罚款。对直接负责的主管人员给予警告，并处以三万元以上十万元以下的罚款。

证券公司违反本法第一百二十九条的规定，擅自变更有关事

项的，责令改正，并处以十万元以上三十万元以下的罚款。对直接负责的主管人员给予警告，并处以五万元以下的罚款。

【释义】 本条是对证券公司违反本法第一百二十九条的规定而应承担的法律责任的规定。

本法第一百二十九条规定，证券公司设立、收购或者撤销分支机构，变更业务范围或者注册资本，变更持有百分之五以上股权的股东、实际控制人，变更公司章程中的重要条款，合并、分立、变更公司形式、停业解散、申请破产，以及在境外设立、收购或者参股证券经营机构，都必须经国务院证券监督管理机构批准。这是因为，上述事项的发生，都会对证券公司自身的资信状况以及其他经营情况产生影响，会影响广大投资者对证券公司的选择，可能损害证券公司客户的利益。从保护投资者和控制证券公司风险的角度出发，法律作出了限制性规定，要求证券公司在从事上述行为时，必须履行审批手续。对于法律的这一限制，证券公司必须严格遵守，否则就要依据本条的规定承担相应的法律责任。

本条对违反本法第一百二十九条规定的证券公司，区分其行为性质规定了不同的法律责任：

1. 对擅自设立、收购、撤销分支机构，或者合并、分立、停业、解散、破产，或者在境外设立、收购、参股证券经营机构的证券公司，首先责令其停止违法行为的进行并予以改正，同时违法的证券公司还要承担以下法律责任：(1)没收违法所得，即由监督部门将其通过上述违法行为所获得的非法收入予以没收；(2)罚款，没有违法所得或者违法所得不足十万元的，并处十万元以上六十万元以下的罚款；违法所得超过十万元的，处以违法所得一倍以上五倍以下的罚款。

对于违法的证券公司中直接负责的主管人员，依照本条规定也要给予警告以及罚款的行政处罚，罚款的数额是三万元以上十万元以下。

2. 对于擅自变更业务范围或者注册资本,变更持有百分之五以上股权的股东、实际控制人,变更公司章程中的重要条款的证券公司,依据本条规定,也首先应责令其停止违法行为,办理变更事项的审批手续;不办理审批的,不允许其变更,应要求其回复原状。同时,对于有上述违法行为的证券公司还要给予十万元以上三十万元以下的罚款。对于公司中直接负责的主管人员给予警告,并处以五万元以下的罚款。

第二百一十九条　证券公司违反本法规定,超出业务许可范围经营证券业务的,责令改正,没收违法所得,并处以违法所得一倍以上五倍以下的罚款;没有违法所得或者违法所得不足三十万元的,处以三十万元以上六十万元以下罚款;情节严重的,责令关闭。对直接负责的主管人员和其他直接责任人员给予警告,撤销任职资格或者证券从业资格,并处以三万元以上十万元以下的罚款。

【释义】　本条是对证券公司超出业务许可范围经营证券业务的违法行为应当承担的法律责任的规定。

本法第一百二十五条规定,经国务院证券监督管理机构批准,证券公司可以经营下列部分或者全部业务:(1)证券经纪业务;(2)证券投资咨询;(3)与证券交易、证券投资活动有关的财务顾问;(4)证券承销与保荐;(5)证券自营;(6)证券资产管理;(7)其他证券业务。同时,按照本法第一百二十七条的规定,证券公司经营不同的证券义务,对其注册资本有不同的最低限额规定,如经营证券经纪、证券投资咨询以及与证券交易、投资活动有关的财务顾问的,其最低注册资本不得少于人民币五千万元;经营证券承销、证券自营、证券资产管理以及其他证券业务之一的,注册资本不得少于人民币一亿元;同时经营证券承销、证券自营、证券资产管理以及其他证券业务这四项业务中的两项以上的,注册资本不得少于人民币五亿元。此外，本法第一百二十九条明确规定，证券公司变更其业务范围，必须经国务院证券监督管理机构批准。

综合上述规定，可以看出，证券公司只有符合一定的条件并经过批准后才能从事相关的证券业务；证券公司应当在批准的业务范围内经营证券业务，不得超出业务许可范围。证券公司违反规定，依据本条追究其法律责任。

根据本条规定，证券公司违反本法规定，超出业务许可范围经营证券业务的，首先应责令其改正违法行为，停止经营超出业务许可范围的证券业务，确有需要办理该项业务的，应向国务院证券监督管理机构申请办理变更业务范围。同时，有本条规定的违法行为的证券公司还要承担以下法律责任：(1)没收违法所得，即将证券公司通过超出业务许可范围经营证券业务所获得的非法收入予以没收。(2)罚款，没有违法所得或者违法所得不足三十万元的，处以三十万以上六十万元以下的罚款；违法所得在三十万元以上的，处以违法所得一倍以上五倍以下的罚款。(3)情节严重的，责令关闭。责令关闭，是指行政机关对违反行政管理秩序的企业、事业单位或者其他组织，依法剥夺其从事某项生产和经营活动的权利一种行政处罚，被责令关闭的证券公司将不得再进行任何证券业务经营活动，因此是对证券公司的一种非常严厉的处罚。依据本条规定，只有当证券公司超出许可范围经营证券业务情节严重的，才能对其实施这种行政处罚。

同时，证券公司的违法行为的整体意志的形成和违法的整体行为的实施，都有赖于作为其构成要素的自然人。因此，为了有效地防止证券公司违法，除了必须追究证券公司的责任外，对公司中负有重大责任的有关自然人也必须追究其责任。因此，本条还规定，证券公司有本条规定的违法行为的，对证券公司中直接负责的主管人员和其他直接责任人员也要依法给予警告，撤销其任职资格或者证券从业资格，使其不得在证券公司中任职或者从业，同时，还要对其处以三万元以上十万元以下的罚款。

第二百二十条　证券公司对其证券经纪业务、证券承销业务、证券自营业务、证券资产管理业务，不依法分开办理，混合操作的，责令改正，没收违法所得，并处以三十万元以上六十万元以下的罚款；情节严重的，撤销相关业务许可。对直接负责的主管人员和其他直接责任人员给予警告，并处以三万元以上十万元以下的罚款；情节严重的，撤销任职资格或者证券从业资格。

【释义】　本条是对证券公司不分开办理各项证券业务，混合操作的违法行为而应承担的法律责任的规定。

根据本法第一百三十六条的规定，证券公司应当建立健全内部控制制度，采取有效隔离措施，防范公司与客户之间、不同客户之间的利益冲突。同时，该条明确要求，证券公司必须将其证券经纪业务、承销业务、自营业务和资产管理业务分开办理，不得混合操作。

按照本法的有关规定，证券公司经批准后，是可以同时从事不同的证券业务的。但是，不同的证券业务由于其性质的不同，代表的利益群体和经营目的也是不同的，常常会发生利益上的冲突。例如，证券公司在从事自营业务时，如果允许与其经纪业务混合操作，就可能产生证券公司以自营商的身份将自己持有的证券卖给自己以经纪商身份受理的客户的现象，即自买自卖。在这种交易中，不可能实现证券公司和公司客户的利益同时得到满足，而往往是证券公司为了自己自营业务的利益而损害以自己为经纪商的客户的利益，以便实现既取佣金又赚利润的目的。因此，证券公司的自营业务、经纪业务、承销业务以及资产管理义务，如果混合操作，存在的问题很多，潜伏着相当大的风险。为维护证券市场秩序，降低市场经营风险，保护投资者合法权益，必须在法律中明确规定证券公司应将这上述业务分开操作，凡违反者就是一种违法行为，依法应承担相应的法律责任。

根据本条规定，证券公司对其证券经纪业务、证券承销业务、证券自营业务、证券资产管理业务，不依法分开办理，混合操作的，首先应责令停止违法行为，停止正在进行的违法业务操作，并予以改正，将各项业务分开办理。同时，违法的证券公司还要承担以下法律责任：

1. 没收违法所得。即将证券公司通过实施本条规定的违法行为所获得的金钱收入和其他财物，如赚取的利润、获取的佣金等，依法收归国有。

2. 罚款。本条规定的罚款处罚，是一种“并处”的处罚，即只要证券公司有本条规定的违法行为，就要对其处以罚款的行政处罚。只是在具体的罚款数额上，可以由证券监督管理机构根据违法行为的形式及后果等实际情况，在本条规定的三十万元以上六十万元以下的范围内决定。

3. 情节严重的，撤销相关业务许可。按照本法的规定，证券公司从事证券经纪业务或者其他证券业务，必须经国务院证券监督管理机构批准并取得经营证券业务许可证后方可进行；在证券公司有本条规定的违法行为且情节严重，危害较大的，处罚机关可以撤销其相关业务许可，剥夺违法的证券公司从事相关业务的资格。

同本法其他条款一样，对于违法的证券公司的直接负责的主管人员和其他直接责任人员，由于其在证券公司违法行为的整体意志的形成和违法的整体行为的实施上，都有着不可推卸的责任，本条也规定：对上述人员要给予警告以及罚款的行政处罚。情节严重的，撤销任职资格或者证券从业资格，使其无法再在证券公司中任职或者从业。

第二百二十一条　提交虚假证明文件或者采取其他欺诈手段

隐瞒重要事实骗取证券业务许可的，或者证券公司在证券交易中有严重违法行为，不再具备经营资格的，由证券监督管理机构撤销证券业务许可。

【释义】 本条是对骗取证券业务许可以及证券公司在证券交易中有严重违法行为而应承担的法律责任的规定。

根据本法的有关规定，设立证券公司，必须具备下列条件：(1)有符合法律、行政法规规定的公司章程；(2)主要股东具有持续盈利能力，信誉良好，最近三年无重大违法违规记录，净资产不低于人民币二亿元；(3)有符合证券法规定的注册资本；(4)董事、监事、高级管理人员具备任职资格，从业人员具有证券从业资格；(5)有完善的风险管理与内部控制制度；(6)有合格的经营场所和业务设施；(7)法律、行政法规规定的和经国务院批准的国务院证券监督管理机构规定的其他条件。同时，按照本法的有关规定，证券公司经营相关的证券业务必须满足法定的注册资本要求。只有具备了上述各项条件的要求，才可以凭各种证明文件向国务院证券监督管理机构提出设立证券公司并从事相关业务的申请；国务院证券监督管理机构通过审查所提交的证明文件来批准证券公司的设立并颁发经营相关证券业务的许可证。

依据有关规定，在申请设立证券公司和相关证券业务许可时，所提交的证明文件至少应包括由依法设立的注册会计师事务所等法定验资机构对申请人的出资所出具的验资报告、验资证明等材料；主要管理人员和业务人员的任职资格证书和证券从业资格证书；固定经营场所的所有权或使用权证明和交易设施的合格证明；管理制度健全的证明文件等。如果所提交的上述文件是虚假的而不是真实的，或者采取其他欺诈手段隐瞒重要事实骗取了证券业务许可，那么就破坏了国家对证券公司的管理制度，不仅存在着巨大的经营风险，而且也极易损害投资者的权益，因此是一种严重的违法行为，依法应承担相应的法律责任。

批准设立证券公司并允许从事相关证券业务，属于一种许可行为，按照行政许可法的规定，被许可人以欺骗、贿赂等不正当手段取得许可行政许可的，应当予以撤销。因此，本条规定，提交虚假证明文件或者采取其他欺诈手段隐瞒重要事实骗取证券业务许可的，由证券监督管理机构撤销其相关证券业务许可。

证券公司在证券交易中可能出现很多违法行为，例如证券公司假借他人名义或者以个人名义从事自营业务的；证券公司未经客户委托买卖、挪用、出借客户账户上的证券或者将客户的证券用于质押的，或者挪用客户账户上的资金的；证券公司超出业务许可范围经营证券业务的；证券公司同时经营证券经纪业务、证券自营业务、证券承销业务、资产管理业务，不依法分开办理，混合操作的等等，都是本法规定的违法行为。证券公司在证券交易中有本法规定的严重违法行为，受到证券监督管理机构的处罚，而使其不再具备经营资格的，依照本条规定，也应由证券监督管理机构撤销证券公司的证券业务经营资格，使其不得进行相关的证券业务经营活动。

第二百二十二条　证券公司或者其股东、实际控制人违反规定，拒不向证券监督管理机构报送或者提供经营管理信息和资料，或者报送、提供的经营管理信息和资料有虚假记载、误导性陈述或者重大遗漏的，责令改正，给予警告，并处以三万元以上三十万元以下的罚款，可以暂停或者撤销证券公司相关业务许可。对直接负责的主管人员和其他直接责任人员，给予警告，并处以三万元以下的罚款，可以撤销任职资格或者证券从业资格。

证券公司为其股东或者股东的关联人提供融资或者担保的，责令改正，给予警告，并处以十万元以上三十万元以下的罚款。对直接负责的主管人员和其他直接责任人员，处以三万元以上十万元以下的罚款。股东有过错的，在按照要求改正前，国务院证券监

督管理机构可以限制其股东权利;拒不改正的,可以责令其转让所持证券公司股权。

【释义】 本条是对证券公司及其股东、实际控制人违反信息披露义务,以及证券公司为其股东或者股东的关联人提供融资或者担保的违法行为应当承担的法律责任的规定。

本法第一百四十八条规定,证券公司应当按照规定向国务院证券监督管理机构报送业务、财务等经营管理信息和资料;国务院证券监督管理机构有权要求证券公司及其股东、实际控制人在指定的期限内提供有关信息、资料。同时,该条特别明确要求,证券公司及其股东、实际控制人提供或者报送的信息和资料,应当真实、准确、完整。

要求证券公司及其股东、实际控制人报送有关资料,目的在于让证券监督管理机构及时、准确地了解证券公司的运营情况,适时地对证券公司进行监督,保证证券公司各项风险控制指标符合规定,从而最终实现控制证券公司风险、保护广大投资者利益的目的。对于法律的这一规定,证券公司及有关人员不得违反,否则就要依据本条规定承担法律责任。

根据本条规定,证券公司或者其股东、实际控制人违反规定,拒不向证券监督管理机构报送或者提供经营管理信息和资料,或者报送、提供的经营管理信息和资料有虚假记载、误导性陈述或者重大遗漏的,由证券监督管理机构给予警告,使其认识到违法行为所在并予以改正:拒绝提供或者报送的,应当及时补报;提供的材料不真实的,应进行纠正,重新提供真实、准确、完整的资料和信息。同时,证券监督机构对于有本条规定的违法行为的证券公司或者其股东、实际控制人,应给予三万元以上三十万元以下的罚款,并可以根据其违法行为的情节轻重,决定暂停或者撤销证券公司相关业务许可,限制或者剥夺其从事相关证券业务的资格。

此外,有本条规定的违法行为的证券公司以及其股东、实际控制人，对于其直接负责的主管人员和其他直接责任人员，也要给予处罚，处罚的形式包括：警告、三万元以下的罚款，对于具有证券任职资格或者从业资格的，还可以撤销其任职资格或者从业资格，剥夺其在证券公司任职或者从业的资格。

本法第一百三十条规定，证券公司不得为其股东或者股东的关联人提供融资或者担保。允许证券公司为其股东或者股东的关联人提供融资或者担保，往往会产生股东利用关联关系从证券公司转移资产的情况，增加证券公司运营风险，并可能损害广大证券公司客户的利益。因此，法律对这一种行为严格禁止。违反这一规定的证券公司要根据本条规定承担相应的法律责任。

根据本条规定，证券公司为其股东或者股东的关联人提供融资或者担保的，首先应责令其改正：正在进行的融资或者担保行为应当停止，已经完成的融资或者担保行为应当撤销。同时，还要对违法的证券公司给予警告以及罚款的行政处罚，罚款的数额是十万元以上三十万元以下。对违法的证券公司直接负责的主管人员和其他直接责任人员，要给予三万元以上十万元以下的罚款。

证券公司违法为其股东或者股东的关联人提供融资或者担保，往往是股东利用其在公司中的优势地位，通过其代理人如董事而使公司作出的，股东的意愿是证券公司实施违法行为的根本原因。因此，本条规定股东在本条规定的违法行为中有过错的，在公司改正其违法行为前，国务院证券监督管理机构可以限制其股东权利的行使，如限制其表决权的行使、限制其获得分红等。此外，如果证券公司拒绝改正其违法行为，不停止或者撤销融资或担保行为的，国务院证券监督管理机构可以责令有过错的股东转让所持证券公司股权，将其从证券公司中驱逐出去。

第二百二十三条　证券服务机构未勤勉尽责，所制作、出具的文件有虚假记载、误导性陈述或者重大遗漏的，责令改正，没收业

务收入，暂停或者撤销证券服务业务许可，并处以业务收入一倍以上五倍以下的罚款。对直接负责的主管人员和其他直接责任人员给予警告，撤销证券从业资格，并处以三万元以上十万元以下的罚款。

【释义】 本条是对证券服务机构违法出具有关文件而应承担的法律责任的规定。

本法第一百七十三条规定，投资咨询机构、财务顾问机构、资信评级机构、资产评估机构、会计师事务所等证券服务机构为证券的发行、上市、交易等证券业务活动制作、出具审计报告、资产评估报告、财务顾问报告、资信评级报告或者法律意见书等文件，应当勤勉尽责，对所制作、出具的文件内容的真实性、准确性和完整性进行核查和验证。

证券活动是一项复杂的商业活动，需要各种专业机构为其提供服务。例如，注册会计师审计是会计师事务所最主要的职能，在证券市场上，注册会计师执行的业务与会计师事务所发挥的作用，已经不仅要对某个公司的投资者和债权人负责，而且还要面向社会，发挥社会公证的作用。因此，会计师事务所已经成为证券市场监督体系中不可缺少的组成部分，它是证券市场形成公开、公平、公正市场环境的必要环节。按照执业规则，注册会计师应对其出具的审计报告真实性和合法性负责，审计报告的真实性是指应如实反映注册会计师的审计范围、审计依据、实施的审计程序和应发表的审计意见；审计报告的合法性是指审计报告的编制和出具必须符合有关法律和职业规范的规定。如果注册会计师和会计师事务所就其所应负责的审计报告的内容弄虚作假，不仅违反了职业道德，而且具有很大的社会危害性，依法应承担相应的法律责任。此外，在证券市场上进行证券发行、上市公司收购兼并及财务报告的披露，一般都要进行资产评估。由于资产评估的结果是确定交易价格的关键，要得到交易双方或多方的确认，因此必须由大众公认的、独立的、专业化的机构来进行，这一机构就是资产评估事务所。正因为资产评估事务所出具的资产评估报告在证券市场上发挥着重要作用，所以一旦出现弄虚作假的内容，极有可能给依赖于资产评估报告作出投资、交易决策的利害关系人造成损失，因此，资产评估事务所就其所应负责的资产评估报告的内容弄虚作假的，依法应承担相应的法律责任。还有，在我国，律师事务所从事证券法律业务的内容主要有以下两个方面：一是为公开发行和上市证券的公司出具有关法律意见书，二是审查修改、制作各种有关法律文件。律师事务所的工作，是推动整个证券市场法制化建设的重要组成部分。律师及所在律师事务所应对出具的法律意见书的真实性、准确性及完整性进行核查和验证，如果律师事务所就其所应负责的法律意见书的内容弄虚作假，依法应承担相应的法律责任。

对于违法制作、出具有关文件的证券服务机构，根据本条规定，首先应责令其改正，同时还要承担以下法律责任：(1)没收违法所得，即由证券监督管理机构将上述专业机构通过违法行为所获取的一切非法业务收入，依法收归国有；(2)罚款，罚款的数额是其非法业务收入的一倍以上五倍以下；(3)暂停或者撤销证券服务业务许可，根据本法的有关规定，证券服务机构中的投资咨询机构、财务顾问机构、资信评级机构、资产评估机构、会计师事务所从事证券服务业务，必须经国务院证券监督管理机构和有关主管部门批准，取得相关业务许可后方可进行，如果上述证券服务机构有本条规定的违法行为的，证券监督管理机构可以暂停或者撤销其相关业务许可，限制或者剥夺其从事相关证券服务业务的资格。

同时，对于有本条规定的违法行为的证券服务机构，根据本条规定还要对其直接负责的主管人员和其他直接责任人员给予警告和罚款的行政处罚，并撤销其证券从业资格。

第二百二十四条　违反本法规定，发行、承销公司债券的，由国务院授权的部门依照本法有关规定予以处罚。

【释义】 本条是对违法发行、承销公司债券应当承担的法律责任的规定。

根据本法关于证券发行的有关规定，公开发行公司债券，必须符合下列条件：(1)股份有限公司的净资产不低于人民币三千万元，有限责任公司的净资产不低于人民币六千万元；(2)累积债券余额不超过公司净资产的百分之四十；(3)最近三年平均可分配利润足以支付公司债券一年的利息；(4)筹集的资金投向符合国家产业政策；(5)债券的利率不超过国务院规定的利率水平；(6)国务院规定的其他条件。符合上述条件的，公司应向国务院授权的部门提交有关文件，获得批准后方可公开发行债券。发行人向国务院授权的部门提交的公司债券发行申请文件必须真实、准确、完整。为公司债券发行出具有关文件的专业机构和人员，必须严格履行法定职责，保证其所出具文件的真实性、准确性和完整性。同时，根据本法的有关规定，证券公司应当依照法律、行政法规的规定承销发行人向社会公开发行的公司债券。证券公司承销公司债券，应当对公开发行募集文件的真实性、准确性、完整性进行核查，发现有虚假记载、误导性陈述或者重大遗漏的，不得进行销售活动；已经销售的，必须立即停止销售活动，并采取纠正措施。上述规定表明，我国对公司债券的发行采取严格的审批制，发行人、承销的证券公司、为公司债券发行出具有关文件的专业机构和人员必须认真履行各自的法定职责，任何违反上述规定的行为都要承担相应的法律责任。

公司债券的还款来源是公司的经营利润，而任何一家公司的未来经营都存在很大的不确定性，因此公司债券持有人承担着损失利息甚至本金的风险。正因为如此，与其他债券相比，公司债券的风险性较大，加强对公司债券的管理非常重要，把好公司债券的发行关十分关键，同时对擅自发行公司债券或者制作虚假发行文件发行公司债券的行为，证券公司承销或者代理买卖未经审批擅自发行公司债券的行为以及为公司债券发行出具有关文件的专业机构就其所应负责的内容弄虚作假行为给予严厉的处罚，也是规范发行公司债券行为，防范金融风险、维护债权人合法权益和证券市场正常秩序所必需的。

依据有关规定，国务院授权的部门对公司发行债券的行为实施行政许可，并对债券的发行、承销等行为实施监督，因此对于违反本法规定发行、承销公司债券的，应由国务院授权的部门依据本法的有关规定给予处罚。例如，未经法定机关核准，擅自公开或者变相公开发行证券的，由国务院授权的部门依照本法第一百八十八条的规定予以处罚，责令停止发行，退还所募资金和加算银行同期存款利息，并处以非法所募资金金额百分之一以上百分之五以下的罚款。对直接负责的主管人员和其他直接责任人员给予警告，并处以三万元以上三十万元以下的罚款。债券的发行人不符合发行条件，以欺骗的手段骗取发行核准的，由国务院授权的部门依照本法第一百八十九条的规定予以处罚，尚未发行的，处以三十万元以上六十万元以下的罚款；已经发行的，处以非法所募资金金额百分之一以上百分之五以下的罚款。对直接负责的主管人员和其他直接责任人员处以三万元以上三十万元以下的罚款。证券公司承销或者代理买卖未经核准擅自公开发行的债券的，由国务院授权的部门依照本法第一百九十条的规定予以处罚，责令停止违法行为，没收违法所得，没有非法所得或者违法所得不足三十万元的，处以三十万元以上六十万元以下的罚款，违法所得在三十万元以上的，处以违法所得一倍以上五倍以下的罚款。对直接负责的主管人员和其他直接责任人员给予警告，并处以三万元以上三十万元以下的罚款。证券公司在承销公司债券的过程中有本法规定的违法行为的，由国务院授权的部门依照本法第一百九十一条的规定予以处罚，给予警告，没收违法所得，可以并处三十万元以上六十万元以下的罚款。对直接负责的主管人员和其他直接责任人员给予警告，可以并处三万元以上三十万元以下的罚款。为公开发行公司债券提供服务的证券服务机构未勤勉尽责，所制作、出具的文件有虚假、误导性陈述或者重大遗漏的，由国务院授权的部门依照本法第二百二十三条的规定予以处罚，没收业务收入，并处以业务收入一倍以上五倍以下的罚款。对直接负责的主管人员和其他直接责任人员给予警告，并处以三万元以上十万元以下的罚款。

对于发行、承销公司债券中的其他违法行为，也由国务院授权的部门依据本法的有关规定予以处罚。

第二百二十五条　上市公司、证券公司、证券交易所、证券登记结算机构、证券服务机构，未按照有关规定保存有关文件和资料的，责令改正，给予警告，并处以三万元以上三十万元以下的罚款；隐匿、伪造、篡改或者损毁有关文件和资料的，给予警告，并处以三十万元以上六十万元以下的罚款。

【释义】　本条是对有关机构未按照规定保存有关文件和资料的违法行为应承担的法律责任的规定。

根据本法的有关规定，证券监督管理机构在依法履行对证券市场的监管时，有权查阅、复制当事人和与被调查事件有关的单位和个人的证券交易记录、登记过户记录、财务会计资料以及其他相关文件。查阅有关文件，有助于证券监督管理机构了解所调查事项的真实情况，发现有关机构在业务活动中的违法行为，是履行监督职责的一个重要手段。而保证这一手段能够得以实施的前提，是有关机构必须妥善保存有关文件。因此，本法和有关法律、法规、规章，对上市公司、证券公司、证券交易所、证券登记结算机构、证券服务机构保存有关文件和资料提出了要求。如本法第七十条规定，上市公司依法必须披露的信息，公司应当将其置备于公司住所、证券交易所，供公众查阅；本法第一百四十七条规定，证券公司应当妥善保存客户开户资料、委托记录、交易记录和与内部管理、业务经营有关的各项资料，保存期限不得少于二十年；本法第一百六十二条规定，证券登记结算机构应当妥善保存登记、存管和结算的原始凭证，保存期限不得少于二十年。对于其他法律、行政法规和规章关于文件和资料保存的要求，有关机构也要遵守，违反者要根据本条的规定承担法律责任。

根据本条规定，有关机构未按照有关规定保存文件和资料的，由证券监督管理机构给予警告，使其认识到违法行为所在，并要求其进行改正，同时对其处以三万元以上三十万元以下的罚款，具体罚款数额根据其违法行为的情节等实际情况决定；有关机构隐匿、伪造、篡改或者毁损有关文件和资料的，也要对其处以警告和罚款的行政处罚，由于这种行为的性质更为恶劣、危害更大，所以罚款的数额是三十万元以上六十万元以下。

第二百二十六条　未经国务院证券监督管理机构批准，擅自设立证券登记结算机构的，由证券监督管理机构予以取缔，没收违法所得，并处以违法所得一倍以上五倍以下的罚款。

投资咨询机构、财务顾问机构、资信评级机构、资产评估机构、会计师事务所未经批准，擅自从事证券服务业务的，责令改正，没收违法所得，并处以违法所得一倍以上五倍以下的罚款。

证券登记结算机构、证券服务机构违反本法规定或者依法制定的业务规则的，由证券监督管理机构责令改正，没收违法所得，并处以违法所得一倍以上五倍以下的罚款；没有违法所得或者违法所得不足十万元的，处以十万元以上三十万元以下的罚款；情节严重的，责令关闭或者撤销证券服务业务许可。

【释义】　本条是对未经批准设立证券登记结算机构，证券服务机构未经批准从事证券服务业务以及证券登记结算机构和证券服务机构违反本法规定或者依法制定的业务规则而应承担的法律责任的规定。

根据本法的有关规定,证券登记结算机构是为证券交易提供集中登记、托管与结算服务的非营利法人。证券登记结算机构的基本职能是从事证券登记、托管、过户和资金结算与交收,它是证券市场的重要组成部分,登记结算业务是保障证券交易连续进行必不可少的环节。为了保证证券交易活动中证券保管、清算交割、登记过户业务的顺利进行,维护证券交易安全和防范交收风险,本法规定对证券登记结算机构设立采取了严格的审批制。设立证券登记结算机构必须经国务院证券监督管理机构批准。未经批准擅自设立证券登记结算机构,即属于违法行为,根据本条规定,应由证券监督管理机构予以取缔。对于通过设立证券登记结算机构所获得的金钱和其他非法收入,应予以没收。同时,证券监督管理机构还要对违法行为人处以违法所得一倍以上五倍以下的罚款。

证券活动是一项复杂的活动,其正常运行有赖于各种专业服务机构为其提供的服务。为了保证各种专业服务机构为证券市场提供的服务真实、高效,保证证券市场的安全、稳定,本法对专业服务机构从事证券业务也规定了审批手续。本法第一百六十九条规定,投资咨询机构、财务顾问机构、资信评级机构、资产评估机构、会计师事务所从事证券服务业务,必须经国务院证券监督管理机构和有关主管部门构批准。上述机构未经批准从事证券服务业务的,也属于违法行为。根据本条规定,有关专业服务机构未经批准擅自从事证券服务业务的,由国务院证券监督管理机构或其他有关部门责令改正,停止违法服务业务的进行,或与客户解除服务合同,或是在获得有关部门许可后继续进行有关服务。对于有关专业服务机构通过擅自进行证券服务业务所获得的非法收入,依据本条规定也应予以没收。同时,国务院证券监督管理机构或者有关主管部门还要对违法的专业服务机构给予罚款的行政处罚,罚款的数额是其违法所得的一倍以上五倍以下。

本法还对证券登记结算机构的职责、业务规则和禁止性行为作了具体规定;对证券服务机构的业务规则、业务人员的条件、业务人员的禁止性行为以及证券服务机构的责任等作出了规定。这些规定都是证券登记结算机构和证券服务机构所必须遵守的基本行为规范。除此之外,证券监督管理机构依据法律规定统一制定的上述机构的具体业务规则,同样具有法律效力,证券登记结算机构和证券服务机构也应当认真遵照执行。如果证券登记结算机构和证券服务机构违反了本法的有关规定或者证券监督管理机构统一制定的业务规则,不能严格规范运作,其行为必然具有极大的社会危害性,因此也是一种严重的违法行为,依法应承担相应的法律责任。

根据本条规定,证券登记结算机构和证券服务机构违反本法规定或者依法制定的业务规则的,由证券监督管理机构责令其改正,停止违法行为,按照法定的业务规则进行有关活动。同时,违法的机构还要承担以下法律责任:(1)没收违法所得,即将其通过违反业务规则进行活动所获得的收入予以没收;(2)罚款,没有违法所得或者违法所地不足十万元的,处以十万元以上三十万元以下的罚款,违法所得在十万元以上的,处以违法所得一倍以上五倍以下的罚款;(3)情节严重的,对于违法的证券登记结算机构可以责令其关闭,对于违法的证券服务机构可以撤销其证券服务业务许可,这也是对上述机构最重的一种行政处罚。

第二百二十七条 国务院证券监督管理机构或者国务院授权的部门有下列情形之一的,对直接负责的主管人员和其他直接责任人员,依法给予行政处分:

(一)对不符合本法规定的发行证券、设立证券公司等申请予以核准、批准的;

（二）违反规定采取本法第一百八十条规定的现场检查、调查取证、查询、冻结或者查封等措施的；

（三）违反规定对有关机构和人员实施行政处罚的；

（四）其他不依法履行职责的行为。

【释义】 本条是对国务院证券监督管理机构或者国务院授权的部门不依法履行职责应承担的法律责任的规定。

国务院证券监督管理机构和国务院授权的部门作为对证券市场实施监督的行政机关，应依法行使其行政权力，在法定的职权范围内按照法律规定条件和程序履行职责，实施各项行政许可、行政检查、行政强制措施和行政处罚。上述机构或部门未依法履行职责的，要承担相应的法律责任。

本条列举了三种违法行为：（1）未依法履行行政许可。按照本法的有关规定，公开发行证券，需经国务院证券监督管理机构或者国务院授权的部门核准；设立证券公司，必须经国务院证券监督管理机构批准。有关机构或者部门在实施上述行政许可时，必须严格依法进行，不得对不符合法定条件的予以许可，否则即构成违法。（2）违法实施行政检查和采取行政强制措施。根据本法有关规定，国务院证券监督管理机构为履行其监督职责，有权对有关单位和个人采取现场检查、调查取证、查询、冻结或者查封等措施。但是，国务院证券监督管理机构实施上述措施时，应严格依法进行。如本法第一百八十一条规定，进行监督检查时，检查、调查的人员不得少于二人，并应当出示合法证件和监督检查、调查通知书。又如行政许可法第六十三条规定，行政机关实施监督检查，不得妨碍被许可人正常的生产经营活动，不得索取或者收受被许可人的财物，不得谋取其他利益。国务院证券监督机构违反有关规定实施现场检查、调查取证、查询、冻结或者查封等措施的，也属于违法行为。（3）违反规定实施行政处罚。根据本法规定，国务院证券监督管理机构和国务院授权的部门，有权对违反本法规定的单位和个人实施行政处罚。上述机构和部门在具体实施行政处罚，必须严格按照行政处罚法规定的条件和程序进行，不得违反，否则也要承担相应的法律责任。

根据本条规定，国务院证券监督管理机构或者国务院授权的部门不依法履行职责的，对其直接负责的主管人员和其他直接责任人员要给予行政处分。行政处分是指国家机关、企事业单位依法给隶属于它的犯有轻微违法行为人员的一种制裁性处理。本条规定的处分对象是违法的机构或者部门的直接负责的主管人员和其他直接责任人员，即在单位违法行为中负有直接领导责任的人员，包括违法行为的决策人，事后对单位违法行为予以认可和支持的领导人员，由于疏于管理或放任，因而对单位违法行为负有不可推卸责任的领导人员，以及直接实施单位违法行为的人员。行政处分的种类，按照公务员法的规定，包括警告、记过、记大过、降级、撤职、开除等六种。同时，按照公务员法的规定，公务员在受处分期间不得晋升职务和级别，其中受记过、记大过、降级、撤职处分的，不得晋升工资档次；受处分的期间为：警告，六个月；记过，十二个月；记大过，十八个月；降级、撤职，二十四个月。

第二百二十八条　证券监督管理机构的工作人员和发行审核委员会的组成人员，不履行本法规定的职责，滥用职权、玩忽职守，利用职务便利牟取不正当利益，或者泄露所知悉的有关单位和个人的商业秘密的，依法追究法律责任。

【释义】　本条是关于证券监督管理机构的工作人员和发行审核委员会的组成人员渎职行为应承担法律责任的规定。

根据本法第一百八十二条的规定，国务院证券监督管理机构工作人员必须忠于职守，依法办事，公正廉洁，不得利用自己的职务便利牟取不正当的利益，不得泄露所知悉的有关单位和个人的商业秘密。这是对证券监督管理机构工作人员基本行为规则的明确规定。除此之外,本法还有许多条款对证券监督管理机构工作人员的职责作了具体规定。根据本法第二十二条的有关规定,国务院证券监督管理机构设发行审核委员会,依法审核股票发行申请。发行审核委员会由国务院证券监督管理机构的专业人员和所聘请的该机构以外的有关专家组成,以投票方式对股票发行申请进行表决,提出审核意见。参与核准股票发行申请的人员不得与发行申请单位有利害关系;不得接受发行申请单位的馈赠;不得持有所核准的发行申请的股票;不得私下与发行申请单位进行接触。这是对发行审核委员会组成人员职责的规定。

证券监督管理机构的工作人员和发行审核委员会的组成人员,应该严格按照本法的规定履行职责,不得有滥用职权、玩忽职守等违法行为。这里讲的"滥用职权"是指国家机关工作人员违反法律规定的权限和程序,滥用职权或者超越职权的行为。比如说,证券监督管理机构的工作人员违法对不符合条件的公开发行证券的申请予以审批等。本条中"玩忽职守"是指不履行法律所规定的职责或者不认真、不正确或者放弃履行职责,致使国家利益、公共利益遭受重大损失的行为,比如说发行审核委员会的组成人员放弃职守,对自己应当负责的审核工作不提出意见的行为等。此外,有关人员利用职务便利牟取不正当利益,或者泄露所知悉的有关单位和个人的商业秘密,也属于本条规定的违法行为。

按照本条的规定,证券监督管理机构的工作人员和发行审核委员会的组成人员,不履行本法规定的职责,有本条的规定的违法行为的,要依照本法和有关法律的规定追究其法律责任。例如,对于有本条规定的违法行为的证券监督管理机构的工作人员,可以依据行政监察法和公务员法的有关规定给予其行政处分。对于上述人员徇私舞弊、玩忽职守,且情节严重,构成犯罪的,可以依照刑法第三百九十七条渎职罪的规定追究其刑事责任。其他法律、行政法规、规章对上述人员的违法行为规定了法律责任的,也应依照其规定执行。

第二百二十九条　证券交易所对不符合本法规定条件的证券上市申请予以审核同意的，给予警告，没收业务收入，并处以业务收入一倍以上五倍以下的罚款。对直接负责的主管人员和其他直接责任人员给予警告，并处以三万元以上三十万元以下的罚款。

【释义】　本条是对证券交易所违法审核同意证券上市而应承担的法律责任的规定。

本法第四十八条规定，申请证券上市交易，应当向证券交易所提出申请，对于符合法定上市条件的股票、公司债券等证券，由证券交易所依法审核同意，并由双方签订上市协议。证券交易所应严格依照法定法律规定，履行审核义务，对不符合法律规定条件的上市申请，不得同意其上市，否则就要依据本条规定追究其法律责任。

根据本条规定，证券交易所对符合本法规定的证券上市申请予以审核同意的，应承担以下法律责任：(1)警告，警告是行政处罚法第八条规定的行政处罚的一种。这里是指证券监督管理机构发现证券交易所有本条规定的违法行为时，对其提出告诫，使其认识自己违法所在和如何改正的一种行政处罚，属于申诫罚。(2)没收业务收入，即证券监督管理机构将有本条规定的违法行为的证券交易所通过同意不符合法定条件的证券上市所获得的业务收入强制无偿收归国有的一种行政处罚。(3)罚款。罚款是指行政机关依法强制违反行政管理秩序的公民、法人或者其他组织缴纳一定数量的货币的一种行政处罚，是一种财产罚。本条规定的罚款处罚，是一种“并处”的处罚，即只要证券交易有本条规定的违法行为，就要对其处以罚款的行政处罚。只是在具体的罚款数额上，可以由证券监督管理机构根据违法行为的形式及后果等实际情况，在本条规定的非法业务收入一倍以上五倍以下的范围内确定。

同时,对于有本条规定的违法行为的证券交易所,根据本条规定,对其直接负责的主管人员和其他直接责任人员也要给予警告以及三万元以上三十万元以下的罚款的行政处罚。

第二百三十条　拒绝、阻碍证券监督管理机构及其工作人员依法行使监督检查、调查职权未使用暴力、威胁方法的,依法给予治安管理处罚。

【释义】 本条是对拒绝、阻碍证券监督管理机构及其工作人员依法行使监督检查职权行为应承担法律责任的规定。

我国证券市场作为一个新兴市场,还存在不少问题,还很不成熟。为了有效防范和化解市场风险,推动证券市场的健康发展,迫切需要加强国家对证券市场发展的监管,监督和引导市场主体依法行事,实现市场的规范化。为此,本法规定国务院证券监督管理机构依法对证券市场实行监督管理,维护证券市场秩序,保障其合法运行。同时,还对国务院证券监督管理机构的职责、检查与调查职权等作出了具体规定。为了保证能够切实履行这些职责,本法对被监管单位和个人也作了相应的义务性规定。根据本法第一百八十三条规定,国务院证券监督管理机构依法履行职责,被检查、调查的单位和个人应当配合,如实提供有关文件和资料,不得拒绝、阻碍和隐瞒。对于违反这一规定,拒绝、阻碍证券监督管理机构及其工作人员依法行使监督检查职权的,按照本条的规定,依法要承担相应的法律责任。

根据本条规定,拒绝、阻碍证券监督管理机构及其工作人员行使监督检查职权,未使用暴力、威胁方法的,依法给予治安管理处罚。这里讲的"暴力",是指对证券监督管理机构工作人员的身体实施打击或者强制,如捆绑、殴打、伤害等;"威胁"是指以杀害、伤害、毁坏财产、损害名誉等相威胁,使其放弃执行自己的职务。有关人员未使用暴力、威胁方法，而是使用暴力、威胁方法以外的其他方法，比如纠缠、躲避、软磨硬泡等方法，拒绝、阻碍证券监督管理机构及其工作人员依法行使监督检查职权，影响了证券监督管理机构及其工作人员依法履行职责的，依照治安管理处罚法的规定，应给予警告或者二百元以下罚款的处罚；情节严重的，可以给予五日以上十日以下拘留的处罚，并可以处以五百元以下罚款。

第二百三十一条　违反本法规定，构成犯罪的，依法追究刑事责任。

【释义】　本条是对本法规定的违法行为应承担的刑事责任的规定。

刑事责任是国家刑事法律规定的犯罪行为所应承担的法律后果。证券活动中的当事人如果有本法规定的违法行为，且其行为符合我国刑法所规定的犯罪的构成要件的，就要依据刑法有关条款的规定承担相应的刑事责任。

我国刑法第三章第三节关于妨害对公司、企业的管理秩序罪中，第一百七十四条、第一百七十九条、第一百八十条、第一百八十一条、第一百八十二条分别对未经批准设立有关证券机构、未经批准发行证券、内幕交易、传播虚假信息、操纵市场价格等违反证券法的行为规定了刑事责任。

刑法第一百七十四条规定："未经国家有关主管部门批准，擅自设立商业银行、证券交易所、期货交易所、证券公司、期货经纪公司、保险公司或者其他金融机构的，处三年以下有期徒刑或者拘役，并处或者单处二万元以上二十万元以下罚金；情节严重的，处三年以上十年以下有期徒刑，并处五万元以上五十万元以下罚金。""伪造、变造、转让商业银行、证券交易所、期货交易所、证券公司、期货经纪公司、保险公司或者其他金融机构的经营许可证或者批准文件的，依照前款的规定处罚。""单位犯前两款罪的，对单位判处罚金,并对其直接负责的主管人员和其他直接责任人员,依照第一款的规定处罚。”第一百七十九条规定:“未经国家有关主管部门批准,擅自发行股票或者公司、企业债券,数额巨大、后果严重或者有其他严重情节的,处五年以下有期徒刑或者拘役,并处或者单处非法募集资金金额百分之一以上百分之五以下罚金。”“单位犯前款罪的,对单位判处罚金,并对其直接负责的主管人员和其他直接责任人员,处五年以下有期徒刑或者拘役。”第一百八十条规定:“证券、期货交易内幕信息的知情人员或者非法获取证券、期货交易内幕信息的人员,在涉及证券的发行,证券、期货交易或者其他对证券、期货交易价格有重大影响的信息尚未公开前,买入或者卖出该证券,或者从事与该内幕信息有关的期货交易,或者泄露该信息,情节严重的,处五年以下有期徒刑或者拘役,并处或者单处违法所得一倍以上五倍以下罚金;情节特别严重的,处五年以上十年以下有期徒刑,并处违法所得一倍以上五倍以下罚金。”“单位犯前款罪的,对单位判处罚金,并对其直接负责的主管人员和其他直接责任人员,处五年以下有期徒刑或者拘役。”“内幕信息、知情人员的范围,依照法律、行政法规的规定确定。”第一百八十一条规定:“编造并且传播影响证券、期货交易的虚假信息,扰乱证券、期货交易市场,造成严重后果的,处五年以下有期徒刑或者拘役,并处或者单处一万元以上十万元以下罚金。”“证券交易所、期货交易所、证券公司、期货经纪公司的从业人员,证券业协会、期货业协会或者证券期货监督管理部门的工作人员,故意提供虚假信息或者伪造、变造、销毁交易记录,诱骗投资者买卖证券、期货合约,造成严重后果的,处五年以下有期徒刑或者拘役,并处或者单处一万元以上十万元以下罚金;情节特别恶劣的,处五年以上十年以下有期徒刑,并处二万元以上二十万元以下罚金。”“单位犯前两款罪的,对单位判处罚金,并对其直接负责的主管人员和其他直接责任人员,处五年以下有期徒刑或者拘役。”第一百八十二条规定:“有下列情形之一,操纵证券、期货交易价格,获取不正当利益或者转嫁风险,情节严重的,处五年以下有期徒刑或者拘役,并处或者单处违法所得一倍以上五倍以下罚金:(1)单独或者合谋,集中资金优势、持股或者持仓优势或者利用信息优势联合或者连续买卖,操纵证券、期货交易价格的;(2)与他人串通,以事先约定的时间、价格和方式相互进行证券、期货交易,或者相互买卖并不持有的证券,影响证券、期货交易价格或者证券、期货交易量的;(3)以自己为交易对象,进行不转移证券所有权的自买自卖,或者以自己为交易对象,自买自卖期货合约,影响证券、期货交易价格或者证券、期货交易量的;(4)以其他方法操纵证券、期货交易价格的。”“单位犯前款罪的,对单位判处罚金,并对其直接负责的主管人员和其他直接责任人员,处五年以下有期徒刑或者拘役。”

如果证券活动中的当事人违反了本法规定,且其行为符合刑法其他条款的规定,构成犯罪的,也应依法承担刑事责任。

第二百三十二条　违反本法规定,应当承担民事赔偿责任和缴纳罚款、罚金,其财产不足以同时支付时,先承担民事赔偿责任。

【释义】　本条是对民事赔偿和缴纳罚款、罚金的承担顺序的规定。

罚款是行政处罚中的一种财产罚,即行政机关强制违反行政管理秩序的行为人在一定期限内向国家缴纳一定数量的金钱而使其遭受一定经济利益损失的行政处罚形式;罚金是刑罚中的一种财产刑,即人民法院强制触犯刑律、构成犯罪的行为人向国家缴纳一定数量的金钱的刑罚方式;民事赔偿是民事责任的一种,即民事法律关系中,没有履行自己义务的一方当事人向对方当事人支付一定数量的金钱,以弥补对方因为自己没有履行义务而造成的损失,包括违约民事赔偿和侵权民事赔偿。

本法规定的证券活动中的违法当事人的责任包括了民事责

任、行政责任、刑事责任三种责任形式。当事人有本法规定的违法行为，损害了其他当事人的利益的，要承担侵权的民事责任或者违约的民事责任；当事人有本法规定的违法行为，扰乱证券市场、违反了行政管理秩序的，还要承担行政责任；当事人有本条规定的违法行为，且其行为符合刑法有关犯罪构成，构成犯罪的，还要承担刑事责任。这就可能出现民事赔偿、罚款、罚金在一个当事人身上同时适用的情况。民事赔偿、罚款、罚金是三种不同的责任形式，但它们有一个共同特点，就是当事人都要向外支付一定数额的金钱，当同时在一个当事人身上适用时，就牵涉到承担顺序的问题。这时，就要按照本条的规定进行处理。

根据本条规定，一个当事人同时承担民事赔偿、罚款、罚金，其财产不足以同时支付时，首先应当承担民事赔偿责任。这是因为，证券违法行为，损害的主要是投资者的利益，主要后果是造成了投资者的财产损失，法律对证券违法行为规定行政和刑事责任，其主要目的也在于制止违法行为，从而保护投资者的合法权益。另外，民事赔偿和罚款、罚金的一个重要区别就是，民事赔偿是对受害人损失的弥补，罚款和罚金是对侵害人的惩罚。根据法律的一般原理，违法行为发生后，法律的首要目的是要恢复原状，即恢复到违法行为没有发生前的状况，在有损害发生的情况下，这一目的就表现为弥补受害人的损失，然后才涉及对侵害人进行惩罚的问题。因此，证券违法行为发生后，违法行为人同时承担民事赔偿、罚款、罚金，其财产不足以同时支付时，首先应当赔偿受害人的损失，其财产还有剩余的情况下，再用剩余的财产缴纳罚款、罚金。

第二百三十三条　违反法律、行政法规或者国务院证券监督管理机构的有关规定，情节严重的，国务院证券监督管理机构可以对有关责任人员采取证券市场禁入的措施。

前款所称证券市场禁入，是指在一定期限内直至终身不得从事证

券业务或者不得担任上市公司董事、监事、高级管理人员的制度。

【释义】 本条是对市场禁入制度的规定。

市场禁入制度,依照本条规定是指在一定期限内直至终身不得从事证券业务或者不得担任上市公司董事、监事、高级管理人员的制度。我国的证券市场属于新兴市场,市场行为和市场管理都不是很规范,存在着许多问题。如包装上市、内幕交易、非法操纵股票价格等,严重扰乱了证券市场秩序,损害了广大投资者的利益,使许多公众投资者丧失了对证券市场的信心。因此,对于各种证券违法行为,必须严厉打击。这次修改证券法,加重了对有关证券违法行为的打击力度,加重了其法律责任。并特别在本条规定了市场禁入制度,限制或者剥夺有关责任人员在证券市场中活动的资格。

市场禁入制度,在实践中早就已经得到实施。1996 年国务院批转国务院证券委员会、中国证券监督管理委员会关于进一步加强期货市场监管工作请示的通知中,就明确要求,各期货交易所要结合各自的具体情况建立“市场禁止进入制度”。对于操纵市场或者进行期货欺诈造成严重后果的机构和个人,一经查实,要宣布其为“市场禁入者”,并报证监会,由证监会通报各交易所;除平仓指令外,各期货交易所和期货经纪机构要立即停止接受其新的交易指令;对触犯刑律的,移交司法机关追究刑事责任。对受到证监会通报的“市场禁入者”,各期货交易所和期货经纪机构三年内不得为其办理期货交易开户手续。2004 年国务院关于推进资本市场改革开放和稳定发展的若干意见中,也提出:要按照健全现代市场经济社会信用体系的要求,制定资本市场诚信准则,维护诚信秩序,对严重违法违规、严重失信的机构和个人坚决实施市场禁入措施。2005 年国务院证券监督管理委员会颁布的上市公司股权分置改革管理办法第五十三条,也明确规定:公司及其非流通股股东、基金管理公司、证券公司、保险公司、资产管理公司,利用不正当手段干扰其他投资者正常决策，操纵相关股东会议表决结果，或者进行不正当利益交换的，中国证监会责令其改正；情节严重的，认定主要责任人员为市场禁入者，一定时期或者永久不得担任上市公司和证券业务机构的高级管理职务。

本条将实践中行之有效的市场禁入制度上升为法律，限制违反本法的有关责任人员在一定期限内甚至终身从事证券业务或者担任上市公司董事、监事、高级管理人员，将有利于进一步打击证券违法行为，维护广大投资者的利益。

第二百三十四条　依照本法收缴的罚款和没收的违法所得，全部上缴国库。

【释义】 本条是对依法没收的违法所得和罚款全部上缴国库的规定。

行政处罚是国家法律责任制度的重要组成部分，是贯彻法律、法规以及规章和维护社会秩序、公共利益的重要手段，也是行政机关依法行政的手段之一。依照本法的规定，国务院证券监督管理机构或者国务院授权的部门应当对证券发行、交易过程中的违法行为给予行政处罚，其中没收违法所得和罚款就是大量使用的行政处罚手段。没收违法所得、罚款都属于财产罚。没收违法所得是对违法行为人非法占有的财产的剥夺；罚款则是对违法行为人合法财产的剥夺，两者的共同表现是通过使被处罚的当事人的财产权利和利益受到损害，来达到制裁违法行为的目的。

那么，依法没收的违法所得和罚款应如何处理呢？行政处罚法第五十三条第二款明确规定：罚款、没收违法所得或者没收非法财物拍卖的款项，必须全部上缴国库，任何机关或者个人不得以任何形式截留、私分或者变相私分；财政部门不得以任何形式向作出行政处罚决定的行政机关返还罚款、没收的非法所得或者返还没收非法财物的拍卖款项。这就清楚地表明依法没收的违法所得和罚款必须全部上缴国库,收归国有。同时,行政处罚法在法律责任一章中规定,财政部门违反本法规定向行政机关返还罚款或者拍卖款项的,由上级行政机关或者有关部门责令改正,对直接负责的主管人员和其他直接责任人员依法给予行政处分。还规定,行政机关将罚款、没收的违法所得或者财物截留、私分或者变相私分的,由财政部门或者有关部门予以追缴,对直接负责的主管人员和其他直接责任人员依法给予行政处分;情节严重构成犯罪的,依法追究刑事责任。本条规定的目的同样在于防止上述问题的发生,促进证券监督管理机构依法行使监督管理职责,更好地保护证券市场参与者的合法权益。

第二百三十五条　当事人对证券监督管理机构或者国务院授权的部门的处罚决定不服的,可以依法申请行政复议,或者依法直接向人民法院提起诉讼。

【释义】 本条是对当事人对证券监督管理机构或者国务院授权的部门的行政处罚提起行政复议或者行政诉讼的规定。

当事人受到证券监督管理机构或者国务院授权部门的处罚决定后,应当认真执行。但是,如果当事人认为该处罚决定与事实不符或者适用法律、法规不当,发生行政争议时怎么办呢?本条的规定就是对被处罚人的法律救济条款,它为解决行政争议提供了两种方式。按照本条的规定,当事人对证券监督管理机构或者国务院授权的部门处罚决定不服的,既可以依法申请行政复议,也可以依法直接向人民法院提起行政诉讼。

行政复议是指受到行政处罚的当事人因不服行政机关的处罚决定,认为行政机关和行政机关的工作人员的具体行政行为侵犯了其合法权益,在一定期限内,依法向行政复议机关提出对原处罚决定进行审查并重新处理的申请,接受申请的行政复议机关根据提出的申请,按照法律、法规规定的程序对原具体行政行为的合法性和适当性进行复查,在规定的时限内重新作出维持、变更或者撤销原处罚决定的一种具体行政行为。申请行政复议应当符合下列条件:申请人是认为具体行政行为直接侵犯其合法权益的公民、法人或者其他组织;有明确的被申请人;有具体的复议请求和事实根据;属于申请复议范围;属于受理复议机关管辖;法律、法规规定的其他条件。除法律、法规另有规定的,当事人向有管辖权的行政机关申请行政复议,应当在知道具体行政行为之日起十五日内提出。复议机关应当自收到复议申请书之日起十日内,对是否受理申请作出决定并通知申请人。复议机关应当在收到复议申请书之日起两个月内作出复议决定。复议决定一经送达即发生法律效力。除法律规定终局的复议外,申请人对复议决定不服的,可以在收到复议决定书之日起十五日内,或者法律、法规规定的其他期限内向人民法院起诉。

行政诉讼是指受到行政处罚的当事人因不服行政机关的处罚决定,认为行政机关和行政机关工作人员的具体行政行为侵犯了其合法权益,在一定期限内,依法向人民法院提起诉讼,由人民法院对具体行政行为是否合法进行审查并作出裁判的行为。提起行政诉讼应当符合下列条件:原告是认为具体行政行为侵犯其合法权益的公民、法人或者其他组织;有明确的被告;有具体的诉讼请求和事实根据;属于人民法院受案范围和受诉人民法院管辖。除法律、法规另有规定的,公司、法人或者其他组织直接向人民法院提起诉讼的,应当在知道作出具体行政行为之日起三个月内提出。人民法院接到起诉状并审查后,应当在七日内立案或者作出裁定不予受理。原告对裁定不服的,可以提起上诉。人民法院应当在立案之日起三个月内作出第一审判决。当事人对一审判决不服的,有权在判决书送达之日起十五日内向上一级人民法院提起上诉。当事人不服人民法院第一审裁定的,有权在裁定书送达之日起十日内向上一级人民法院提起上诉。

根据上述行政复议和行政诉讼基本制度的规定和本条的规定，当事人对证券监督管理机构或者国务院授权的部门处罚决定不服的，可在收到处罚决定之日起十五日内向证券监督管理机构或者国务院授权的部门申请行政复议；也可在收到处罚决定之日起三个月内直接向有管辖权的人民法院提起行政诉讼。复议和诉讼期间，处罚决定不停止执行。这样规定，一方面便于当事人行使自己的权利，如果发生因证券监督管理机构或者国务院授权的部门认定事实不清或者适用法律不当，使当事人受到不应有的处罚时能得到及时的纠正和补救，可以有效地保护当事人的合法权益不受侵犯，同时对证券监督管理机构和国务院授权的部门也是一种监督和制约。另一方面又体现了证券监督管理机构和国务院授权的部门处罚决定的严肃性和权威性，保证它们能够依法履行职责，及时追究违法者的法律责任。

第十二章 附 则

第二百三十六条 本法施行前依照行政法规已批准在证券交易所上市交易的证券继续依法进行交易。

本法施行前依照行政法规和国务院金融行政管理部门的规定经批准设立的证券经营机构,不完全符合本法规定的,应当在规定的限期内达到本法规定的要求。具体实施办法,由国务院另行规定。

【释义】 本条是对本法施行以后如何处理本法施行以前的证券和证券经营机构的规定。

依法在证券交易所上市交易的证券继续依法进行交易。本法颁布施行前,国务院颁布了《股票发行与交易管理暂行条例》《企业债券管理条例》等行政法规,对有关证券的上市交易进行了规范。上海、深圳两家证券交易所成立以后,有关部门和机构依照各行政法规的规定,批准了一些证券在这两家证券交易所上市交易。这些证券无论其过去批准的条件和程序如何,只要它们是由规定的部门或者机构依照国务院行政法规的规定批准上市交易的,在本法施行以后,依照本法规定的交易规则,继续在证券交易所进行交易,以保持市场规范的连续性和证券市场的稳定性。

现有的不完全符合本法规定的证券经营机构应当在规定的限期内达到本法规定的要求。在本法颁布施行前,国务院和国务院金融行政管理部门颁布了一些规范证券经营机构的行政法规和规章,如《中国人民银行关于设立证券公司或类似金融机构须经中国人民银行审批的通知》《中国人民银行关于金融机构设置或撤并管理的暂行规定》《金融机构管理规定》《金融信托投资机构管理暂行规定》等，对证券公司以及从事证券业务的信托投资公司的设立条件和程序等，作出了规定。有关部门依据行政法规和国务院金融行政管理部门的规定，批准设立了一些证券经营机构，如证券公司、信托投资公司的证券部等，经营证券业务。在本法颁布以前，经批准设立的信托投资公司证券部要大大多于经批准设立的证券公司。为了保证金融业的健康发展，本法在总则中规定，证券业和银行业、信托业、保险业分业经营、分业管理，证券公司与银行、信托、保险业务机构分别设立；设立证券公司，必须经国务院证券监督管理机构审查批准。未经国务院证券监督管理机构批准，不得经营证券业务。同时，本法还对证券公司的设立条件和有关程序进行了规定，这些条件和程序，与行政法规和国务院金融行政管理部门规定的条件和程序，并不完全相同。所以，在本法施行前依照行政法规和国务院金融行政管理部门的规定经批准设立的证券经营机构，在本法施行后，有可能存在不完全符合本法规定的情况。对于不完全符合规定的证券经营机构，包括证券公司和信托投资公司证券部，只要它们是依照行政法规和国务院金融行政管理部门的规定经批准设立的，在本法施行以后，并不立即丧失其合法地位，它们仍然可以依法经营证券业务，但它们应当在规定的限期内达到本法规定的要求。现存的不完全符合本法规定的证券经营机构，如果在规定的期限内未能达到本法规定的要求，则不得以证券公司的名义经营证券业务。

现有证券经营机构的具体实施办法由国务院另行规定。现有证券经营机构，不完全符合本法规定的，要逐渐达到本法规定的要求。但至于具体如何使证券经营机构达到本法规定的要求，从现在开始到最后符合本法规定要求的期限有多长，本法并没有作详细的规定，而是授权国务院对此规定具体的实施办法。在国务院具体的实施办法出台以后，现有的不完全符合本法规定的证券经营机构，必须依照国务院的规定，在具体实施办法规定的期限内达到证券法规定的要求。

这里需要特别指出的是,本条是本法修订前的原有条文,是针对证券法颁布前的情况作出的规定。此次修订证券法将对证券公司的分类管理,改为按业务管理,并对证券公司的内控制度、交易结算资金的存管、风险控制指标等作出了更高的要求,不符合上述要求的应当按照本法规定作出调整,以达到本法要求。

第二百三十七条　发行人申请核准公开发行股票、公司债券,应当按照规定缴纳审核费用。

【释义】　本条是对公开发行股票、公司债券收取审核费用的规定。

根据本法的有关规定,发行人申请核准公开发行股票、公司债券时,需要经过国务院证券监督管理委员下设的发行审核委员会的审核以及国务院证券监督管理委员会的核准。国务院证券监督管理委员会作为事业单位被授权行使行政权力,而聘用发行审核委员会的一部分委员也必须支付一定的费用。考虑到申请核准公开发行股票、公司债券的发行人占用了这部分公共行政资源,因此按照规定缴纳审核费用是适当的。此外,根据行政许可法的有关规定,只有法律、行政法规另有规定的,行政机关行实施行政许可时才能收费,因此在本法中进行了相应的规定。

第二百三十八条　境内企业直接或者间接到境外发行证券或者将其证券在境外上市交易,必须经国务院证券监督管理机构依照国务院的规定批准。

【释义】　本条是对境内企业到境外发行上市证券的管理的规定。

近年来,随着我国对外开放的不断深入和经济全球化的影响,我国企业掀起了在境外发行股票和将股票在境外上市的热潮,越来越多的境内企业从事到境外发行证券或者将证券在境外上市的活动,有的采取直接方式,即中国公司直接以我国境内公司的名义在境外发行证券或者将其证券在境外上市交易;也有的采取间接方式,即中国公司在境外注册登记成立新的公司,再以新公司的名义在境外发行证券或者将证券在境外上市交易。应当说实行允许境内企业到境外发行股票和将股票在境外上市的政策,为我国企业开辟了从国际资本市场融资的渠道,对利用国际资本市场的资金资源,发展我国经济建设,维护我国对外开放的形象,发挥了积极作用。但是,在我国目前情况下,到境外发行或者上市证券的企业直接代表着我国企业在国际市场上的形象,这些企业本身的质量如何以及他们在境外发行上市的证券的质量如何,不仅关系到这些企业自身在国际市场上的形象和再筹资能力,而且还关系到能否保持中国企业在国际资本市场上筹资的有效渠道,同时,境内企业到境外发行上市证券也会对我国宏观的经济结构、资本市场的管理以及国家政治、经济方面的利益产生影响,所以,这是一项政策性很强的工作,必须紧密结合我国实际情况,坚持积极稳妥、循序渐进的原则,要加强监管,特别是从法律上应当严格加以规范。因此,本条规定的目的在于强调这一监管原则,也就是:境内企业直接或者间接到境外发行证券或者将证券在境外上市交易,必须经过国务院证券监督管理机构依照国务院的规定批准,未经批准的,不得从事这些活动。

第二百三十九条 境内公司股票以外币认购和交易的,具体办法由国务院另行规定。

【释义】 本条是对授权国务院规定 B 种股票的规定。

在我国的股份制试点过程中,根据某种特殊需要发行了供境外人士、机构以外币认购和交易的境内公司股票,即通常所称的 B 种股票。尽管从 2001 年起,B 种股票已经对境内的个人投资者解禁,但是目前 B 种股票在发行和交易上,与 A 种股票还有所不同,例如,《深圳市人民币特种股票管理暂行办法》《上海市人民币特种股票管理办法》专门对 B 种股票的发行和交易作出了规定。为了使市场规范保持必要的连续性,考虑到 B 股发行对象和认购、交易的币种难以与 A 股并轨,因此,本条授权国务院另行规定 B 种股票认购和交易的具体办法。

第二百四十条　本法自 2006 年 1 月 1 日起施行。

【释义】　本条是对证券法生效日期的规定。

法律的施行日期是指法律生效的日期。本法自 2006 年 1 月 1 日起施行是指本法自 2006 年 1 月 1 日起生效。本法自生效以后产生以下法律后果:一是本法开始在中华人民共和国境内生效,凡属于本法调整范围内的证券,自 2006 年 1 月 1 日起,均应依据本法的规定发行和交易;二是现有的法律、法规和规章的规定与本法相抵触的则无效,应以本法的规定为准;三是有关部门应当根据本法的授权及时制定具体的规定。

2005 年 10 月 27 日,第十届全国人民代表大会常务委员会第十八次会议通过了新修订的证券法,但其施行日期为 2006 年 1 月 1 日,其间相隔两个月时间。之所以这么规定,是考虑到新修订的证券法涉及面较广、社会影响较大。为了使广大的公民能够充分了解本法的内容,以及有关机构和部门能够充分熟悉、理解、掌握本法的内容,从而保证本法能够得到有效的遵守和执行,从通过到施行需要留有一段时间供大家学习、准备。同时,在本法通过以前,有关的部门和机构为监督管理证券市场,颁布了一系列的规定,这些规定都需要时间来进行清理,以废除那些与本法相抵触的规定,保证本法的顺利施行。此外,本法规定的一些措施、制度等,需要一些配套规定进行具体化,有关部门和机构也需要时间来作出具体的规定。所以,本法并不是自通过之日起生效,而是需要过一段时间才能生效。

第二部分　附　　录

中华人民共和国证券法

（1998年12月29日第九届全国人民代表大会常务委员会第六次会议通过　根据2004年8月28日第十届全国人民代表大会常务委员会第十一次会议《关于修改〈中华人民共和国证券法〉的决定》第一次修正　2005年10月27日第十届全国人民代表大会常务委员会第十八次会议修订　根据2013年6月29日第十二届全国人民代表大会常务委员会第三次会议《关于修改〈中华人民共和国文物保护法〉等十二部法律的决定》第二次修正　根据2014年8月31日第十二届全国人民代表大会常务委员会第十次会议《关于修改〈中华人民共和国保险法〉等五部法律的决定》第三次修正）

目　　录

第一章　总　　则

第一条　为了规范证券发行和交易行为，保护投资者的合法权益，维护社会经济秩序和社会公共利益，促进社会主义市场经济的发展，制定本法。

第二条　在中华人民共和国境内，股票、公司债券和国务院依法认定的其他证券的发行和交易，适用本法；本法未规定的，适用《中华人民共和国公司法》和其他法律、行政法规的规定。

政府债券、证券投资基金份额的上市交易，适用本法；其他法律、行政法规另有规定的，适用其规定。

证券衍生品种发行、交易的管理办法，由国务院依照本法的原则规定。

第三条　证券的发行、交易活动，必须实行公开、公平、公正的原则。

第四条　证券发行、交易活动的当事人具有平等的法律地位，应当遵守自愿、有偿、诚实信用的原则。

第五条　证券的发行、交易活动，必须遵守法律、行政法规；禁止欺诈、内幕交易和操纵证券市场的行为。

第六条　证券业和银行业、信托业、保险业实行分业经营、分业管理，证券公司与银行、信托、保险业务机构分别设立。国家另有规定的除外。

第七条　国务院证券监督管理机构依法对全国证券市场实行集中统一监督管理。

国务院证券监督管理机构根据需要可以设立派出机构，按照授权履行监督管理职责。

第八条　在国家对证券发行、交易活动实行集中统一监督管理的前提下，依法设立证券业协会，实行自律性管理。

第九条　国家审计机关依法对证券交易所、证券公司、证券登记结算机构、证券监督管理机构进行审计监督。

第二章　证券发行

第十条　公开发行证券，必须符合法律、行政法规规定的条件，并依法报经国务院证券监督管理机构或者国务院授权的部门核准；未经依法核准，任何单位和个人不得公开发行证券。

有下列情形之一的，为公开发行：

（一）向不特定对象发行证券的；

（二）向特定对象发行证券累计超过二百人的；

（三）法律、行政法规规定的其他发行行为。

非公开发行证券，不得采用广告、公开劝诱和变相公开方式。

第十一条　发行人申请公开发行股票、可转换为股票的公司债券，依法采取承销方式的，或者公开发行法律、行政法规规定实行保荐制度的其他证券的，应当聘请具有保荐资格的机构担任保荐人。

保荐人应当遵守业务规则和行业规范，诚实守信，勤勉尽责，对发行人的申请文件和信息披露资料进行审慎核查，督导发行人规范运作。

保荐人的资格及其管理办法由国务院证券监督管理机构规定。

第十二条　设立股份有限公司公开发行股票，应当符合《中华人民共和国公司法》规定的条件和经国务院批准的国务院证券监督管理机构规定的其他条件，向国务院证券监督管理机构报送募股申请和下列文件：

（一）公司章程；

（二）发起人协议；

（三）发起人姓名或者名称，发起人认购的股份数、出资种类及验资证明；

（四）招股说明书；

（五）代收股款银行的名称及地址；

（六）承销机构名称及有关的协议。

依照本法规定聘请保荐人的，还应当报送保荐人出具的发行保荐书。

法律、行政法规规定设立公司必须报经批准的，还应当提交相应的批准文件。

第十三条　公司公开发行新股，应当符合下列条件：

（一）具备健全且运行良好的组织机构；

（二）具有持续盈利能力，财务状况良好；

（三）最近三年财务会计文件无虚假记载，无其他重大违法行为；

（四）经国务院批准的国务院证券监督管理机构规定的其他条件。

上市公司非公开发行新股，应当符合经国务院批准的国务院证券监督管理机构规定的条件，并报国务院证券监督管理机构核准。

第十四条　公司公开发行新股，应当向国务院证券监督管理机构报送募股申请和下列文件：

（一）公司营业执照；

（二）公司章程；

（三）股东大会决议；

（四）招股说明书；

（五）财务会计报告；

（六）代收股款银行的名称及地址；

（七）承销机构名称及有关的协议。

依照本法规定聘请保荐人的，还应当报送保荐人出具的发行保荐书。

第十五条 公司对公开发行股票所募集资金，必须按照招股说明书所列资金用途使用。改变招股说明书所列资金用途，必须经股东大会作出决议。擅自改变用途而未作纠正的，或者未经股东大会认可的，不得公开发行新股。

第十六条 公开发行公司债券，应当符合下列条件：

（一）股份有限公司的净资产不低于人民币三千万元，有限责任公司的净资产不低于人民币六千万元；

（二）累计债券余额不超过公司净资产的百分之四十；

（三）最近三年平均可分配利润足以支付公司债券一年的利息；

（四）筹集的资金投向符合国家产业政策；

（五）债券的利率不超过国务院限定的利率水平；

（六）国务院规定的其他条件。

公开发行公司债券筹集的资金，必须用于核准的用途，不得用于弥补亏损和非生产性支出。

上市公司发行可转换为股票的公司债券，除应当符合第一款规定的条件外，还应当符合本法关于公开发行股票的条件，并报国务院证券监督管理机构核准。

第十七条 申请公开发行公司债券，应当向国务院授权的部门或者国务院证券监督管理机构报送下列文件：

（一）公司营业执照；

（二）公司章程；

（三）公司债券募集办法；

（四）资产评估报告和验资报告；

（五）国务院授权的部门或者国务院证券监督管理机构规定的其

他文件。

依照本法规定聘请保荐人的,还应当报送保荐人出具的发行保荐书。

第十八条 有下列情形之一的,不得再次公开发行公司债券:

(一)前一次公开发行的公司债券尚未募足;

(二)对已公开发行的公司债券或者其他债务有违约或者延迟支付本息的事实,仍处于继续状态;

(三)违反本法规定,改变公开发行公司债券所募资金的用途。

第十九条 发行人依法申请核准发行证券所报送的申请文件的格式、报送方式,由依法负责核准的机构或者部门规定。

第二十条 发行人向国务院证券监督管理机构或者国务院授权的部门报送的证券发行申请文件,必须真实、准确、完整。

为证券发行出具有关文件的证券服务机构和人员,必须严格履行法定职责,保证其所出具文件的真实性、准确性和完整性。

第二十一条 发行人申请首次公开发行股票的,在提交申请文件后,应当按照国务院证券监督管理机构的规定预先披露有关申请文件。

第二十二条 国务院证券监督管理机构设发行审核委员会,依法审核股票发行申请。

发行审核委员会由国务院证券监督管理机构的专业人员和所聘请的该机构外的有关专家组成,以投票方式对股票发行申请进行表决,提出审核意见。

发行审核委员会的具体组成办法、组成人员任期、工作程序,由国务院证券监督管理机构规定。

第二十三条 国务院证券监督管理机构依照法定条件负责核准股票发行申请。核准程序应当公开,依法接受监督。

参与审核和核准股票发行申请的人员,不得与发行申请人有利害关系,不得直接或者间接接受发行申请人的馈赠,不得持有所核准的发行申请的股票,不得私下与发行申请人进行接触。

国务院授权的部门对公司债券发行申请的核准，参照前两款的规定执行。

第二十四条　国务院证券监督管理机构或者国务院授权的部门应当自受理证券发行申请文件之日起三个月内，依照法定条件和法定程序作出予以核准或者不予核准的决定，发行人根据要求补充、修改发行申请文件的时间不计算在内；不予核准的，应当说明理由。

第二十五条　证券发行申请经核准，发行人应当依照法律、行政法规的规定，在证券公开发行前，公告公开发行募集文件，并将该文件置备于指定场所供公众查阅。

发行证券的信息依法公开前，任何知情人不得公开或者泄露该信息。

发行人不得在公告公开发行募集文件前发行证券。

第二十六条　国务院证券监督管理机构或者国务院授权的部门对已作出的核准证券发行的决定，发现不符合法定条件或者法定程序，尚未发行证券的，应当予以撤销，停止发行。已经发行尚未上市的，撤销发行核准决定，发行人应当按照发行价并加算银行同期存款利息返还证券持有人；保荐人应当与发行人承担连带责任，但是能够证明自己没有过错的除外；发行人的控股股东、实际控制人有过错的，应当与发行人承担连带责任。

第二十七条　股票依法发行后，发行人经营与收益的变化，由发行人自行负责；由此变化引致的投资风险，由投资者自行负责。

第二十八条　发行人向不特定对象发行的证券，法律、行政法规规定应当由证券公司承销的，发行人应当同证券公司签订承销协议。证券承销业务采取代销或者包销方式。

证券代销是指证券公司代发行人发售证券，在承销期结束时，将未售出的证券全部退还给发行人的承销方式。

证券包销是指证券公司将发行人的证券按照协议全部购入或者在承销期结束时将售后剩余证券全部自行购入的承销方式。

第二十九条　公开发行证券的发行人有权依法自主选择承销的

证券公司。证券公司不得以不正当竞争手段招揽证券承销业务。

第三十条 证券公司承销证券，应当同发行人签订代销或者包销协议，载明下列事项：

（一）当事人的名称、住所及法定代表人姓名；

（二）代销、包销证券的种类、数量、金额及发行价格；

（三）代销、包销的期限及起止日期；

（四）代销、包销的付款方式及日期；

（五）代销、包销的费用和结算办法；

（六）违约责任；

（七）国务院证券监督管理机构规定的其他事项。

第三十一条 证券公司承销证券，应当对公开发行募集文件的真实性、准确性、完整性进行核查；发现有虚假记载、误导性陈述或者重大遗漏的，不得进行销售活动；已经销售的，必须立即停止销售活动，并采取纠正措施。

第三十二条 向不特定对象发行的证券票面总值超过人民币五千万元的，应当由承销团承销。承销团应当由主承销和参与承销的证券公司组成。

第三十三条 证券的代销、包销期限最长不得超过九十日。

证券公司在代销、包销期内，对所代销、包销的证券应当保证先行出售给认购人，证券公司不得为本公司预留所代销的证券和预先购入并留存所包销的证券。

第三十四条 股票发行采取溢价发行的，其发行价格由发行人与承销的证券公司协商确定。

第三十五条 股票发行采用代销方式，代销期限届满，向投资者出售的股票数量未达到拟公开发行股票数量百分之七十的，为发行失败。发行人应当按照发行价并加算银行同期存款利息返还股票认购人。

第三十六条 公开发行股票，代销、包销期限届满，发行人应当在规定的期限内将股票发行情况报国务院证券监督管理机构备案。

第三章 证券交易

第一节 一般规定

第三十七条 证券交易当事人依法买卖的证券,必须是依法发行并交付的证券。

非依法发行的证券,不得买卖。

第三十八条 依法发行的股票、公司债券及其他证券,法律对其转让期限有限制性规定的,在限定的期限内不得买卖。

第三十九条 依法公开发行的股票、公司债券及其他证券,应当在依法设立的证券交易所上市交易或者在国务院批准的其他证券交易场所转让。

第四十条 证券在证券交易所上市交易,应当采用公开的集中交易方式或者国务院证券监督管理机构批准的其他方式。

第四十一条 证券交易当事人买卖的证券可以采用纸面形式或者国务院证券监督管理机构规定的其他形式。

第四十二条 证券交易以现货和国务院规定的其他方式进行交易。

第四十三条 证券交易所、证券公司和证券登记结算机构的从业人员、证券监督管理机构的工作人员以及法律、行政法规禁止参与股票交易的其他人员,在任期或者法定限期内,不得直接或者以化名、借他人名义持有、买卖股票,也不得收受他人赠送的股票。

任何人在成为前款所列人员时,其原已持有的股票,必须依法转让。

第四十四条 证券交易所、证券公司、证券登记结算机构必须依法为客户开立的账户保密。

第四十五条 为股票发行出具审计报告、资产评估报告或者法律意见书等文件的证券服务机构和人员,在该股票承销期内和期满后六个月内,不得买卖该种股票。

除前款规定外,为上市公司出具审计报告、资产评估报告或者法律意见书等文件的证券服务机构和人员，自接受上市公司委托之日起至上述文件公开后五日内，不得买卖该种股票。

第四十六条 证券交易的收费必须合理，并公开收费项目、收费标准和收费办法。

证券交易的收费项目、收费标准和管理办法由国务院有关主管部门统一规定。

第四十七条 上市公司董事、监事、高级管理人员、持有上市公司股份百分之五以上的股东，将其持有的该公司的股票在买入后六个月内卖出，或者在卖出后六个月内又买入，由此所得收益归该公司所有，公司董事会应当收回其所得收益。但是，证券公司因包销购入售后剩余股票而持有百分之五以上股份的，卖出该股票不受六个月时间限制。

公司董事会不按照前款规定执行的，股东有权要求董事会在三十日内执行。公司董事会未在上述期限内执行的，股东有权为了公司的利益以自己的名义直接向人民法院提起诉讼。

公司董事会不按照第一款的规定执行的，负有责任的董事依法承担连带责任。

第二节 证券上市

第四十八条 申请证券上市交易，应当向证券交易所提出申请，由证券交易所依法审核同意，并由双方签订上市协议。

证券交易所根据国务院授权的部门的决定安排政府债券上市交易。

第四十九条 申请股票、可转换为股票的公司债券或者法律、行政法规规定实行保荐制度的其他证券上市交易，应当聘请具有保荐资格的机构担任保荐人。

本法第十一条第二款、第三款的规定适用于上市保荐人。

第五十条 股份有限公司申请股票上市，应当符合下列条件：

（一）股票经国务院证券监督管理机构核准已公开发行；

（二）公司股本总额不少于人民币三千万元；

（三）公开发行的股份达到公司股份总数的百分之二十五以上；公司股本总额超过人民币四亿元的，公开发行股份的比例为百分之十以上；

（四）公司最近三年无重大违法行为，财务会计报告无虚假记载。

证券交易所可以规定高于前款规定的上市条件，并报国务院证券监督管理机构批准。

第五十一条 国家鼓励符合产业政策并符合上市条件的公司股票上市交易。

第五十二条 申请股票上市交易，应当向证券交易所报送下列文件：

（一）上市报告书；

（二）申请股票上市的股东大会决议；

（三）公司章程；

（四）公司营业执照；

（五）依法经会计师事务所审计的公司最近三年的财务会计报告；

（六）法律意见书和上市保荐书；

（七）最近一次的招股说明书；

（八）证券交易所上市规则规定的其他文件。

第五十三条 股票上市交易申请经证券交易所审核同意后，签订上市协议的公司应当在规定的期限内公告股票上市的有关文件，并将该文件置备于指定场所供公众查阅。

第五十四条 签订上市协议的公司除公告前条规定的文件外，还应当公告下列事项：

（一）股票获准在证券交易所交易的日期；

（二）持有公司股份最多的前十名股东的名单和持股数额；

（三）公司的实际控制人；

（四）董事、监事、高级管理人员的姓名及其持有本公司股票和债券的情况。

第五十五条 上市公司有下列情形之一的,由证券交易所决定暂停其股票上市交易:

(一)公司股本总额、股权分布等发生变化不再具备上市条件;

(二)公司不按照规定公开其财务状况,或者对财务会计报告作虚假记载,可能误导投资者;

(三)公司有重大违法行为;

(四)公司最近三年连续亏损;

(五)证券交易所上市规则规定的其他情形。

第五十六条 上市公司有下列情形之一的,由证券交易所决定终止其股票上市交易:

(一)公司股本总额、股权分布等发生变化不再具备上市条件,在证券交易所规定的期限内仍不能达到上市条件;

(二)公司不按照规定公开其财务状况,或者对财务会计报告作虚假记载,且拒绝纠正;

(三)公司最近三年连续亏损,在其后一个年度内未能恢复盈利;

(四)公司解散或者被宣告破产;

(五)证券交易所上市规则规定的其他情形。

第五十七条 公司申请公司债券上市交易,应当符合下列条件:

(一)公司债券的期限为一年以上;

(二)公司债券实际发行额不少于人民币五千万元;

(三)公司申请债券上市时仍符合法定的公司债券发行条件。

第五十八条 申请公司债券上市交易,应当向证券交易所报送下列文件:

(一)上市报告书;

(二)申请公司债券上市的董事会决议;

(三)公司章程;

(四)公司营业执照;

(五)公司债券募集办法;

（六）公司债券的实际发行数额；

（七）证券交易所上市规则规定的其他文件。

申请可转换为股票的公司债券上市交易，还应当报送保荐人出具的上市保荐书。

第五十九条　公司债券上市交易申请经证券交易所审核同意后，签订上市协议的公司应当在规定的期限内公告公司债券上市文件及有关文件，并将其申请文件置备于指定场所供公众查阅。

第六十条　公司债券上市交易后，公司有下列情形之一的，由证券交易所决定暂停其公司债券上市交易：

（一）公司有重大违法行为；

（二）公司情况发生重大变化不符合公司债券上市条件；

（三）发行公司债券所募集的资金不按照核准的用途使用；

（四）未按照公司债券募集办法履行义务；

（五）公司最近二年连续亏损。

第六十一条　公司有前条第（一）项、第（四）项所列情形之一经查实后果严重的，或者有前条第（二）项、第（三）项、第（五）项所列情形之一，在限期内未能消除的，由证券交易所决定终止其公司债券上市交易。

公司解散或者被宣告破产的，由证券交易所终止其公司债券上市交易。

第六十二条　对证券交易所作出的不予上市、暂停上市、终止上市决定不服的，可以向证券交易所设立的复核机构申请复核。

第三节　持续信息公开

第六十三条　发行人、上市公司依法披露的信息，必须真实、准确、完整，不得有虚假记载、误导性陈述或者重大遗漏。

第六十四条　经国务院证券监督管理机构核准依法公开发行股票，或者经国务院授权的部门核准依法公开发行公司债券，应当公告招股说明书、公司债券募集办法。依法公开发行新股或者公司债券的,还应当公告财务会计报告。

第六十五条 上市公司和公司债券上市交易的公司,应当在每一会计年度的上半年结束之日起二个月内,向国务院证券监督管理机构和证券交易所报送记载以下内容的中期报告,并予公告:

(一)公司财务会计报告和经营情况;

(二)涉及公司的重大诉讼事项;

(三)已发行的股票、公司债券变动情况;

(四)提交股东大会审议的重要事项;

(五)国务院证券监督管理机构规定的其他事项。

第六十六条 上市公司和公司债券上市交易的公司,应当在每一会计年度结束之日起四个月内,向国务院证券监督管理机构和证券交易所报送记载以下内容的年度报告,并予公告:

(一)公司概况;

(二)公司财务会计报告和经营情况;

(三)董事、监事、高级管理人员简介及其持股情况;

(四)已发行的股票、公司债券情况,包括持有公司股份最多的前十名股东的名单和持股数额;

(五)公司的实际控制人;

(六)国务院证券监督管理机构规定的其他事项。

第六十七条 发生可能对上市公司股票交易价格产生较大影响的重大事件,投资者尚未得知时,上市公司应当立即将有关该重大事件的情况向国务院证券监督管理机构和证券交易所报送临时报告,并予公告,说明事件的起因、目前的状态和可能产生的法律后果。

下列情况为前款所称重大事件:

(一)公司的经营方针和经营范围的重大变化;

(二)公司的重大投资行为和重大的购置财产的决定;

(三)公司订立重要合同,可能对公司的资产、负债、权益和经营成果产生重要影响;

(四)公司发生重大债务和未能清偿到期重大债务的违约情况;

（五）公司发生重大亏损或者重大损失；

（六）公司生产经营的外部条件发生的重大变化；

（七）公司的董事、三分之一以上监事或者经理发生变动；

（八）持有公司百分之五以上股份的股东或者实际控制人，其持有股份或者控制公司的情况发生较大变化；

（九）公司减资、合并、分立、解散及申请破产的决定；

（十）涉及公司的重大诉讼，股东大会、董事会决议被依法撤销或者宣告无效；

（十一）公司涉嫌犯罪被司法机关立案调查，公司董事、监事、高级管理人员涉嫌犯罪被司法机关采取强制措施；

（十二）国务院证券监督管理机构规定的其他事项。

第六十八条　上市公司董事、高级管理人员应当对公司定期报告签署书面确认意见。

上市公司监事会应当对董事会编制的公司定期报告进行审核并提出书面审核意见。

上市公司董事、监事、高级管理人员应当保证上市公司所披露的信息真实、准确、完整。

第六十九条　发行人、上市公司公告的招股说明书、公司债券募集办法、财务会计报告、上市报告文件、年度报告、中期报告、临时报告以及其他信息披露资料，有虚假记载、误导性陈述或者重大遗漏，致使投资者在证券交易中遭受损失的，发行人、上市公司应当承担赔偿责任；发行人、上市公司的董事、监事、高级管理人员和其他直接责任人员以及保荐人、承销的证券公司，应当与发行人、上市公司承担连带赔偿责任，但是能够证明自己没有过错的除外；发行人、上市公司的控股股东、实际控制人有过错的，应当与发行人、上市公司承担连带赔偿责任。

第七十条　依法必须披露的信息，应当在国务院证券监督管理机构指定的媒体发布，同时将其置备于公司住所、证券交易所，供社会公众查阅。

第七十一条 国务院证券监督管理机构对上市公司年度报告、中期报告、临时报告以及公告的情况进行监督，对上市公司分派或者配售新股的情况进行监督，对上市公司控股股东和信息披露义务人的行为进行监督。

证券监督管理机构、证券交易所、保荐人、承销的证券公司及有关人员，对公司依照法律、行政法规规定必须作出的公告，在公告前不得泄露其内容。

第七十二条 证券交易所决定暂停或者终止证券上市交易的，应当及时公告，并报国务院证券监督管理机构备案。

第四节 禁止的交易行为

第七十三条 禁止证券交易内幕信息的知情人和非法获取内幕信息的人利用内幕信息从事证券交易活动。

第七十四条 证券交易内幕信息的知情人包括：

（一）发行人的董事、监事、高级管理人员；

（二）持有公司百分之五以上股份的股东及其董事、监事、高级管理人员，公司的实际控制人及其董事、监事、高级管理人员；

（三）发行人控股的公司及其董事、监事、高级管理人员；

（四）由于所任公司职务可以获取公司有关内幕信息的人员；

（五）证券监督管理机构工作人员以及由于法定职责对证券的发行、交易进行管理的其他人员；

（六）保荐人、承销的证券公司、证券交易所、证券登记结算机构、证券服务机构的有关人员；

（七）国务院证券监督管理机构规定的其他人。

第七十五条 证券交易活动中，涉及公司的经营、财务或者对该公司证券的市场价格有重大影响的尚未公开的信息，为内幕信息。

下列信息皆属内幕信息：

（一）本法第六十七条第二款所列重大事件；

（二）公司分配股利或者增资的计划；

（三）公司股权结构的重大变化；

（四）公司债务担保的重大变更；

（五）公司营业用主要资产的抵押、出售或者报废一次超过该资产的百分之三十；

（六）公司的董事、监事、高级管理人员的行为可能依法承担重大损害赔偿责任；

（七）上市公司收购的有关方案；

（八）国务院证券监督管理机构认定的对证券交易价格有显著影响的其他重要信息。

第七十六条 证券交易内幕信息的知情人和非法获取内幕信息的人，在内幕信息公开前，不得买卖该公司的证券，或者泄露该信息，或者建议他人买卖该证券。

持有或者通过协议、其他安排与他人共同持有公司百分之五以上股份的自然人、法人、其他组织收购上市公司的股份，本法另有规定的，适用其规定。

内幕交易行为给投资者造成损失的，行为人应当依法承担赔偿责任。

第七十七条 禁止任何人以下列手段操纵证券市场：

（一）单独或者通过合谋，集中资金优势、持股优势或者利用信息优势联合或者连续买卖，操纵证券交易价格或者证券交易量；

（二）与他人串通，以事先约定的时间、价格和方式相互进行证券交易，影响证券交易价格或者证券交易量；

（三）在自己实际控制的账户之间进行证券交易，影响证券交易价格或者证券交易量；

（四）以其他手段操纵证券市场。

操纵证券市场行为给投资者造成损失的，行为人应当依法承担赔偿责任。

第七十八条 禁止国家工作人员、传播媒介从业人员和有关人员编造、传播虚假信息，扰乱证券市场。

禁止证券交易所、证券公司、证券登记结算机构、证券服务机构及其从业人员，证券业协会、证券监督管理机构及其工作人员，在证券交易活动中作出虚假陈述或者信息误导。

各种传播媒介传播证券市场信息必须真实、客观，禁止误导。

第七十九条 禁止证券公司及其从业人员从事下列损害客户利益的欺诈行为：

（一）违背客户的委托为其买卖证券；

（二）不在规定时间内向客户提供交易的书面确认文件；

（三）挪用客户所委托买卖的证券或者客户账户上的资金；

（四）未经客户的委托，擅自为客户买卖证券，或者假借客户的名义买卖证券；

（五）为牟取佣金收入，诱使客户进行不必要的证券买卖；

（六）利用传播媒介或者通过其他方式提供、传播虚假或者误导投资者的信息；

（七）其他违背客户真实意思表示，损害客户利益的行为。

欺诈客户行为给客户造成损失的，行为人应当依法承担赔偿责任。

第八十条 禁止法人非法利用他人账户从事证券交易；禁止法人出借自己或者他人的证券账户。

第八十一条 依法拓宽资金入市渠道，禁止资金违规流入股市。

第八十二条 禁止任何人挪用公款买卖证券。

第八十三条 国有企业和国有资产控股的企业买卖上市交易的股票，必须遵守国家有关规定。

第八十四条 证券交易所、证券公司、证券登记结算机构、证券服务机构及其从业人员对证券交易中发现的禁止的交易行为，应当及时向证券监督管理机构报告。

第四章 上市公司的收购

第八十五条 投资者可以采取要约收购、协议收购及其他合法方式收购上市公司。

第八十六条　通过证券交易所的证券交易，投资者持有或者通过协议、其他安排与他人共同持有一个上市公司已发行的股份达到百分之五时，应当在该事实发生之日起三日内，向国务院证券监督管理机构、证券交易所作出书面报告，通知该上市公司，并予公告；在上述期限内，不得再行买卖该上市公司的股票。

投资者持有或者通过协议、其他安排与他人共同持有一个上市公司已发行的股份达到百分之五后，其所持该上市公司已发行的股份比例每增加或者减少百分之五，应当依照前款规定进行报告和公告。在报告期限内和作出报告、公告后二日内，不得再行买卖该上市公司的股票。

第八十七条　依照前条规定所作的书面报告和公告，应当包括下列内容：

（一）持股人的名称、住所；

（二）持有的股票的名称、数额；

（三）持股达到法定比例或者持股增减变化达到法定比例的日期。

第八十八条　通过证券交易所的证券交易，投资者持有或者通过协议、其他安排与他人共同持有一个上市公司已发行的股份达到百分之三十时，继续进行收购的，应当依法向该上市公司所有股东发出收购上市公司全部或者部分股份的要约。

收购上市公司部分股份的收购要约应当约定，被收购公司股东承诺出售的股份数额超过预定收购的股份数额的，收购人按比例进行收购。

第八十九条　依照前条规定发出收购要约，收购人必须公告上市公司收购报告书，并载明下列事项：

（一）收购人的名称、住所；

（二）收购人关于收购的决定；

（三）被收购的上市公司名称；

（四）收购目的；

（五）收购股份的详细名称和预定收购的股份数额；

（六）收购期限、收购价格；

（七）收购所需资金额及资金保证；

（八）公告上市公司收购报告书时持有被收购公司股份数占该公司已发行的股份总数的比例。

第九十条 收购要约约定的收购期限不得少于三十日，并不得超过六十日。

第九十一条 在收购要约确定的承诺期限内，收购人不得撤销其收购要约。收购人需要变更收购要约的，必须及时公告，载明具体变更事项。

第九十二条 收购要约提出的各项收购条件，适用于被收购公司的所有股东。

第九十三条 采取要约收购方式的，收购人在收购期限内，不得卖出被收购公司的股票，也不得采取要约规定以外的形式和超出要约的条件买入被收购公司的股票。

第九十四条 采取协议收购方式的，收购人可以依照法律、行政法规的规定同被收购公司的股东以协议方式进行股份转让。

以协议方式收购上市公司时，达成协议后，收购人必须在三日内将该收购协议向国务院证券监督管理机构及证券交易所作出书面报告，并予公告。

在公告前不得履行收购协议。

第九十五条 采取协议收购方式的，协议双方可以临时委托证券登记结算机构保管协议转让的股票，并将资金存放于指定的银行。

第九十六条 采取协议收购方式的，收购人收购或者通过协议、其他安排与他人共同收购一个上市公司已发行的股份达到百分之三十时，继续进行收购的，应当向该上市公司所有股东发出收购上市公司全部或者部分股份的要约。但是，经国务院证券监督管理机构免除发出要约的除外。

收购人依照前款规定以要约方式收购上市公司股份，应当遵守本法第八十九条至第九十三条的规定。

第九十七条　收购期限届满，被收购公司股权分布不符合上市条件的，该上市公司的股票应当由证券交易所依法终止上市交易；其余仍持有被收购公司股票的股东，有权向收购人以收购要约的同等条件出售其股票，收购人应当收购。

收购行为完成后，被收购公司不再具备股份有限公司条件的，应当依法变更企业形式。

第九十八条　在上市公司收购中，收购人持有的被收购的上市公司的股票，在收购行为完成后的十二个月内不得转让。

第九十九条　收购行为完成后，收购人与被收购公司合并，并将该公司解散的，被解散公司的原有股票由收购人依法更换。

第一百条　收购行为完成后，收购人应当在十五日内将收购情况报告国务院证券监督管理机构和证券交易所，并予公告。

第一百零一条　收购上市公司中由国家授权投资的机构持有的股份，应当按照国务院的规定，经有关主管部门批准。

国务院证券监督管理机构应当依照本法的原则制定上市公司收购的具体办法。

第五章　证券交易所

第一百零二条　证券交易所是为证券集中交易提供场所和设施，组织和监督证券交易，实行自律管理的法人。

证券交易所的设立和解散，由国务院决定。

第一百零三条　设立证券交易所必须制定章程。

证券交易所章程的制定和修改，必须经国务院证券监督管理机构批准。

第一百零四条　证券交易所必须在其名称中标明证券交易所字样。其他任何单位或者个人不得使用证券交易所或者近似的名称。

第一百零五条　证券交易所可以自行支配的各项费用收入，应当首先用于保证其证券交易场所和设施的正常运行并逐步改善。

实行会员制的证券交易所的财产积累归会员所有，其权益由会员共同享有，在其存续期间，不得将其财产积累分配给会员。

第一百零六条 证券交易所设理事会。

第一百零七条 证券交易所设总经理一人，由国务院证券监督管理机构任免。

第一百零八条 有《中华人民共和国公司法》第一百四十六条规定的情形或者下列情形之一的，不得担任证券交易所的负责人：

（一）因违法行为或者违纪行为被解除职务的证券交易所、证券登记结算机构的负责人或者证券公司的董事、监事、高级管理人员，自被解除职务之日起未逾五年；

（二）因违法行为或者违纪行为被撤销资格的律师、注册会计师或者投资咨询机构、财务顾问机构、资信评级机构、资产评估机构、验证机构的专业人员，自被撤销资格之日起未逾五年。

第一百零九条 因违法行为或者违纪行为被开除的证券交易所、证券登记结算机构、证券服务机构、证券公司的从业人员和被开除的国家机关工作人员，不得招聘为证券交易所的从业人员。

第一百一十条 进入证券交易所参与集中交易的，必须是证券交易所的会员。

第一百一十一条 投资者应当与证券公司签订证券交易委托协议，并在证券公司开立证券交易账户，以书面、电话以及其他方式，委托该证券公司代其买卖证券。

第一百一十二条 证券公司根据投资者的委托，按照证券交易规则提出交易申报，参与证券交易所场内的集中交易，并根据成交结果承担相应的清算交收责任；证券登记结算机构根据成交结果，按照清算交收规则，与证券公司进行证券和资金的清算交收，并为证券公司客户办理证券的登记过户手续。

第一百一十三条 证券交易所应当为组织公平的集中交易提供保障，公布证券交易即时行情，并按交易日制作证券市场行情表，予以公布。

未经证券交易所许可,任何单位和个人不得发布证券交易即时行情。

第一百一十四条 因突发性事件而影响证券交易的正常进行时,证券交易所可以采取技术性停牌的措施;因不可抗力的突发性事件或者为维护证券交易的正常秩序,证券交易所可以决定临时停市。

证券交易所采取技术性停牌或者决定临时停市,必须及时报告国务院证券监督管理机构。

第一百一十五条 证券交易所对证券交易实行实时监控,并按照国务院证券监督管理机构的要求,对异常的交易情况提出报告。

证券交易所应当对上市公司及相关信息披露义务人披露信息进行监督,督促其依法及时、准确地披露信息。

证券交易所根据需要,可以对出现重大异常交易情况的证券账户限制交易,并报国务院证券监督管理机构备案。

第一百一十六条 证券交易所应当从其收取的交易费用和会员费、席位费中提取一定比例的金额设立风险基金。风险基金由证券交易所理事会管理。

风险基金提取的具体比例和使用办法,由国务院证券监督管理机构会同国务院财政部门规定。

第一百一十七条 证券交易所应当将收存的风险基金存入开户银行专门账户,不得擅自使用。

第一百一十八条 证券交易所依照证券法律、行政法规制定上市规则、交易规则、会员管理规则和其他有关规则,并报国务院证券监督管理机构批准。

第一百一十九条 证券交易所的负责人和其他从业人员在执行与证券交易有关的职务时,与其本人或者其亲属有利害关系的,应当回避。

第一百二十条 按照依法制定的交易规则进行的交易,不得改变其交易结果。对交易中违规交易者应负的民事责任不得免除;在违规交易中所获利益,依照有关规定处理。

第一百二十一条 在证券交易所内从事证券交易的人员,违反证券交易所有关交易规则的,由证券交易所给予纪律处分;对情节严重的,撤销其资格,禁止其入场进行证券交易。

第六章 证 券 公 司

第一百二十二条 设立证券公司,必须经国务院证券监督管理机构审查批准。未经国务院证券监督管理机构批准,任何单位和个人不得经营证券业务。

第一百二十三条 本法所称证券公司是指依照《中华人民共和国公司法》和本法规定设立的经营证券业务的有限责任公司或者股份有限公司。

第一百二十四条 设立证券公司,应当具备下列条件:

(一)有符合法律、行政法规规定的公司章程;

(二)主要股东具有持续盈利能力,信誉良好,最近三年无重大违法违规记录,净资产不低于人民币二亿元;

(三)有符合本法规定的注册资本;

(四)董事、监事、高级管理人员具备任职资格,从业人员具有证券从业资格;

(五)有完善的风险管理与内部控制制度;

(六)有合格的经营场所和业务设施;

(七)法律、行政法规规定的和经国务院批准的国务院证券监督管理机构规定的其他条件。

第一百二十五条 经国务院证券监督管理机构批准,证券公司可以经营下列部分或者全部业务:

(一)证券经纪;

(二)证券投资咨询;

(三)与证券交易、证券投资活动有关的财务顾问;

(四)证券承销与保荐;

（五）证券自营；

（六）证券资产管理；

（七）其他证券业务。

第一百二十六条 证券公司必须在其名称中标明证券有限责任公司或者证券股份有限公司字样。

第一百二十七条 证券公司经营本法第一百二十五条第（一）项至第（三）项业务的，注册资本最低限额为人民币五千万元；经营第（四）项至第（七）项业务之一的，注册资本最低限额为人民币一亿元；经营第（四）项至第（七）项业务中两项以上的，注册资本最低限额为人民币五亿元。证券公司的注册资本应当是实缴资本。

国务院证券监督管理机构根据审慎监管原则和各项业务的风险程度，可以调整注册资本最低限额，但不得少于前款规定的限额。

第一百二十八条 国务院证券监督管理机构应当自受理证券公司设立申请之日起六个月内，依照法定条件和法定程序并根据审慎监管原则进行审查，作出批准或者不予批准的决定，并通知申请人；不予批准的，应当说明理由。

证券公司设立申请获得批准的，申请人应当在规定的期限内向公司登记机关申请设立登记，领取营业执照。

证券公司应当自领取营业执照之日起十五日内，向国务院证券监督管理机构申请经营证券业务许可证。未取得经营证券业务许可证，证券公司不得经营证券业务。

第一百二十九条 证券公司设立、收购或者撤销分支机构，变更业务范围，增加注册资本且股权结构发生重大调整，减少注册资本，变更持有百分之五以上股权的股东、实际控制人，变更公司章程中的重要条款，合并、分立、停业、解散、破产，必须经国务院证券监督管理机构批准。

证券公司在境外设立、收购或者参股证券经营机构，必须经国务院证券监督管理机构批准。

第一百三十条 国务院证券监督管理机构应当对证券公司的净

资本,净资本与负债的比例,净资本与净资产的比例,净资本与自营、承销、资产管理等业务规模的比例,负债与净资产的比例,以及流动资产与流动负债的比例等风险控制指标作出规定。

证券公司不得为其股东或者股东的关联人提供融资或者担保。

第一百三十一条 证券公司的董事、监事、高级管理人员,应当正直诚实,品行良好,熟悉证券法律、行政法规,具有履行职责所需的经营管理能力,并在任职前取得国务院证券监督管理机构核准的任职资格。

有《中华人民共和国公司法》第一百四十六条规定的情形或者下列情形之一的,不得担任证券公司的董事、监事、高级管理人员:

(一)因违法行为或者违纪行为被解除职务的证券交易所、证券登记结算机构的负责人或者证券公司的董事、监事、高级管理人员,自被解除职务之日起未逾五年;

(二)因违法行为或者违纪行为被撤销资格的律师、注册会计师或者投资咨询机构、财务顾问机构、资信评级机构、资产评估机构、验证机构的专业人员,自被撤销资格之日起未逾五年。

第一百三十二条 因违法行为或者违纪行为被开除的证券交易所、证券登记结算机构、证券服务机构、证券公司的从业人员和被开除的国家机关工作人员,不得招聘为证券公司的从业人员。

第一百三十三条 国家机关工作人员和法律、行政法规规定的禁止在公司中兼职的其他人员,不得在证券公司中兼任职务。

第一百三十四条 国家设立证券投资者保护基金。证券投资者保护基金由证券公司缴纳的资金及其他依法筹集的资金组成,其筹集、管理和使用的具体办法由国务院规定。

第一百三十五条 证券公司从每年的税后利润中提取交易风险准备金,用于弥补证券交易的损失,其提取的具体比例由国务院证券监督管理机构规定。

第一百三十六条 证券公司应当建立健全内部控制制度,采取有效隔离措施,防范公司与客户之间、不同客户之间的利益冲突。

证券公司必须将其证券经纪业务、证券承销业务、证券自营业务和证券资产管理业务分开办理,不得混合操作。

第一百三十七条 证券公司的自营业务必须以自己的名义进行,不得假借他人名义或者以个人名义进行。

证券公司的自营业务必须使用自有资金和依法筹集的资金。

证券公司不得将其自营账户借给他人使用。

第一百三十八条 证券公司依法享有自主经营的权利,其合法经营不受干涉。

第一百三十九条 证券公司客户的交易结算资金应当存放在商业银行,以每个客户的名义单独立户管理。具体办法和实施步骤由国务院规定。

证券公司不得将客户的交易结算资金和证券归入其自有财产。禁止任何单位或者个人以任何形式挪用客户的交易结算资金和证券。证券公司破产或者清算时,客户的交易结算资金和证券不属于其破产财产或者清算财产。非因客户本身的债务或者法律规定的其他情形,不得查封、冻结、扣划或者强制执行客户的交易结算资金和证券。

第一百四十条 证券公司办理经纪业务,应当置备统一制定的证券买卖委托书,供委托人使用。采取其他委托方式的,必须作出委托记录。

客户的证券买卖委托,不论是否成交,其委托记录应当按照规定的期限,保存于证券公司。

第一百四十一条 证券公司接受证券买卖的委托,应当根据委托书载明的证券名称、买卖数量、出价方式、价格幅度等,按照交易规则代理买卖证券,如实进行交易记录;买卖成交后,应当按照规定制作买卖成交报告单交付客户。

证券交易中确认交易行为及其交易结果的对账单必须真实,并由交易经办人员以外的审核人员逐笔审核,保证账面证券余额与实际持有的证券相一致。

第一百四十二条 证券公司为客户买卖证券提供融资融券服务,应当按照国务院的规定并经国务院证券监督管理机构批准。

第一百四十三条 证券公司办理经纪业务,不得接受客户的全权委托而决定证券买卖、选择证券种类、决定买卖数量或者买卖价格。

第一百四十四条 证券公司不得以任何方式对客户证券买卖的收益或者赔偿证券买卖的损失作出承诺。

第一百四十五条 证券公司及其从业人员不得未经过其依法设立的营业场所私下接受客户委托买卖证券。

第一百四十六条 证券公司的从业人员在证券交易活动中,执行所属的证券公司的指令或者利用职务违反交易规则的,由所属的证券公司承担全部责任。

第一百四十七条 证券公司应当妥善保存客户开户资料、委托记录、交易记录和与内部管理、业务经营有关的各项资料,任何人不得隐匿、伪造、篡改或者毁损。上述资料的保存期限不得少于二十年。

第一百四十八条 证券公司应当按照规定向国务院证券监督管理机构报送业务、财务等经营管理信息和资料。国务院证券监督管理机构有权要求证券公司及其股东、实际控制人在指定的期限内提供有关信息、资料。

证券公司及其股东、实际控制人向国务院证券监督管理机构报送或者提供的信息、资料,必须真实、准确、完整。

第一百四十九条 国务院证券监督管理机构认为有必要时,可以委托会计师事务所、资产评估机构对证券公司的财务状况、内部控制状况、资产价值进行审计或者评估。具体办法由国务院证券监督管理机构会同有关主管部门制定。

第一百五十条 证券公司的净资本或者其他风险控制指标不符合规定的,国务院证券监督管理机构应当责令其限期改正;逾期未改正,或者其行为严重危及该证券公司的稳健运行、损害客户合法权益

的,国务院证券监督管理机构可以区别情形,对其采取下列措施:

(一)限制业务活动,责令暂停部分业务,停止批准新业务;

(二)停止批准增设、收购营业性分支机构;

(三)限制分配红利,限制向董事、监事、高级管理人员支付报酬、提供福利;

(四)限制转让财产或者在财产上设定其他权利;

(五)责令更换董事、监事、高级管理人员或者限制其权利;

(六)责令控股股东转让股权或者限制有关股东行使股东权利;

(七)撤销有关业务许可。

证券公司整改后,应当向国务院证券监督管理机构提交报告。国务院证券监督管理机构经验收,符合有关风险控制指标的,应当自验收完毕之日起三日内解除对其采取的前款规定的有关措施。

第一百五十一条 证券公司的股东有虚假出资、抽逃出资行为的,国务院证券监督管理机构应当责令其限期改正,并可责令其转让所持证券公司的股权。

在前款规定的股东按照要求改正违法行为、转让所持证券公司的股权前,国务院证券监督管理机构可以限制其股东权利。

第一百五十二条 证券公司的董事、监事、高级管理人员未能勤勉尽责,致使证券公司存在重大违法违规行为或者重大风险的,国务院证券监督管理机构可以撤销其任职资格,并责令公司予以更换。

第一百五十三条 证券公司违法经营或者出现重大风险,严重危害证券市场秩序、损害投资者利益的,国务院证券监督管理机构可以对该证券公司采取责令停业整顿、指定其他机构托管、接管或者撤销等监管措施。

第一百五十四条 在证券公司被责令停业整顿、被依法指定托管、接管或者清算期间,或者出现重大风险时,经国务院证券监督管理机构批准,可以对该证券公司直接负责的董事、监事、高级管理人员和其他直接责任人员采取以下措施:

(一)通知出境管理机关依法阻止其出境;

（二）申请司法机关禁止其转移、转让或者以其他方式处分财产，或者在财产上设定其他权利。

第七章　证券登记结算机构

第一百五十五条　证券登记结算机构是为证券交易提供集中登记、存管与结算服务，不以营利为目的的法人。

设立证券登记结算机构必须经国务院证券监督管理机构批准。

第一百五十六条　设立证券登记结算机构，应当具备下列条件：

（一）自有资金不少于人民币二亿元；

（二）具有证券登记、存管和结算服务所必须的场所和设施；

（三）主要管理人员和从业人员必须具有证券从业资格；

（四）国务院证券监督管理机构规定的其他条件。

证券登记结算机构的名称中应当标明证券登记结算字样。

第一百五十七条　证券登记结算机构履行下列职能：

（一）证券账户、结算账户的设立；

（二）证券的存管和过户；

（三）证券持有人名册登记；

（四）证券交易所上市证券交易的清算和交收；

（五）受发行人的委托派发证券权益；

（六）办理与上述业务有关的查询；

（七）国务院证券监督管理机构批准的其他业务。

第一百五十八条　证券登记结算采取全国集中统一的运营方式。

证券登记结算机构章程、业务规则应当依法制定，并经国务院证券监督管理机构批准。

第一百五十九条　证券持有人持有的证券，在上市交易时，应当全部存管在证券登记结算机构。

证券登记结算机构不得挪用客户的证券。

第一百六十条　证券登记结算机构应当向证券发行人提供证券

持有人名册及其有关资料。

证券登记结算机构应当根据证券登记结算的结果，确认证券持有人持有证券的事实，提供证券持有人登记资料。

证券登记结算机构应当保证证券持有人名册和登记过户记录真实、准确、完整，不得隐匿、伪造、篡改或者毁损。

第一百六十一条 证券登记结算机构应当采取下列措施保证业务的正常进行：

（一）具有必备的服务设备和完善的数据安全保护措施；

（二）建立完善的业务、财务和安全防范等管理制度；

（三）建立完善的风险管理系统。

第一百六十二条 证券登记结算机构应当妥善保存登记、存管和结算的原始凭证及有关文件和资料。其保存期限不得少于二十年。

第一百六十三条 证券登记结算机构应当设立证券结算风险基金，用于垫付或者弥补因违约交收、技术故障、操作失误、不可抗力造成的证券登记结算机构的损失。

证券结算风险基金从证券登记结算机构的业务收入和收益中提取，并可以由结算参与人按照证券交易业务量的一定比例缴纳。

证券结算风险基金的筹集、管理办法，由国务院证券监督管理机构会同国务院财政部门规定。

第一百六十四条 证券结算风险基金应当存入指定银行的专门账户，实行专项管理。

证券登记结算机构以证券结算风险基金赔偿后，应当向有关责任人追偿。

第一百六十五条 证券登记结算机构申请解散，应当经国务院证券监督管理机构批准。

第一百六十六条 投资者委托证券公司进行证券交易，应当申请开立证券账户。证券登记结算机构应当按照规定以投资者本人的名义为投资者开立证券账户。

投资者申请开立账户，必须持有证明中国公民身份或者中国法人资格的合法证件。国家另有规定的除外。

第一百六十七条 证券登记结算机构为证券交易提供净额结算服务时，应当要求结算参与人按照货银对付的原则，足额交付证券和资金，并提供交收担保。

在交收完成之前，任何人不得动用用于交收的证券、资金和担保物。

结算参与人未按时履行交收义务的，证券登记结算机构有权按照业务规则处理前款所述财产。

第一百六十八条 证券登记结算机构按照业务规则收取的各类结算资金和证券，必须存放于专门的清算交收账户，只能按业务规则用于已成交的证券交易的清算交收，不得被强制执行。

第八章 证券服务机构

第一百六十九条 投资咨询机构、财务顾问机构、资信评级机构、资产评估机构、会计师事务所从事证券服务业务，必须经国务院证券监督管理机构和有关主管部门批准。

投资咨询机构、财务顾问机构、资信评级机构、资产评估机构、会计师事务所从事证券服务业务的审批管理办法，由国务院证券监督管理机构和有关主管部门制定。

第一百七十条 投资咨询机构、财务顾问机构、资信评级机构从事证券服务业务的人员，必须具备证券专业知识和从事证券业务或者证券服务业务二年以上经验。认定其证券从业资格的标准和管理办法，由国务院证券监督管理机构制定。

第一百七十一条 投资咨询机构及其从业人员从事证券服务业务不得有下列行为：

（一）代理委托人从事证券投资；

（二）与委托人约定分享证券投资收益或者分担证券投资损失；

（三）买卖本咨询机构提供服务的上市公司股票；

（四）利用传播媒介或者通过其他方式提供、传播虚假或者误导投资者的信息；

（五）法律、行政法规禁止的其他行为。

有前款所列行为之一，给投资者造成损失的，依法承担赔偿责任。

第一百七十二条　从事证券服务业务的投资咨询机构和资信评级机构，应当按照国务院有关主管部门规定的标准或者收费办法收取服务费用。

第一百七十三条　证券服务机构为证券的发行、上市、交易等证券业务活动制作、出具审计报告、资产评估报告、财务顾问报告、资信评级报告或者法律意见书等文件，应当勤勉尽责，对所依据的文件资料内容的真实性、准确性、完整性进行核查和验证。其制作、出具的文件有虚假记载、误导性陈述或者重大遗漏，给他人造成损失的，应当与发行人、上市公司承担连带赔偿责任，但是能够证明自己没有过错的除外。

第九章　证券业协会

第一百七十四条　证券业协会是证券业的自律性组织，是社会团体法人。

证券公司应当加入证券业协会。

证券业协会的权力机构为全体会员组成的会员大会。

第一百七十五条　证券业协会章程由会员大会制定，并报国务院证券监督管理机构备案。

第一百七十六条　证券业协会履行下列职责：

（一）教育和组织会员遵守证券法律、行政法规；

（二）依法维护会员的合法权益，向证券监督管理机构反映会员的建议和要求；

（三）收集整理证券信息，为会员提供服务；

（四）制定会员应遵守的规则，组织会员单位的从业人员的业务

培训,开展会员间的业务交流;

（五）对会员之间、会员与客户之间发生的证券业务纠纷进行调解;

（六）组织会员就证券业的发展、运作及有关内容进行研究;

（七）监督、检查会员行为,对违反法律、行政法规或者协会章程的,按照规定给予纪律处分;

（八）证券业协会章程规定的其他职责。

第一百七十七条 证券业协会设理事会。理事会成员依章程的规定由选举产生。

第十章 证券监督管理机构

第一百七十八条 国务院证券监督管理机构依法对证券市场实行监督管理,维护证券市场秩序,保障其合法运行。

第一百七十九条 国务院证券监督管理机构在对证券市场实施监督管理中履行下列职责:

（一）依法制定有关证券市场监督管理的规章、规则,并依法行使审批或者核准权;

（二）依法对证券的发行、上市、交易、登记、存管、结算,进行监督管理;

（三）依法对证券发行人、上市公司、证券公司、证券投资基金管理公司、证券服务机构、证券交易所、证券登记结算机构的证券业务活动,进行监督管理;

（四）依法制定从事证券业务人员的资格标准和行为准则,并监督实施;

（五）依法监督检查证券发行、上市和交易的信息公开情况;

（六）依法对证券业协会的活动进行指导和监督;

（七）依法对违反证券市场监督管理法律、行政法规的行为进行查处;

（八）法律、行政法规规定的其他职责。

国务院证券监督管理机构可以和其他国家或者地区的证券监督管理机构建立监督管理合作机制,实施跨境监督管理。

第一百八十条 国务院证券监督管理机构依法履行职责,有权采取下列措施:

(一)对证券发行人、上市公司、证券公司、证券投资基金管理公司、证券服务机构、证券交易所、证券登记结算机构进行现场检查;

(二)进入涉嫌违法行为发生场所调查取证;

(三)询问当事人和与被调查事件有关的单位和个人,要求其对与被调查事件有关的事项作出说明;

(四)查阅、复制与被调查事件有关的财产权登记、通讯记录等资料;

(五)查阅、复制当事人和与被调查事件有关的单位和个人的证券交易记录、登记过户记录、财务会计资料及其他相关文件和资料;对可能被转移、隐匿或者毁损的文件和资料,可以予以封存;

(六)查询当事人和与被调查事件有关的单位和个人的资金账户、证券账户和银行账户;对有证据证明已经或者可能转移或者隐匿违法资金、证券等涉案财产或者隐匿、伪造、毁损重要证据的,经国务院证券监督管理机构主要负责人批准,可以冻结或者查封;

(七)在调查操纵证券市场、内幕交易等重大证券违法行为时,经国务院证券监督管理机构主要负责人批准,可以限制被调查事件当事人的证券买卖,但限制的期限不得超过十五个交易日;案情复杂的,可以延长十五个交易日。

第一百八十一条 国务院证券监督管理机构依法履行职责,进行监督检查或者调查,其监督检查、调查的人员不得少于二人,并应当出示合法证件和监督检查、调查通知书。监督检查、调查的人员少于二人或者未出示合法证件和监督检查、调查通知书的,被检查、调查的单位有权拒绝。

第一百八十二条 国务院证券监督管理机构工作人员必须忠于职守,依法办事,公正廉洁,不得利用职务便利牟取不正当利益,不得泄露所知悉的有关单位和个人的商业秘密。

第一百八十三条 国务院证券监督管理机构依法履行职责,被检查、调查的单位和个人应当配合,如实提供有关文件和资料,不得拒绝、阻碍和隐瞒。

第一百八十四条 国务院证券监督管理机构依法制定的规章、规则和监督管理工作制度应当公开。

国务院证券监督管理机构依据调查结果,对证券违法行为作出的处罚决定,应当公开。

第一百八十五条 国务院证券监督管理机构应当与国务院其他金融监督管理机构建立监督管理信息共享机制。

国务院证券监督管理机构依法履行职责,进行监督检查或者调查时,有关部门应当予以配合。

第一百八十六条 国务院证券监督管理机构依法履行职责,发现证券违法行为涉嫌犯罪的,应当将案件移送司法机关处理。

第一百八十七条 国务院证券监督管理机构的人员不得在被监管的机构中任职。

第十一章 法律责任

第一百八十八条 未经法定机关核准,擅自公开或者变相公开发行证券的,责令停止发行,退还所募资金并加算银行同期存款利息,处以非法所募资金金额百分之一以上百分之五以下的罚款;对擅自公开或者变相公开发行证券设立的公司,由依法履行监督管理职责的机构或者部门会同县级以上地方人民政府予以取缔。对直接负责的主管人员和其他直接责任人员给予警告,并处以三万元以上三十万元以下的罚款。

第一百八十九条 发行人不符合发行条件,以欺骗手段骗取发行核准,尚未发行证券的,处以三十万元以上六十万元以下的罚款;已经发行证券的,处以非法所募资金金额百分之一以上百分之五以下的罚款。对直接负责的主管人员和其他直接责任人员处以三万元以上三十万元以下的罚款。

发行人的控股股东、实际控制人指使从事前款违法行为的，依照前款的规定处罚。

第一百九十条 证券公司承销或者代理买卖未经核准擅自公开发行的证券的，责令停止承销或者代理买卖，没收违法所得，并处以违法所得一倍以上五倍以下的罚款；没有违法所得或者违法所得不足三十万元的，处以三十万元以上六十万元以下的罚款。给投资者造成损失的，应当与发行人承担连带赔偿责任。对直接负责的主管人员和其他直接责任人员给予警告，撤销任职资格或者证券从业资格，并处以三万元以上三十万元以下的罚款。

第一百九十一条 证券公司承销证券，有下列行为之一的，责令改正，给予警告，没收违法所得，可以并处三十万元以上六十万元以下的罚款；情节严重的，暂停或者撤销相关业务许可。给其他证券承销机构或者投资者造成损失的，依法承担赔偿责任。对直接负责的主管人员和其他直接责任人员给予警告，可以并处三万元以上三十万元以下的罚款；情节严重的，撤销任职资格或者证券从业资格：

（一）进行虚假的或者误导投资者的广告或者其他宣传推介活动；

（二）以不正当竞争手段招揽承销业务；

（三）其他违反证券承销业务规定的行为。

第一百九十二条 保荐人出具有虚假记载、误导性陈述或者重大遗漏的保荐书，或者不履行其他法定职责的，责令改正，给予警告，没收业务收入，并处以业务收入一倍以上五倍以下的罚款；情节严重的，暂停或者撤销相关业务许可。对直接负责的主管人员和其他直接责任人员给予警告，并处以三万元以上三十万元以下的罚款；情节严重的，撤销任职资格或者证券从业资格。

第一百九十三条 发行人、上市公司或者其他信息披露义务人未按照规定披露信息，或者所披露的信息有虚假记载、误导性陈述或者重大遗漏的，责令改正，给予警告，并处以三十万元以上六十万元以下的罚款。对直接负责的主管人员和其他直接责任人员给予警告,并处以三万元以上三十万元以下的罚款。

发行人、上市公司或者其他信息披露义务人未按照规定报送有关报告,或者报送的报告有虚假记载、误导性陈述或者重大遗漏的,责令改正,给予警告,并处以三十万元以上六十万元以下的罚款。对直接负责的主管人员和其他直接责任人员给予警告,并处以三万元以上三十万元以下的罚款。

发行人、上市公司或者其他信息披露义务人的控股股东、实际控制人指使从事前两款违法行为的,依照前两款的规定处罚。

第一百九十四条 发行人、上市公司擅自改变公开发行证券所募集资金的用途的,责令改正,对直接负责的主管人员和其他直接责任人员给予警告,并处以三万元以上三十万元以下的罚款。

发行人、上市公司的控股股东、实际控制人指使从事前款违法行为的,给予警告,并处以三十万元以上六十万元以下的罚款。对直接负责的主管人员和其他直接责任人员依照前款的规定处罚。

第一百九十五条 上市公司的董事、监事、高级管理人员、持有上市公司股份百分之五以上的股东,违反本法第四十七条的规定买卖本公司股票的,给予警告,可以并处三万元以上十万元以下的罚款。

第一百九十六条 非法开设证券交易场所的,由县级以上人民政府予以取缔,没收违法所得,并处以违法所得一倍以上五倍以下的罚款;没有违法所得或者违法所得不足十万元的,处以十万元以上五十万元以下的罚款。对直接负责的主管人员和其他直接责任人员给予警告,并处以三万元以上三十万元以下的罚款。

第一百九十七条 未经批准,擅自设立证券公司或者非法经营证券业务的,由证券监督管理机构予以取缔,没收违法所得,并处以违法所得一倍以上五倍以下的罚款;没有违法所得或者违法所得不足三十万元的,处以三十万元以上六十万元以下的罚款。对直接负责的主管人员和其他直接责任人员给予警告,并处以三万元以上三十万元以下的罚款。

第一百九十八条　违反本法规定，聘任不具有任职资格、证券从业资格的人员的，由证券监督管理机构责令改正，给予警告，可以并处十万元以上三十万元以下的罚款；对直接负责的主管人员给予警告，可以并处三万元以上十万元以下的罚款。

第一百九十九条　法律、行政法规规定禁止参与股票交易的人员，直接或者以化名、借他人名义持有、买卖股票的，责令依法处理非法持有的股票，没收违法所得，并处以买卖股票等值以下的罚款；属于国家工作人员的，还应当依法给予行政处分。

第二百条　证券交易所、证券公司、证券登记结算机构、证券服务机构的从业人员或者证券业协会的工作人员，故意提供虚假资料，隐匿、伪造、篡改或者毁损交易记录，诱骗投资者买卖证券的，撤销证券从业资格，并处以三万元以上十万元以下的罚款；属于国家工作人员的，还应当依法给予行政处分。

第二百零一条　为股票的发行、上市、交易出具审计报告、资产评估报告或者法律意见书等文件的证券服务机构和人员，违反本法第四十五条的规定买卖股票的，责令依法处理非法持有的股票，没收违法所得，并处以买卖股票等值以下的罚款。

第二百零二条　证券交易内幕信息的知情人或者非法获取内幕信息的人，在涉及证券的发行、交易或者其他对证券的价格有重大影响的信息公开前，买卖该证券，或者泄露该信息，或者建议他人买卖该证券的，责令依法处理非法持有的证券，没收违法所得，并处以违法所得一倍以上五倍以下的罚款；没有违法所得或者违法所得不足三万元的，处以三万元以上六十万元以下的罚款。单位从事内幕交易的，还应当对直接负责的主管人员和其他直接责任人员给予警告，并处以三万元以上三十万元以下的罚款。证券监督管理机构工作人员进行内幕交易的，从重处罚。

第二百零三条　违反本法规定，操纵证券市场的，责令依法处理非法持有的证券，没收违法所得，并处以违法所得一倍以上五倍以下的罚款;没有违法所得或者违法所得不足三十万元的,处以三十万元以上三百万元以下的罚款。单位操纵证券市场的,还应当对直接负责的主管人员和其他直接责任人员给予警告,并处以十万元以上六十万元以下的罚款。

第二百零四条 违反法律规定,在限制转让期限内买卖证券的,责令改正,给予警告,并处以买卖证券等值以下的罚款。对直接负责的主管人员和其他直接责任人员给予警告,并处以三万元以上三十万元以下的罚款。

第二百零五条 证券公司违反本法规定,为客户买卖证券提供融资融券的,没收违法所得,暂停或者撤销相关业务许可,并处以非法融资融券等值以下的罚款。对直接负责的主管人员和其他直接责任人员给予警告,撤销任职资格或者证券从业资格,并处以三万元以上三十万元以下的罚款。

第二百零六条 违反本法第七十八条第一款、第三款的规定,扰乱证券市场的,由证券监督管理机构责令改正,没收违法所得,并处以违法所得一倍以上五倍以下的罚款;没有违法所得或者违法所得不足三万元的,处以三万元以上二十万元以下的罚款。

第二百零七条 违反本法第七十八条第二款的规定,在证券交易活动中作出虚假陈述或者信息误导的,责令改正,处以三万元以上二十万元以下的罚款;属于国家工作人员的,还应当依法给予行政处分。

第二百零八条 违反本法规定,法人以他人名义设立账户或者利用他人账户买卖证券的,责令改正,没收违法所得,并处以违法所得一倍以上五倍以下的罚款;没有违法所得或者违法所得不足三万元的,处以三万元以上三十万元以下的罚款。对直接负责的主管人员和其他直接责任人员给予警告,并处以三万元以上十万元以下的罚款。

证券公司为前款规定的违法行为提供自己或者他人的证券交易账户的,除依照前款的规定处罚外,还应当撤销直接负责的主管人员和其他直接责任人员的任职资格或者证券从业资格。

第二百零九条　证券公司违反本法规定，假借他人名义或者以个人名义从事证券自营业务的，责令改正，没收违法所得，并处以违法所得一倍以上五倍以下的罚款；没有违法所得或者违法所得不足三十万元的，处以三十万元以上六十万元以下的罚款；情节严重的，暂停或者撤销证券自营业务许可。对直接负责的主管人员和其他直接责任人员给予警告，撤销任职资格或者证券从业资格，并处以三万元以上十万元以下的罚款。

第二百一十条　证券公司违背客户的委托买卖证券、办理交易事项，或者违背客户真实意思表示，办理交易以外的其他事项的，责令改正，处以一万元以上十万元以下的罚款。给客户造成损失的，依法承担赔偿责任。

第二百一十一条　证券公司、证券登记结算机构挪用客户的资金或者证券，或者未经客户的委托，擅自为客户买卖证券的，责令改正，没收违法所得，并处以违法所得一倍以上五倍以下的罚款；没有违法所得或者违法所得不足十万元的，处以十万元以上六十万元以下的罚款；情节严重的，责令关闭或者撤销相关业务许可。对直接负责的主管人员和其他直接责任人员给予警告，撤销任职资格或者证券从业资格，并处以三万元以上三十万元以下的罚款。

第二百一十二条　证券公司办理经纪业务，接受客户的全权委托买卖证券的，或者证券公司对客户买卖证券的收益或者赔偿证券买卖的损失作出承诺的，责令改正，没收违法所得，并处以五万元以上二十万元以下的罚款，可以暂停或者撤销相关业务许可。对直接负责的主管人员和其他直接责任人员给予警告，并处以三万元以上十万元以下的罚款，可以撤销任职资格或者证券从业资格。

第二百一十三条　收购人未按照本法规定履行上市公司收购的公告、发出收购要约等义务的，责令改正，给予警告，并处以十万元以上三十万元以下的罚款；在改正前，收购人对其收购或者通过协议、其他安排与他人共同收购的股份不得行使表决权。对直接负责的主管人员和其他直接责任人员给予警告,并处以三万元以上三十万元以下的罚款。

第二百一十四条 收购人或者收购人的控股股东,利用上市公司收购,损害被收购公司及其股东的合法权益的,责令改正,给予警告;情节严重的,并处以十万元以上六十万元以下的罚款。给被收购公司及其股东造成损失的,依法承担赔偿责任。对直接负责的主管人员和其他直接责任人员给予警告,并处以三万元以上三十万元以下的罚款。

第二百一十五条 证券公司及其从业人员违反本法规定,私下接受客户委托买卖证券的,责令改正,给予警告,没收违法所得,并处以违法所得一倍以上五倍以下的罚款;没有违法所得或者违法所得不足十万元的,处以十万元以上三十万元以下的罚款。

第二百一十六条 证券公司违反规定,未经批准经营非上市证券的交易的,责令改正,没收违法所得,并处以违法所得一倍以上五倍以下的罚款。

第二百一十七条 证券公司成立后,无正当理由超过三个月未开始营业的,或者开业后自行停业连续三个月以上的,由公司登记机关吊销其公司营业执照。

第二百一十八条 证券公司违反本法第一百二十九条的规定,擅自设立、收购、撤销分支机构,或者合并、分立、停业、解散、破产,或者在境外设立、收购、参股证券经营机构的,责令改正,没收违法所得,并处以违法所得一倍以上五倍以下的罚款;没有违法所得或者违法所得不足十万元的,处以十万元以上六十万元以下的罚款。对直接负责的主管人员给予警告,并处以三万元以上十万元以下的罚款。

证券公司违反本法第一百二十九条的规定,擅自变更有关事项的,责令改正,并处以十万元以上三十万元以下的罚款。对直接负责的主管人员给予警告,并处以五万元以下的罚款。

第二百一十九条 证券公司违反本法规定,超出业务许可范围经营证券业务的,责令改正,没收违法所得,并处以违法所得一倍以上五倍以下的罚款;没有违法所得或者违法所得不足三十万元的,处以三十万元以上六十万元以下罚款;情节严重的,责令关闭。对直接负责的主管人员和其他直接责任人员给予警告,撤销任职资格或者证券从业资格,并处以三万元以上十万元以下的罚款。

第二百二十条 证券公司对其证券经纪业务、证券承销业务、证券自营业务、证券资产管理业务,不依法分开办理,混合操作的,责令改正,没收违法所得,并处以三十万元以上六十万元以下的罚款;情节严重的,撤销相关业务许可。对直接负责的主管人员和其他直接责任人员给予警告,并处以三万元以上十万元以下的罚款;情节严重的,撤销任职资格或者证券从业资格。

第二百二十一条 提交虚假证明文件或者采取其他欺诈手段隐瞒重要事实骗取证券业务许可的,或者证券公司在证券交易中有严重违法行为,不再具备经营资格的,由证券监督管理机构撤销证券业务许可。

第二百二十二条 证券公司或者其股东、实际控制人违反规定,拒不向证券监督管理机构报送或者提供经营管理信息和资料,或者报送、提供的经营管理信息和资料有虚假记载、误导性陈述或者重大遗漏的,责令改正,给予警告,并处以三万元以上三十万元以下的罚款,可以暂停或者撤销证券公司相关业务许可。对直接负责的主管人员和其他直接责任人员,给予警告,并处以三万元以下的罚款,可以撤销任职资格或者证券从业资格。

证券公司为其股东或者股东的关联人提供融资或者担保的,责令改正,给予警告,并处以十万元以上三十万元以下的罚款。对直接负责的主管人员和其他直接责任人员,处以三万元以上十万元以下的罚款。股东有过错的,在按照要求改正前,国务院证券监督管理机构可以限制其股东权利;拒不改正的,可以责令其转让所持证券公司股权。

第二百二十三条 证券服务机构未勤勉尽责,所制作、出具的文件有虚假记载、误导性陈述或者重大遗漏的,责令改正,没收业务收入，暂停或者撤销证券服务业务许可，并处以业务收入一倍以上五倍以下的罚款。对直接负责的主管人员和其他直接责任人员给予警告，撤销证券从业资格，并处以三万元以上十万元以下的罚款。

第二百二十四条 违反本法规定，发行、承销公司债券的，由国务院授权的部门依照本法有关规定予以处罚。

第二百二十五条 上市公司、证券公司、证券交易所、证券登记结算机构、证券服务机构，未按照有关规定保存有关文件和资料的，责令改正，给予警告，并处以三万元以上三十万元以下的罚款；隐匿、伪造、篡改或者毁损有关文件和资料的，给予警告，并处以三十万元以上六十万元以下的罚款。

第二百二十六条 未经国务院证券监督管理机构批准，擅自设立证券登记结算机构的，由证券监督管理机构予以取缔，没收违法所得，并处以违法所得一倍以上五倍以下的罚款。

投资咨询机构、财务顾问机构、资信评级机构、资产评估机构、会计师事务所未经批准，擅自从事证券服务业务的，责令改正，没收违法所得，并处以违法所得一倍以上五倍以下的罚款。

证券登记结算机构、证券服务机构违反本法规定或者依法制定的业务规则的，由证券监督管理机构责令改正，没收违法所得，并处以违法所得一倍以上五倍以下的罚款；没有违法所得或者违法所得不足十万元的，处以十万元以上三十万元以下的罚款；情节严重的，责令关闭或者撤销证券服务业务许可。

第二百二十七条 国务院证券监督管理机构或者国务院授权的部门有下列情形之一的，对直接负责的主管人员和其他直接责任人员，依法给予行政处分：

（一）对不符合本法规定的发行证券、设立证券公司等申请予以核准、批准的；

（二）违反规定采取本法第一百八十条规定的现场检查、调查取证、查询、冻结或者查封等措施的；

（三）违反规定对有关机构和人员实施行政处罚的；

（四）其他不依法履行职责的行为。

第二百二十八条　证券监督管理机构的工作人员和发行审核委员会的组成人员，不履行本法规定的职责，滥用职权、玩忽职守，利用职务便利牟取不正当利益，或者泄露所知悉的有关单位和个人的商业秘密的，依法追究法律责任。

第二百二十九条　证券交易所对不符合本法规定条件的证券上市申请予以审核同意的，给予警告，没收业务收入，并处以业务收入一倍以上五倍以下的罚款。对直接负责的主管人员和其他直接责任人员给予警告，并处以三万元以上三十万元以下的罚款。

第二百三十条　拒绝、阻碍证券监督管理机构及其工作人员依法行使监督检查、调查职权未使用暴力、威胁方法的，依法给予治安管理处罚。

第二百三十一条　违反本法规定，构成犯罪的，依法追究刑事责任。

第二百三十二条　违反本法规定，应当承担民事赔偿责任和缴纳罚款、罚金，其财产不足以同时支付时，先承担民事赔偿责任。

第二百三十三条　违反法律、行政法规或者国务院证券监督管理机构的有关规定，情节严重的，国务院证券监督管理机构可以对有关责任人员采取证券市场禁入的措施。

前款所称证券市场禁入，是指在一定期限内直至终身不得从事证券业务或者不得担任上市公司董事、监事、高级管理人员的制度。

第二百三十四条　依照本法收缴的罚款和没收的违法所得，全部上缴国库。

第二百三十五条　当事人对证券监督管理机构或者国务院授权的部门的处罚决定不服的，可以依法申请行政复议，或者依法直接向人民法院提起诉讼。

第十二章　附　　则

第二百三十六条　本法施行前依照行政法规已批准在证券交易

所上市交易的证券继续依法进行交易。

本法施行前依照行政法规和国务院金融行政管理部门的规定经批准设立的证券经营机构,不完全符合本法规定的,应当在规定的限期内达到本法规定的要求。具体实施办法,由国务院另行规定。

第二百三十七条 发行人申请核准公开发行股票、公司债券,应当按照规定缴纳审核费用。

第二百三十八条 境内企业直接或者间接到境外发行证券或者将其证券在境外上市交易,必须经国务院证券监督管理机构依照国务院的规定批准。

第二百三十九条 境内公司股票以外币认购和交易的,具体办法由国务院另行规定。

第二百四十条 本法自2006年1月1日起施行。

关于《中华人民共和国证券法（修订草案）》的说明

委员长、各位副委员长、秘书长、各位委员：

我受全国人大财政经济委员会的委托，现对《中华人民共和国证券法（修订草案）》作说明。

《中华人民共和国证券法》（以下简称证券法）是1998年12月29日第九届全国人民代表大会常务委员会第六次会议通过、1999年7月1日起实施的。证券法的实施对于规范证券发行和交易行为，保护投资者合法权益，维护社会经济秩序，促进社会主义市场经济发展，发挥了重要作用。随着经济和金融体制改革的不断深化和社会主义市场经济不断发展，证券市场发生了很大变化，在证券发行、交易和证券监管中出现许多新情况，证券法已经不能完全适应新形势发展的客观需要：一是部分上市公司的治理结构不健全，质量不高，信息披露制度不健全，对董事、监事和高级管理人员缺乏诚信义务和法律责任的规定。二是一些证券公司内部控制机制不严、经营活动不规范、外部监管手段不足。三是对投资者特别是中小投资者的合法权益的保护机制不完善，对损害投资者权益的行为缺乏民事责任的规定。四是证券发行、交易、登记结算制度等不够完备，没有为建立多层次资本市场体系留下法律空间。五是对资本市场监管中出现的新情况、新问题缺乏有效的应对手段，有关法律责任的规定过于原则，难以操作，不利于打击违法、违规行为，维护资本市场的秩序。六是证券法调整范围和某些限制性规定已经不适应证券市场的发展，需要补充和完善。

近年来，社会各界要求修订证券法的呼声比较高，在十届全国人大一、二次会议期间，有230位全国人大代表提出议案和建议，要求修订证券法。国务院有关部门，一些企业和专家学者也通过不同形式表达了修订证券法的意见和建议。

根据十届全国人大常委会立法计划，2003年7月全国人大财经委负责成立证券法修改起草组，由全国人大财经委部分委员和全国人大常委会法工委、国家发展和改革委员会、国务院法制办、中国证监会、最高人民法院等单位的负责同志组成起草领导小组，并从上述部门和人民银行、银监会、保监会抽调有关人员组成起草工作小组，同时聘请刘鸿儒、周道炯、厉以宁等八位专家和学者组成专家顾问组。起草组认真分析研究了全国人大代表提出的关于证券法修订的议案和各部门关于修订证券法的建议，专门赴上海、深圳进行实地考察与调研，多次邀请国内证券法律专家和证券公司、上市公司、证券交易所、证券登记结算公司、证券投资基金公司代表，以及中小投资者代表举行研讨会和座谈会，就有关条款修订征求意见。同时，召开了“证券法国际研讨会”，邀请美国、德国、英国、韩国和香港特别行政区的证券法律专家和国内专家就相关问题进行专题研讨，对国外有关证券立法作了比较研究，借鉴其有益经验。经过多方征求意见，反复论证，形成《中华人民共和国证券法(修订草案)》。

这次证券法修订的指导思想是，以党的十六届三中全会决定关于“大力发展资本和其他要素市场。积极推进资本市场的改革开放和稳定发展，扩大直接融资。建立多层次资本市场体系，完善资本市场结构，丰富资本市场产品”的精神为指导，遵循“公开、公平、公正”原则和“法制、监管、自律、规范”的方针，坚持依法治市，保护投资者特别是中小投资者的合法权益，正确处理好改革、发展、稳定的关系，处理好加快资本市场发展与防范市场风险的关系，加强证券市场基础建设。

在修订过程中，我们坚持既积极又慎重，既有利于推动资本市场发展，又有利于保障资本市场安全稳定的原则，对社会各方面提出的意见和建议，区别不同情况妥善处理。对实践证明有利于发挥资本市场积极作用和推进改革开放、稳定发展的，修订草案对现行证券法的有关条款做出修改、补充和完善；对于各方面普遍关注、认识比较一致，修改条件比较成熟的意见，尽量予以采纳吸收；对于争议比较大或目前修改的时机和条件尚不成熟的，这次没有做出修订。修订草案共229条，其中新增加29条，修订95条，删除14条。现对修订草案的主要内容说明如下：

一、完善上市公司的监管制度，提高上市公司质量

1. 建立证券发行上市保荐制度。为了进一步完善股票发行管理体制，确保上市公司规范运作，参照《国务院关于推进资本市场改革开放和稳定发展的若干意见》关于“进一步完善股票发行管理体制，推行证券发行上市保荐制度”的要求，修订草案规定：“发行人申请公开发行证券的，应当按照规定聘请证券公司担任保荐机构。”“保荐机构应当遵守业务规则和行业规范，诚实守信，勤勉尽责，履行推荐发行人证券发行、上市和督导发行人规范运作等相关职责”，并规定了相应的法律责任。（第十三条、第一百八十四条）

2. 增加上市公司控股股东或实际控制人、上市公司董事、监事、高级管理人员诚信义务的规定和法律责任。近年来，上市公司控股股东或者实际控制人通过各种手段掏空上市公司，上市公司董事、监事、高级管理人员不勤勉尽责甚至弄虚作假，损害上市公司和中小投资者合法权益事件时有发生，严重影响了投资者对证券市场的信心。为此，修订草案分别规定：“上市公司董事、监事、高级管理人员负有诚信义务，应当忠实、勤勉履行职责，对上市公司披露信息的真实、准确、完整承担法律责任。”“上市公司控股股东或者实际控制人负有诚信义务，应当确保其提供的文件真实、准确、完整，不得有虚假记载、误导性陈述或者重大遗漏，不得以任何方式损害上市公司和其他股东的合法权益”。（第五十七条第二款和第三款）

3. 提高发行审核透明度，拓宽社会监督渠道。为了加强社会公

众监督,防范发行人采取虚假手段骗取发行上市资格,有必要建立发行申请文件的预披露制度,要求首次公开发行的申请人预先披露申请发行上市的有关信息,这样可以拓宽社会监督的渠道,有利于提高上市公司的质量。为此,修订草案增加规定:"发行人申请首次公开发行的,还应当预先披露有关申请文件"。(第十九条第一款)

二、加强对证券公司监管,防范和化解证券市场风险

1. 健全证券公司内部控制制度,保证客户资产安全,严格防范风险。近年来,证券公司风险不断暴露,主要是内控制度不严,大量挪用客户交易结算资金,严重损害投资者利益,影响了证券市场的稳定。修订草案做出规定,要求证券公司应当建立健全内部控制制度,保证客户资产的安全;证券公司应当采取有效隔离措施,防范公司与客户、不同客户之间的利益冲突;严禁任何机构或者个人以任何形式挪用客户交易结算资金、客户证券账户名下的债券、基金、股票等证券资产;要求证券公司必须将客户的交易结算资金存放在商业银行,以每个客户的名义单独立户管理。(第一百二十七条)

2. 明确了证券公司高级管理人员任职资格管理制度。为了加强对证券公司高级管理人员的管理,修订草案规定:"证券公司的高级管理人员,应当正直诚实,品行良好,熟悉证券法律、行政法规,具有履行职责所需的经营管理能力,并在任职前取得国务院证券监督管理机构核准的任职资格"。(第一百二十三条第一款)

3. 增加了对证券公司主要股东的资格要求,禁止证券公司向其股东或者股东的关联人提供融资或者担保。为了有利于证券公司更好地防范风险,法律应对股东资格特别是主要股东及其实际控制人资格有明确规定,为此,修订草案要求"主要股东及其实际控制人具有持续经营盈利能力,信誉良好,最近三年内无重大违法违规记录,净资产不低于人民币二亿元"。同时还规定"证券公司不得为其股东或者股东的关联人提供融资或者担保。"(第一百一十六条第一款第一项、第一百二十二条第二款)

4. 补充和完善对证券公司的监管措施。现行证券法对证券经营机构监管的特殊性考虑不够,监管手段不足,影响监管效率和效果。修订草案参照《银行业监督管理法》规定,补充和完善了监管措施,要求证券公司及其股东、实际控制人向国务院证券监督管理机构报送有关信息、资料;可以委托会计师事务所、资产评估机构对证券公司进行审计或者评估;对风险控制指标不符合规定的限期改正或限制其业务、限制分配红利;对虚假出资、抽逃出资的股东限期改正并可责令转让股权;对违法违规的证券公司高级管理人员取消任职资格;对严重违法违规的证券公司责令停业整顿、指定其他机构托管、接管或者撤销;在证券公司清算时,优先偿付挪用的客户资产。(第一百三十九条至第一百四十六条)

三、加强对投资者特别是中小投资者权益的保护力度

1. 建立证券投资者保护基金制度。本次修订证券法的一个重要的指导思想就是要加强对投资者特别是中小投资者权益的保护力度。在加强对上市公司、证券公司的监管方面均体现了这一要求。为了维护证券投资者信心,进一步加强对投资者的保护,参照国际上通行的做法,国务院有关部门正在筹建证券投资者保护基金,主要用于弥补被撤销、关闭和破产的证券公司挪用的客户交易结算资金缺口,以及经国务院批准需要动用基金的其他事项。为此,修订草案规定:“国家设立证券投资者保护基金。证券投资者保护基金由证券公司缴纳的资金及其他依法筹集的资金组成,其征集、管理和使用的具体办法由国务院制定。”(第九条)

2. 明确对投资者损害赔偿的民事责任制度。修订草案规定,内幕交易、操纵市场、欺诈客户行为人给他人造成损失的,应当承担赔偿责任(第六十八条第三款、第六十九条第二款、第七十一条第二款);证券发行人及履行保荐职责的证券公司因虚假记载、误导性陈述或者有重大遗漏给投资者造成损失的,应当承担连带赔偿责任(第六十一条);上市公司的收购人或者控股股东利用收购损害上市公司

及其他股东合法权益、造成损失的，应当承担赔偿责任。（第二百零七条第二款）

四、完善证券发行、证券交易和证券登记结算制度，规范市场秩序

1. 明确界定公开发行行为，为打击非法发行行为提供法律依据。由于现行证券法没有界定证券的公开发行行为，致使一些企业采取变相公开发行股票的方式向社会公众募集资金，社会危害性很大。为此，修订草案规定了公开发行行为，对非法发行规定了相应的法律责任。（第十一条第二款、第一百七十九条、第一百八十条）

2. 增加发行失败的规定，强化发行人的风险意识。为了促进发行的市场化，降低证券公司采用单一包销方式所带来的承销风险，参照国际上通行的做法，引入发行失败制度。修订草案规定："证券发行采用代销方式，向投资者出售的证券数量未达到拟公开发行证券数量百分之七十的，为发行失败。发行人应当按照发行价加算银行同期存款利息返还证券认购人"。（第二十九条）

3. 改革证券账户开立制度，适应资本市场对外开放的需要。现行证券法第一百三十八条第二款规定："客户开立账户，必须持有证明中国公民身份或者中国法人资格的合法证件。"根据这一规定，境外公民和法人不得在境内开立证券账户。但为了扩大对外开放，我国已经引入了合格境外机构投资者（QFII）投资境内证券市场，并允许境外投资者受让境内上市公司股份，因此需要对现行证券开户制度进行调整。为此，修订草案规定："投资者开立账户，必须持有证明中国公民身份或者中国法人资格的合法证件。国家另有规定的除外"。（第一百五十八条第二款）

4. 增加规范证券登记结算业务的要求，防范结算风险。为了保障证券市场的安全运行，需要在证券法中明确规定结算业务的基本要求和保证交收的基本原则、措施和手段。为此，修订草案规定："证券登记结算机构为证券交易提供净额结算服务时，应当要求结算参

与人按照货银对付的原则,足额交付证券和资金,并提供交收担保。”“在交收完成之前,任何人不得动用用于交收的证券、资金和担保物。”“结算参与人未按时履行交收义务的,证券登记结算机构有权按照业务规则处理前款所述财产”。(第一百五十九条)

5. 为建立多层次资本市场体系留下空间。党的十六届三中全会《关于完善社会主义市场经济体制若干问题的决定》和《国务院关于推进资本市场改革开放和稳定发展的若干意见》都提出了建立多层次的资本市场体系。为了满足不同层次的资金需求,拓展中小企业融资渠道,完善股权转让制度,修订草案规定:“依法公开发行的股票、公司债券及其他证券、证券衍生品种,发行人申请上市交易的,应当在依法设立的证券交易所上市交易;不申请上市交易的,可以在证券交易所或者经国务院批准的其他证券交易场所转让”。(第三十四条)

五、完善证券监督管理制度,增强对证券市场的监管力度

现行证券法规定了国务院证券监督管理机构依法履行职责时可以采取的措施,在一定程度上保证了监管机构能够依法履行职责,打击违法犯罪。但是,经过这几年实践证明,需要进一步予以完善,包括明确监管部门在日常监管中的执法措施,有权查询有关单位和个人的银行账户;查阅和复制与被调查事件有关的工商登记、税务、海关、户籍、房地产、通讯记录等资料;对有转移或者隐匿涉案财产或者伪造、毁灭重要证据迹象的,可以冻结或者查封;限制被调查事件当事人的证券买卖;对不予配合的当事人,可以申请公安机关传唤等。这些执法手段对于监管部门及时查明案情、打击违法犯罪至关重要。因此,修订草案增加了监管机构的执法手段和权限。(第一百七十二条、第一百七十五条)

六、强化证券违法行为的法律责任,打击违法犯罪行为

现行证券法在实施过程中反映出的一个重要问题是法律责任的

规定需要进一步补充、完善，并使之更具操作性。为此，修订草案在法律责任中从五个方面增加了相应的规定：一是明确规定证券发行与交易中的民事责任（第六十八条、第六十九条、第七十一条）。二是追究控股股东或实际控制人的民事赔偿责任和行政责任，如证券发行申请经核准后，发现不符合法律、行政法规规定条件的，发行人的发起人、股东、实际控制人有过错的应当承担连带责任，并可处罚款直至追究刑事责任（第二十条、第一百八十条）。三是增加证券公司的责任规定，包括违法承销、未依法履行保荐职责、未按规定报送文件或保存资料等情形下的责任（第一百八十三条、第一百八十四条、第二百一十五条、第二百二十条）。四是加大上市公司、证券公司有关高级管理人员和直接责任人员的责任。发行人有欺诈发行、虚假陈述的，证券公司有违规从事承销、保荐的，对其负有责任的高级管理人员和直接责任人员可给予警告、罚款等处罚（第一百八十条、第一百八十一条、第一百八十三条、第一百八十四条）。五是规定了证券市场禁入制度，对严重违法人员禁止其在一定期限直至终身不得从事证券业务或者不得担任上市公司董事、监事、高级管理人员职务（第二百二十三条）。

七、关于社会普遍关注的几个问题的修订

分业经营和管理、现货交易、融资融券、禁止国企炒股和银行资金违规进入股市等五个问题对于进一步发展资本市场很重要，又被社会普遍关注。对五个问题相关条款的修订存在一些分歧，经过反复调研论证，广泛征求各方意见，本着实事求是、从实际出发的精神做了如下的修订：

1. 关于现行证券法第六条“证券业和银行业、信托业、保险业分业经营、分业管理。证券公司与银行、信托、保险业务机构分别设立”的修订。对这个条款的修订有两种不同看法：一是认为金融业的分业经营和管理的格局基本没有变化，因此这条不需要修订；二是认为随着金融改革不断深化，过去实行严格分业经营的做法在实践中已经开始被突破，目前已经出现在集团控股下分设银行、证券、保险机构的模式，而且最近国务院已经批准商业银行设立基金管理公司试点，批准保险资金按一定比例直接进入资本市场，这些做法都已突破分业经营的限制。根据实践需要，建议开一个口子，一方面对既成事实提供法律依据；另一方面也为以后金融改革留下空间。综合考虑上述两种不同意见，参照《商业银行法》的修订，修订草案在原条款不动的基础上增加了“国家另有规定的除外”。（第六条）

2. 关于现行证券法第三十五条“证券交易以现货进行交易”的修订。对这条修订有两种不同意见：一是认为交易方式是一种市场行为，只需要证券监管部门进行核准，不必写入证券法，因此建议删除此条；二是认为现行证券法规定我国只允许现货交易，排除其他任何交易方式，不利于证券市场长期稳定健康发展。实践证明国际上通行的证券股指期货期权等交易形式，不但活跃了证券市场，也是一种避险工具。同时，值得关注的是，国外有的期货交易所已推出中国股指期货，交易对象包括中海油、中国铝业、中国人寿、中国电信在内的16家中国公司股票构成的指数期货合约。如果国内不能开办金融期货交易品种，不能提供股指期货等风险管理工具，可能形成我国股票的现货市场与股指期货市场在境内外割据，不利于我国资本市场的安全运行。考虑到国务院《关于推进资本市场改革开放和稳定发展的若干意见》明确指出“建立以市场为主导的品种创新。研究开发与股票和债券相关的新品种及其衍生产品”，开发新的证券交易品种已成为我国资本市场稳定发展的必要条件，因此建议证券交易除现货交易外还允许其他方式进行交易。综合以上意见，将这条修订为“证券交易以现货和国务院规定的其他方式进行交易”。（第三十七条）

3. 关于现行证券法第三十六条“证券公司不得从事向客户融资或者融券的证券交易活动”和第一百四十一条“证券公司接受委托卖出证券必须是客户证券账户上实有的证券，不得为客户融券交易。证券公司接受委托买入证券必须以客户资金账户上实有的资金支付,不得为客户融资交易”的修订。对这两条的修订也有不同意见:一是认为融资融券存在一定的风险,建议这两条仍然保留不作修订;二是认为这两条有必要进行修订:其一,“融资融券”是资本市场发展应具有的基本功能,各国资本市场均建立了证券融资融券交易制度,通过融资融券可增加市场流动性,提供风险回避手段,提高资金利用率;其二,融资融券是以后实施期货等金融衍生工具交易必不可少的基础。因此建议国家应制定有关融资融券规定,在严格监管条件下,分步组织实施。综合上述意见,对这两条进行修订,将现行证券法第三十六条修订为:“证券公司从事向客户融资或者融券的证券交易活动,必须遵守国家有关规定”。(第三十八条)同时,删除现行证券法第一百四十一条。

4. 关于现行证券法第七十六条“国有企业和国有资产控股的企业,不得炒作上市交易的股票”的修订。在征求意见中,各方面一致认为国有企业和国有资产控股的企业是否允许买卖股票问题应当由国有资产监督管理的有关法律和法规规定。因此,将这条修订为“国有企业和国有资产控股的企业买卖上市交易的股票,必须遵守国家有关规定”。(第七十四条)

5. 关于现行证券法第一百三十三条第一款“禁止银行资金违规流入股市”的修订。考虑到银行资金入市属于银行监管范畴,受商业银行法等法律的调整,没有必要在证券法中规定,而且对于其他渠道流入的违规资金都应限制。参照党的十六届三中全会《关于完善社会主义市场经济体制若干问题的决定》提出的“拓宽合规资金入市渠道”、“建立健全货币市场、资本市场、保险市场有机结合、协调发展的机制”和考虑《国务院关于推进资本市场改革开放和稳定发展的若干意见》鼓励合规资金入市的意见,修订草案将此条修订为“依法拓宽资金入市渠道,禁止违规资金流入股市”。(第一百二十八条)

《中华人民共和国证券法(修订草案)》和以上说明是否妥当,请审议。

全国人大法律委员会关于《中华人民共和国证券法(修订草案)》修改情况的汇报

全国人民代表大会常务委员会：

常委会第十五次会议对证券法(修订草案)进行了初次审议。会后,法制工作委员会将修订草案印发各地方、中央有关部门、证券交易所、证券公司、证券登记结算机构和有关金融机构、研究机构征求意见。法律委员会、财经委员会、法制工作委员会联合召开座谈会,听取证券业有关单位的意见。法律委员会、法制工作委员会还赴上海进行调研,听取有关方面的意见。在此基础上,法律委员会同财经委员会、国务院法制办、中国证监会等对修订草案主要问题多次进行了研究、协调。法律委员会于8月9日、10日召开会议,根据常委会组成人员的审议意见、全国人大代表的意见和各方面的意见,对修订草案进行了审议。财经委员会和国务院法制办等有关部门的负责同志列席了会议。8月17日,法律委员会召开会议,再次进行了审议。现将修订草案主要问题修改情况汇报如下：

一、修订草案第二条规定:“在中国境内,股票、公司债券和国务院依法认定的其他证券、证券衍生品种的发行和交易,适用本法。本法未规定的,适用公司法和其他法律、行政法规的规定。”有的常委委员、部门和单位提出,证券衍生品种分为证券型(如认股权证等)和契约型(如股指期货、期权等)两大类,具体品种随着证券市场发展将会不断增加,在发行、交易及信息披露等方面有其特殊性。现行证券法规范的是传统的股票、公司债券等,修订草案将证券衍生品种与股票、公司债券等的现货交易并列,其内容实际上难以适用于各种证券衍生品种。法律委员会经同财经委员会、证监会研究认为,鉴于证券衍生品种具有特殊性,为了对证券衍生品种的发行与交易作出专门规范,在目前对此缺乏实践经验的情况下,宜授权国务院依照本法的原则另行制定管理办法。据此,法律委员会建议在这一条中增加一款,规定:“证券衍生品种发行和交易的管理办法,由国务院依照本法的原则规定。”(修订草案二次审议稿第二条第三款)

二、修订草案第十章规定了国务院证券监督管理机构的职权。有些常委委员和地方、单位提出,修订草案增加了国务院证券监督管理机构的监管权力,特别是对违法行为实施检查和调查的强制权力,这对加强证券市场监管是必要的,但缺乏对其行使权力的程序及监督制约措施的规定,建议予以完善。有的地方、单位提出,国务院证券监督管理机构属于事业单位,法律赋予其冻结或者查封有关当事人的银行账户,查阅、复制有关的通讯记录等权力是否合适,建议再作研究。中国证监会提出,证券违法行为具有资金转移快、调查取证难、社会危害大等特点,如果证监会没有必要的强制查处手段,对有效打击证券违法行为不利。法律委员会经研究认为,中国证监会作为对全国证券市场实行集中统一监督管理的机构,法律赋予其相应的权力,以提高监管效能,是必要的。同时,也有必要对其行使权力进行约束和监督。据此,法律委员会建议在修订草案中对国务院证券监督管理机构行使权力增加规定严格的程序,主要是:冻结或者查封当事人的银行账户,应当经国务院证券监督管理机构主要负责人批准;进行检查或者调查的人员不得少于二人,并应当出示合法证件和监督检查、调查通知书;对不符合风险控制指标的证券公司,责令整改后,经验收符合风险控制指标的,应当及时解除限制措施等。(修订草案二次审议稿第一百八十条、第一百八十一条、第一百五十条)

三、修订草案第一百七十五条规定,“国务院证券监督机构可以申请公安机关传唤”对其调查、检查工作不予配合的当事人。有的部门提出，根据有关法律规定，公安机关只能传唤犯罪嫌疑人和违反治安管理行为人，对其他人不能采取这种强制措施，建议删去这一规定。对妨碍证券监督管理机构进行调查、检查的，可以依法给予治安管理处罚或者追究刑事责任。法律委员会经研究，赞成这一意见；同时，考虑到证券监督管理机构行使调查、检查权时需要得到有关机关的协助和配合，建议增加规定："国务院证券监督管理机构依法履行职责，进行监督检查或者调查时，有关部门应当予以配合。"（修订草案二次审议稿第一百八十五条第二款）

四、修订草案第十二条规定，申请公开发行股票、公司债券，必须报经国务院证券监督管理机构或者国务院授权的部门核准，并按规定缴纳有关审核费。有的常委委员、地方、部门提出，证券监督管理机构实施审批，不应收费；同时，去年《财政部、国家发展改革委关于公布取消103项行政审批等收费项目的通知》，已明确取消了证监会的发行审核收费项目。因此，建议删去修订草案有关收取审核费的规定。关于这个问题，中国证监会提出，按照行政许可法的规定，实施行政许可只有法律、行政法规规定可以收取费用的，才能收费。去年取消审核费这个项目，原因就是过去证监会收取审核费只有国务院批准的规章作依据，没有法律、行政法规作依据。证监会收取审核费有其必要性，主要理由是：国际上证券监督管理机构基本上都是法定的独立机构，对证券市场既实行监督，又具有一定的服务职能，对证券发行审核或者注册都是收取费用的。同时，证券监督管理机构聘请外部专家组成发行审核委员会对发行申请进行审核，也需要向他们支付一定的费用。法律委员会经研究，建议按照国际上的通行做法，在本法"附则"中集中写一条，规定："发行人申请核准公开发行股票、公司债券，应当按照规定缴纳审核费用。"（修订草案二次审议稿第二百三十六条）

五、有的部门、单位提出，目前各种新闻媒体进行股评活动比较混乱，有的证券咨询公司与媒体联手，买断电视台、电台的多个时段进行股评营销，推介个股，有的股评人甚至与庄家串通，故意发布虚假信息,操纵股市,误导投资者。建议对利用新闻媒体对单只股票进行评介的行为作出禁止性规定。有的部门提出,对个股的评价、推介,有一定的市场需求,不宜一律禁止。法律委员会经研究认为,为了保护投资者的利益,对通过媒体进行股评等传播证券信息的行为需要进行规范。凡是通过媒体发布虚假证券消息,误导投资者,使投资者遭受损失的,应当承担民事赔偿责任。据此,法律委员会建议在修订草案第一百六十三条关于证券咨询机构从业人员的行为规范中增加规定,禁止"利用传播媒介或者通过其他方式提供、传播虚假或者误导投资者的信息",并规定由此给投资者造成损害的,依法承担赔偿责任。(修订草案二次审议稿第一百七十一条)

六、修订草案第四十四条、第五十条、第五十四条、第五十五条分别规定,证券交易所对申请股票、公司债券上市交易进行审核,对不再具备上市条件的公司股票、公司债券,决定暂停上市或者终止上市。对这样规定,有两种意见:一种意见认为,证券交易所隶属于证监会,其审核上市申请、决定股票暂停上市、终止上市,都属于行政行为,当事人不服的,有权申请行政复议和提起行政诉讼;另一种意见认为,国际上证券交易所都是会员制的自律性机构,按照其制定的上市规则接受上市申请,或者决定暂停上市、终止上市,都属于自律性行为,当事人不服的,只能按照民事关系处理。法律委员会经研究认为,证券交易所作为证券市场的组织者,其依据法定上市条件和交易所上市规则对证券上市申请进行审核,属于自律管理,经审核同意上市的,证券交易所应当与上市申请人签订上市协议,通过上市协议规范双方的权利义务,形成一种民事法律关系。据此,法律委员会建议将修订草案第四十四条、第五十条关于股票、债券申请上市的规定合并为一条,修改为:"申请证券上市交易,应当向证券交易所提出申请,由证券交易所依法审核同意,并由双方签订上市协议。"(修订草案二次审议稿第四十八条第一款)

七、修订草案第十三条第一款规定:"发行人申请公开发行证券的,应当按照规定聘请证券公司担任保荐机构。"有的地方、部门、单位提出,公司债券与股票不同,发行时一般设有担保,且发行人到期还本付息,债券持有人的利益可以得到保证,没有必要实行保荐制度。同时,向特定对象发行证券,一般不采取由证券公司承销的方式,而是由发行人直接向特定人销售,不涉及公众利益,也没有必要实行保荐制度。有的单位提出,为了提高上市公司质量,保证上市公司规范运作,在申请上市时也应实行保荐制度,并对保荐人实行资格管理。法律委员会经研究,赞成上述意见,建议将修订草案关于保荐制度的规定作如下修改:

一是将修订草案第十三条修改为:“发行人申请公开发行股票、可转换为股票的公司债券,依法采取承销方式的,或者公开发行法律、行政法规规定实行保荐制度的其他证券的,应当聘请具有保荐资格的机构担任保荐人。”“保荐人应当遵守业务规则和行业规范,诚实守信,勤勉尽责,对发行人的申请文件和信息披露资料进行审慎核查,督导发行人规范运作。”“保荐人的资格及其管理办法由国务院证券监督管理机构制定。”(修订草案二次审议稿第十一条)

二是在修订草案第三章“证券交易”中增加一条,规定:“申请股票、可转换为股票的公司债券或者法律、行政法规规定实行保荐制度的其他证券上市交易,应当聘请具有保荐资格的机构担任保荐人。”(修订草案二次审议稿第四十九条第一款)

八、修订草案第八十四条规定,收购要约的期限届满,被收购公司股权分布不符合上市条件,收购人不以终止上市交易为目的且未超过该公司已发行股份总数的百分之九十的,限期出售其所持超过规定比例的股票。有的单位提出,一些国家的证券法对于希望继续保留上市公司资格的收购,规定可以采取按比例收购的方式,建议借鉴这一做法,防止收购进来又限期卖出去,既麻烦,又容易被用来操纵股市。法律委员会经研究认为,在这一条规定的情况下,实行按比例收购比较合理。据此,建议将这一条修改为:“收购上市公司部分股份的收购要约应当约定,被收购公司股东承诺出售的股份数额超过预定收购的股份数额的,收购人按比例进行收购。”(修订草案二次审议稿第八十八条第二款）同时，为了保护被收购公司的中小股东利益，建议将修订草案第八十四条、第八十五条合并修改为："收购期限届满，被收购公司股权分布不符合上市条件的，该上市公司的股票应当在证券交易所终止上市交易；其余仍持有被收购公司股票的股东，有权向收购人以收购要约的同等条件出售其股票，收购人应当收购。"（修订草案二次审议稿第九十六条第一款）

九、有的地方、单位提出，修订草案对证券发行、信息披露环节发行人、上市公司以及中介机构制作、公开的文件存在虚假记载、误导性陈述或者有重大遗漏的行为，作了承担民事赔偿的规定。但是，对当事人各自的责任规定得不够清楚，建议予以明确。法律委员会经研究认为，应当根据上述机构和人员在信息披露中所起的作用规定各自的责任。发行人、上市公司是信息披露的义务主体，应当承担无过错责任，赔偿投资者因此受到的损失；发行人、上市公司的董事、监事、高级管理人员以及保荐人、证券服务机构应当按照过错责任原则，与发行人承担连带赔偿责任；发行人、上市公司的控股股东、实行控制人有过错的，也应当与发行人承担连带赔偿责任。据此，法律委员会建议对修订草案第二十条、第六十一条、第一百六十五条按照上述归责原则进行修改。（修订草案二次审议稿第二十六条、第六十九条、第一百七十三条）

此外，为了与公司法修改统筹考虑，还将公司法中有关对股票公开发行、上市交易监管的规定移入修订草案中，作了适当合并、修改。同时，还对修订草案作了一些文字修改。

修订草案二次审议稿已按上述意见作了修改，法律委员会建议本次常委会会议继续审议。

修订草案二次审议稿和以上汇报是否妥当，请审议。

全国人大法律委员会

2005 年 8 月 23 日

全国人大法律委员会关于《中华人民共和国证券法(修订草案)》审议结果的报告

全国人民代表大会常务委员会：

常委会第十七次会议对证券法(修订草案二次审议稿)进行了审议。会后,法律委员会、法制工作委员会就草案中的主要问题与全国人大财经委员会、证监会进行了研究和协调。法律委员会于10月9日召开会议,根据常委会组成人员的审议意见和有关方面的意见,对草案进行了审议。财经委员会、国务院法制办、证监会的负责同志列席了会议。10月19日,法律委员会召开会议,再次进行了审议。法律委员会认为,根据我国金融体制改革和证券市场发展的需要,在总结实践经验的基础上,对证券法加以修订是必要的,修订草案基本可行;同时,提出以下主要修改意见：

一、修订草案二次审议稿第十条第二款第二项规定"向超过二百人的特定对象发行证券"属于公开发行,应当报国务院证券监督管理机构或者国务院授权的部门核准。有的部门提出,为了防止发行人在短期内多次向不超过二百人的特定对象发行证券,规避核准和监管,应作出必要的限制。法律委员会研究认为,为了保护公众投资者的利益,防止变相公开发行证券的行为,对发行人在短期内多次向不超过二百人的特定对象发行证券的行为进行限制是必要的。据此,法律委员会建议将修订草案二次审议稿第十条第二款第二项修改为"累计向超过二百人的特定对象发行证券"(修订草案三次审议稿第十条第二款第二项)。这样修改后,有这种情形的,必须向国务院证券监督管理机构或者国务院授权的部门申请发行核准。

二、有的常委委员提出，按照公司法的规定，只有上市公司可以发行可转换为股票的公司债券，证券法在规范证券发行条件时，应与公司法的上述规定相衔接。法律委员会经研究，赞成这一意见，建议在修订草案二次审议稿第十六条中增加一款，规定："上市公司发行可转换为股票的公司债券，除应当符合第一款规定的条件外，还应当符合本法关于公开发行股票的条件，并报国务院证券监督管理机构核准。"（修订草案三次审议稿第十六条第三款）

三、有的常委委员提出，修订草案二次审议稿第六十七条规定，上市公司对本公司发生的影响证券价格的重大事件，必须立即向国务院证券监督管理机构和证券交易所报告，并向社会公告。草案所列"重大事件"，还应包括上市公司涉嫌犯罪被立案调查的情形。有的常委委员提出，按照草案规定，保荐人负有对股票发行、上市交易出具保荐书，对申请文件进行核查等责任，承销的证券公司负有对公开发行文件进行审查的义务，它们都掌握上市公司的内部情况，应列入"证券交易内幕信息知情人"的范围。法律委员会经研究，赞成上述意见，建议在修订草案二次审议稿第六十七条第二款关于"重大事件"的规定中增加规定"公司涉嫌犯罪被司法机关立案调查"（修订草案三次审议稿第六十七条第二款第十一项）；在第七十四条"证券交易内幕信息知情人"中增加"保荐人、承销的证券公司"。（修订草案三次审议稿第七十四条第六项）

四、有的常委委员、部门提出，在收购上市公司过程中，有些收购人与他人合谋，采取共同收购行为，表面上各个收购人都未达到法律规定的持股比例，以规避收购达到一定比例必须报告、公告或者发出收购要约的义务，对这种行为应予规范。法律委员会经研究，赞成上述意见，建议将修订草案二次审议稿相关条款修改为"投资者持有或者通过协议、其他安排与他人共同持有"一个上市公司已发行的股份达到法定比例的，应当进行报告、公告和发出收购要约。（修订草案三次审议稿第八十六条、第八十八条）

五、修订草案二次审议稿第一百二十八条规定，证券公司设立、收购或者撤销分支机构，变更公司形式、业务范围、注册资本，或者合并、分立、解散、破产，必须报经国务院证券监督管理机构批准。有的常委委员提出，对违反上述规定的行为，要负什么法律责任，应予明确。法律委员会经研究，建议对违反上述规定的行为，增加一条法律责任的规定。（修订草案三次审议稿第二百一十八条）

六、有些常委委员提出，修订草案二次审议稿对国务院证券监督管理机构授权较多，但对其权力的制约及法律责任规定得不够。法律委员会经研究，建议对修订草案作如下修改：

1. 将修订草案二次审议稿第十二条、第十三条中关于“国务院证券监督管理机构规定的其他条件”修改为“经国务院批准的国务院证券监督管理机构规定的其他条件”。（修订草案三次审议稿第十二条、第十三条第四项）

2. 将修订草案二次审议稿第二百二十四条的原则性规定补充修改为：“国务院证券监督管理机构或者国务院授权的部门有下列情形之一的，对直接负责的主管人员和其他直接责任人员，依法给予行政处分：（一）对不符合本法规定的发行证券、设立证券公司等申请予以核准、批准的；（二）违反规定采取本法第一百八十条规定的现场检查、调查取证、查询、冻结或者查封等措施的；（三）违反规定对有关机构和人员实施行政处罚的；（四）其他不依法履行职责的行为”（修订草案三次审议稿第二百二十七条）。同时，将修订草案二次审议稿第二百二十六条修改为：“证券监督管理机构的工作人员和发行审核委员会的组成人员，不履行本法规定的职责，滥用职权、玩忽职守，利用职务便利牟取不正当利益，或者泄露所知悉的有关单位和个人的商业秘密的，依法追究法律责任。”（修订草案三次审议稿第二百二十八条）

此外，还对修订草案二次审议稿作了一些文字修改。

修订草案三次审议稿已按上述意见作了修改，法律委员会建议本次常委会会议审议通过。

修订草案三次审议稿和以上报告是否妥当,请审议。

全国人大法律委员会

2005 年 10 月 19 日

全国人大法律委员会关于公司法（修订草案三次审议稿）、证券法（修订草案三次审议稿）、关于修改个人所得税法的决定（草案）和外国中央银行财产司法强制措施豁免法（草案二次审议稿）修改意见的报告（节录）

（2005 年 10 月 25 日）

全国人大法律委员会主任委员　杨景宇

全国人民代表大会常务委员会：

本次常委会会议于 10 月 23 日上、下午分别对公司法（修订草案三次审议稿）、证券法（修订草案三次审议稿）、关于修改个人所得税法的决定（草案）和外国中央银行财产司法强制措施豁免法（草案二次审议稿）进行了分组审议。常委会组成人员普遍认为，这四个法律案经过常委会审议、修改，已经比较成熟，建议本次会议进一步修改后通过；同时，有些常委会组成人员又提出了一些修改意见。法律委员会于 10 月 24 日召开会议，根据常委会组成人员的意见，对四个法律案进行了审议。财经委员会、国务院法制办、财政部、税务总局、外交部、国务院港澳办和证监会的负责同志列席了会议。法律委员会认为，四个法律案是可行的；同时，提出以下主要意见：

一、关于公司法(修订草案三次审议稿)(略)

二、关于证券法(修订草案三次审议稿)

(一)有的全国人大代表提出,参与审核和核准股票发行申请的人员,除不得接受发行申请人的馈赠,不得私下与发行申请人进行接触外,也不得接受发行申请人的代理人的馈赠和与之私下接触。法律委员会经研究,考虑到按照现行做法,公司申请股票发行,只能由公司自己办理,不得委托代理人办理,建议将修订草案三次审议稿第二十三条第二款修改为:“参与审核和核准股票发行申请的人员,不得与发行申请人有利害关系,不得直接或者间接接受发行申请人的馈赠,不得持有所核准的发行申请的股票,不得私下与发行申请人进行接触。”(建议表决稿第二十三条第二款)

(二)有的常委委员提出,鉴于公司法修订草案三次审议稿要求公司编制的年度财务会计报告应当依法经会计师事务所审计,证券法修订草案三次审议稿第五十二条第五项中“经法定验证机构验证”的公司财务会计报告的表述,应与公司法的规定相衔接,防止产生不必要的误解。法律委员会经研究,建议将修订草案三次审议稿第五十二条第五项修改为“依法经会计师事务所审计的公司最近三年的财务会计报告”。(建议表决稿第五十二条第五项)

(三)有些常委委员提出,修订草案三次审议稿第一百七十四条规定,证券业协会是证券业的自律性组织,是社会团体法人。据此,第一百七十六条规定的证券业协会职责中,第一项“协助证券监督管理机构教育和组织会员执行证券法律、行政法规”和第八项“国务院证券监督管理机构赋予的其他职责”不符合协会的性质。法律委员会经研究,建议将上述第一项修改为“教育和组织会员遵守证券法律、行政法规”,将第八项修改为“证券业协会章程规定的其他职责”。(建议表决稿第一百七十六条第一项、第八项)

此外,还对修订草案三次审议稿作了一些文字修改。

三、关于修改个人所得税法的决定(草案)(略)

四、关于外国中央银行财产司法强制措施豁免法(草案二次审议稿)(略)

四个法律案的建议表决稿和以上报告是否妥当,请审议。